¡DIME!

PASAPORTE AL MUNDO 21

CUADERNO DE ACTIVIDADES

PARA · HISPANOHABLANTES

Fabián A. Samaniego

Francisco X. Alarcón

Elba R. Sánchez

Nelson Rojas

HEATH

D.C. Heath and Company

Lexington, Massachusetts / Toronto, Ontario

Illustration Credits

Carlos Castellanos

Ruth Flanigan

Michael Lenn

For permission to use copyrighted materials, grateful acknowledgment is made to the copyright holders listed on page 489, which is hereby considered an extension of this copyright page.

Published simultaneously in Canada.

Printed in the United States of America.

International Standard Book Number: 0–669–40887–5

10 9 8 7 6 5 4 3 2 1 DBH 99 98 97 96

CONTENIDO

LOS AUTORES

Fabián A. Samaniego nació en Las Cruces, Nuevo México. Se graduó de la Universidad Estatal de Nuevo México e hizo sus estudios avanzados en la Universidad de Iowa. Enseñó cuatro años en la Universidad Estatal de Utah antes de ir a la Universidad de California en Davis (U.C.D.), donde coordinó el programa de primer año en el Departamento de Español y supervisó a los *Teaching Assistants*. En 1989 fue co-director de *Español para triunfar*, un instituto de verano en U.C.D. para profesores de secundaria que trabajan con estudiantes hispanohablantes. En 1994 formó parte de la mesa directiva de la conferencia nacional, *Teaching Spanish to Native Speakers in the U.S.: Praxis and Theory*. Especialista en pedagogía, Samaniego ha presentado talleres y ponencias en reuniones profesionales por todo EE.UU., en México y en España. En el estado de California enseñó en el *Foreign Language Competency Project* y en programas para los distritos escolares de Los Ángeles, San Francisco y de los condados de Santa Clara y Sacramento. También fue miembro de la mesa directiva del *California Foreign Language Teacher Preparation Project* y del *California Foreign Language Project*. Samaniego es el autor principal de tres textos para estudiantes de español de secundaria: *¡Dime! Uno, ¡Dime! Dos* y *¡Dime! Pasaporte al Mundo 21*. También es autor principal de dos textos para estudiantes universitarios y es co-editor de un libro de pedagogía, *Language and Culture in Learning: Teaching Spanish to Native Speakers of Spanish*.

Francisco X. Alarcón nació en Los Ángeles y se crió en Guadalajara, México. Se graduó de la Universidad Estatal de California en Long Beach e hizo sus estudios avanzados en la Universidad de Stanford. Ha sido becario tanto de Fulbright como de Danforth. Enseñó durante seis años en la Universidad de California en Santa Cruz en uno de los primeros programas de español para hispanohablantes en EE.UU. Actualmente es director del *Programa de español para hispanohablantes* del Departamento de Español en la Universidad de California en Davis. Fue uno de los organizadores de la conferencia nacional, *Teaching Spanish to Native Speakers in the U.S.: Praxis and Theory* que se realizó en mayo de 1994. Poeta, crítico y editor chicano, Alarcón ha recibido numerosos premios literarios. Ha publicado nueve colecciones de poesía; entre sus más recientes están: *No Golden Gate for Us* (1993), *Snake Poems* (1992), *De amor oscuro* (1991) y *Cuerpo en llamas* (1990). En 1993, *Snake Poems* recibió el *American Book Award* y el *Pen Oakland Josephine Mile Award*. *Cuerpo en llamas* ha sido publicado en Irlanda y Suecia en ediciones en español/irlandés y español/sueco, respectivamente. Alarcón es co-editor de un libro de pedagogía: *Teaching Spanish to Native Speakers: Praxis and Theory*. Fue presidente de la Mesa Directiva del Centro Cultural de la Misión en San Francisco y actualmente es miembro de la Mesa Directiva de La Raza/Galería Posada, un centro cultural chicano en Sacramento, California.

Elba R. Sánchez nació en Atemajac del Valle en Jalisco, México donde vivió hasta los doce años cuando su familia emigró a San Francisco, California. Se graduó de la Universidad de California en Santa Cruz (U.C.S.C.), donde también hizo sus estudios avanzados en literatura. En 1979, empezó a enseñar en el *Programa de español para hispanohablantes* en U.C.S.C., uno de los primeros programas universitarios para hispanohablantes en EE.UU. Desde entonces, Sánchez ha entrenado a muchos de los profesores que ahora son directores de programas para hispanohablantes, tanto de nivel universitario como de secundaria. En 1985, fue nombrada directora del programa en U.C.S.C., cargo que sigue ejerciendo. En 1992, publicó *Tallos de luna/Moon Shoots,* una colección de poemas en español e inglés. En 1993 editó *From Silence to Howl* y en 1994, *Lenguas sueltas,* dos librillos que contienen obras de poetas chicanos/latinos tanto conocidos como desconocidos. Sánchez es la co-fundadora de *Revista mujeres,* una publicación que desde 1980 se dedica a la difusión de obras críticas y creativas de chicanas y latinas.

Nelson Rojas nació en Santiago, Chile. Realizó estudios universitarios en la Universidad de Chile en Valparaíso. Vino luego a estudiar a EE.UU. y obtuvo el doctorado en lingüística románica de la Universidad de Washington en Seattle. Actualmente enseña en la Universidad de Nevada en Reno, donde también ha sido jefe del Departamento de lenguas extranjeras. Ha coordinado y enseñado en programas de estudio en México y en España y ha sido profesor visitante en universidades de Chile, Venezuela y la República Dominicana. Es co-autor de una serie de cuatro textos para estudiantes universitarios de segundo año y de un manual de gramática avanzado. Ha publicado un estudio sobre la obra del poeta chileno Gonzalo Rojas así como artículos especializados sobre lingüística española.

PARA LOS PROFESORES

Organización

El **Cuaderno de actividades para hispanohablantes** empieza con una sección introductoria, **Antes de empezar,** que incluye un breve enfoque sobre la lengua y cultura hispana en EE.UU. y algunos formularios que ayudan a diagnosticar el nivel lingüístico de los estudiantes, a analizar y evitar errores de deletreo y a facilitar la corrección de composiciones. A continuación hay una lección preliminar y ocho unidades con tres lecciones cada una. El contenido de cada lección refuerza la materia correspondiente en el texto del estudiante e introduce otros conceptos esenciales para los estudiantes hispanohablantes. En cada lección se encuentran las secciones **¡A escuchar!**, **¡A explorar!** y **Vocabulario activo**.

¡A escuchar!

Esta sección contiene las páginas de actividades que acompañan al programa de audiocintas. Éstas incluyen actividades de comprensión auditiva basadas en información cultural; un repaso con ejercicios de la acentuación y/o la pronunciación que incluye prácticas de deletreo; y un dictado que les permite a los estudiantes desarrollar sus habilidades auditivas mientras practican las reglas de acentuación, pronunciación y deletreo que han aprendido.

¡A explorar!

Esta sección se divide en cuatro partes y presenta información que los estudiantes hispanohablantes necesitan comprender junto con una gran variedad de actividades. La primera parte explica principios, conceptos y usos del lenguaje. La segunda parte, **Gramática en contexto,** tiene ejercicios adicionales que hacen un repaso de puntos fundamentales de la gramática de la lección. La tercera parte, cuyo nombre varía entre **Pronunciación, Ortografía** o **Acentuación y ortografía**, practica los principios de la pronunciación, de la acentuación y del deletreo que se presentan en la sección **¡A escuchar!** La última parte, **Lengua en uso**, examina cómo la lengua española se habla en diferentes regiones del mundo hispano. Les enseña a los estudiantes a reconocer y a apreciar el uso de variantes coloquiales como el caló, el habla caribeña y el voseo.

En la primera lección de cada unidad se presenta una sección especial, **Correspondencia práctica,** que explica varias formas de la correspondencia tanto formal como informal. Ésta siempre se ilustra con ejemplos seguidos por tareas específicas de redacción.

Vocabulario activo

Esta sección comprende dos partes. La primera parte contiene las listas del vocabulario activo del texto, y actividades para practicar y ampliar el vocabulario de los estudiantes. Además, a los estudiantes se les pide que recuerden de una manera sistemática las palabras y las expresiones que han aprendido. La segunda parte, **Composición**, encierra temas de redacción que les permiten a los estudiantes incorporar el vocabulario activo y usar su creatividad para expresar sus propias opiniones sobre algún aspecto cultural explicado en la lección.

AL ENSEÑAR CADA PARTE DE UNA LECCIÓN

¡A escuchar!

La sección de **¡A escuchar!** comprende tres partes: **Mundo 21, Acentuación y ortografía** (que en las unidades posteriores se convertirá en **Pronunciación y ortografía** o, según el tema, simplemente **Ortografía**) y **Dictado**.

Mundo 21

En esta parte los estudiantes escuchan diversos ejemplos de discurso formal e informal. Entre otras, se presentan personas de distintas edades, profesores que dictan conferencias y locutores que presentan las noticias en la televisión o la radio. Por lo general, estas actividades de comprensión auditiva repasan lo que los estudiantes han aprendido acerca de individuos específicos o tópicos culturales y frecuentemente incluyen información adicional sobre la persona o el tema cultural en que se enfoca. En otras ocasiones, reflejan situaciones que se encuentran en la vida diaria. Se examina el nivel de comprensión de varias maneras. Por ejemplo, hay actividades que utilizan ilustraciones o que requieren que los estudiantes seleccionen las respuestas correctas de una serie de posibilidades. Otras les piden a los estudiantes que indiquen si la oración presentada es verdadera o falsa o si el contexto no da suficiente información. En éstas, si la oración es falsa, tienen que escribir la información correcta.

Acentuación/Pronunciación y ortografía

En esta parte los estudiantes hacen un repaso completo de la acentuación en español con una práctica extensa que incluye ejercicios sobre la silabificación, la acentuación de palabras homófonas, y la pronunciación y la acentuación de diptongos y triptongos. También se incluye práctica adicional que con frecuencia necesitan estudiantes hispanohablantes, por ejemplo, en las áreas de la acentuación de los pronombres demostrativos en contraste con los adjetivos demostrativos, las palabras interrogativas y exclamativas, los pronombres relativos, las formas verbales y algunas palabras parónimas. Las partes de pronunciación examinan la correspondencia que hay entre ciertas letras problemáticas y sus sonidos. También les proporcionan a los estudiantes numerosas oportunidades para escuchar y escribir palabras que se deletrean con las letras **b/v**, **c/s/z**, **q/k/c**, **g/j**, **ll/y**, **r/rr**, **h**, y **x**.

Dictado

La última parte de **¡A escuchar!** consiste en un párrafo de cinco a ocho oraciones que se lee como dictado. Esta actividad les permite a los estudiantes poner en práctica todas las reglas de pronunciación, acentuación y deletreo que han aprendido. El contenido de estos párrafos siempre repasa algún aspecto de la información cultural que se ha presentado en la lección.

Sugerencias para trabajar con *¡A escuchar!*

La manera en que se utilizan las audiocintas es flexible según la situación de cada clase. Éstas son algunas sugerencias que pueden ser útiles.

- Pedirles a los estudiantes que escuchen las audiocintas al completar cada lección en el texto.
- Escuchar las cintas en clase después de estudiar las secciones correspondientes en el texto.
- Asignar las cintas como repaso en el laboratorio de lenguas, si su colegio tiene uno.
- Repasar las respuestas correctas en clase después de que los estudiantes hayan trabajado con las cintas. Se pueden escribir las respuestas en una transparencia y pedirles a los estudiantes que corrijan sus propias tareas o que intercambien y que corrijan las de otro estudiante.
- Variar el modo en que se les pide a los estudiantes que trabajen con las audiocintas. Por ejemplo, se puede hacer el dictado en clase algunas veces y en otras ocasiones asignarlo como tarea. También se les puede permitir a los estudiantes que trabajen en parejas o grupos al hacer las actividades.

¡A explorar!

Esta sección se separa en cuatro partes: una explicación de los principios, conceptos y usos del lenguaje, **Gramática en contexto, Acentuación y ortografía** (u **Ortografía**) y **Lengua en uso.** Además, **Correspondencia práctica** figura en la primera lección de cada unidad.

Principios, conceptos y usos

Esta sección tiene en cuenta las necesidades específicas de los estudiantes hispanohablantes y abarca diversos conceptos fundamentales con el fin de mejorar el conocimiento de la lengua hablada y escrita. Para empezar, los estudiantes examinan principios elementales del lenguaje: las partes de la oración, los componentes de una oración completa, la puntuación y el uso de mayúsculas y minúsculas. Luego estudian algunos conceptos problemáticos para hispanohablantes, por ejemplo, la acentuación de distintas formas verbales, los varios usos de **se** y el reconocimiento de "cognados falsos". Se les enseña a los estudiantes la lectura en voz alta, en particular el enlace de sonidos iniciales y finales de algunas palabras además de las pausas entre frases y oraciones. Para reforzar la materia, actividades contextualizadas siguen a cada explicación.

Gramática en contexto

En esta parte los estudiantes practican las estructuras gramaticales que se presentan en cada lección del texto. La numeración y los subtítulos en el cuaderno son idénticos a los del texto con la excepción de que en el cuaderno los subtítulos aparecen en español. Cuando es apropiado, las explicaciones se desarrollan con más detalle para ampliar la comprensión del concepto gramatical según las necesidades específicas de los estudiantes hispanohablantes. Todas las estructuras gramaticales se practican en un contexto. Se hace un esfuerzo consciente de reintroducir frases y expresiones que los estudiantes han usado previamente para ciertas situaciones comunes de la vida diaria. Además, éstas se usan para practicar nuevas situaciones en las cuales los estudiantes narran en el presente, el pasado y el futuro, expresan deseos y anhelos, hacen recomendaciones y expresan opiniones. A veces las actividades se basan en dibujos para apoyar la comprensión. También se incluyen ejercicios de traducción para enfatizar las diferencias o las correspondencias léxicas y sintácticas entre el español y el inglés.

Acentuación y ortografía / Ortografía

En esta parte los estudiantes practican extensamente el uso de los acentos escritos y el deletreo correcto en español. Aplican una vez más las reglas de acentuación que estudiaron en la parte correspondiente de **¡A escuchar!** completando ejercicios primero con palabras aisladas, luego con oraciones y finalmente con párrafos. En las partes dedicadas al deletreo, se les pide a los estudiantes que utilicen las reglas de ortografía presentadas en la lección al repasar palabras sacadas de las lecturas de la misma lección. Como se hace con la acentuación, los ejercicios de deletreo se basan primero en palabras aisladas y después en oraciones y párrafos.

Sugerencias para trabajar con *¡A explorar!*

Los instructores pueden decidir cómo y cuándo deben hacer los estudiantes estos ejercicios. A continuación se presentan algunas posibilidades.

- Asignar la primera parte de **¡A explorar!** como tarea al iniciar una lección en el texto; luego repasar y corregir las respuestas de los ejercicios en clase.
- Asignar los ejercicios de **Gramática en contexto** como tarea o hacerlos en clase, después de completar las secciones correspondientes en el texto.
- Escribir las respuestas de los ejercicios de **Gramática en contexto** en una transparencia y pedirles a los estudiantes que verifiquen su propio trabajo o el de otro estudiante antes de entregárselo a Ud.
- Asignar la sección de **Acentuación y ortografía/Ortografía** como tarea al completar cada lección y repasar las respuestas correctas en clase.
- Asignar la sección **Acentuación y ortografía/Ortografía** como tarea al completar la sección correspondiente de **¡A escuchar!** y pedirles a los estudiantes que corrijan su propio trabajo en casa.

Lengua en uso

Esta parte especial les permite a los estudiantes examinar la lengua española tal como se habla y escribe actualmente. Así pueden llegar a comprender la gran diversidad multicultural y multirracial del mundo hispano. Los estudiantes pueden estudiar por medio de obras literarias los rasgos de su propia habla, ya sean méxicoamericanos, puertorriqueños o cubanos.

Asimismo se enteran del uso de prefijos latinos y griegos, la formación y uso de los diminutivos y los aumentativos, la interferencia del inglés en el español escrito y los "cognados falsos" en la lengua española. Con canciones de Juan Luis Guerra, Rubén Blades, Tania Libertad y Mercedes Sosa, los estudiantes se dan cuenta de cómo la música popular refleja los sentimientos y el idioma del pueblo y sigue siendo parte importante de la larga tradición oral hispana.

Sugerencias para trabajar con *Lengua en uso*

Existe mucha flexibilidad en cuanto a cómo y cuándo los estudiantes pueden hacer estos ejercicios. A continuación se presentan algunas posibilidades.

- Asignar **Lengua en uso** como tarea al completar cada lección.
- Después de completar esta sección, tener una discusión en clase animando a los estudiantes a desarrollar más el tema, especialmente cuando se presenta el habla (o una variante) de su país de origen o el de sus antepasados. También pedirles a algunos estudiantes que den más ejemplos de los usos del habla o del punto en cuestión.
- Repasar las respuestas correctas de los ejercicios en clase y pedirles a los estudiantes que verifiquen su propio trabajo o el de otro estudiante.

Correspondencia práctica

En esta parte los estudiantes investigan la organización, el estilo, el lenguaje o las fórmulas de cortesía y el protocolo que se usan para completar varios tipos de redacción utilizados en la vida real. Por ejemplo, aprenden a tomar mensajes telefónicos, escribir cartas de agradecimiento, invitaciones, varios tipos de mensajes personales, cartas informales a amigos y cartas formales de negocios. También aprenden a desarrollar una declaración personal como parte de una solicitud de ingreso a una universidad y a redactar una carta para solicitar empleo. Cada una incluye ejemplos y/o un modelo, y un tema para que los estudiantes pongan en práctica la materia presentada.

Sugerencias para trabajar con *Correspondencia práctica*

- Pedirles a los estudiantes que hagan el ejercicio de redacción en clase, limitándoles el tiempo para hacerlo. Pueden hacerlo solos, en parejas o en grupos de tres o cuatro.
- Pedirles a los estudiantes que lean las explicaciones de **Correspondencia práctica** como tarea al completar la primera lección de cada unidad. Luego, en clase contestar cualquier pregunta que los estudiantes tengan sobre lo que leyeron y asignar el ejercicio de redacción como tarea.
- Recordarles a los estudiantes que utilicen las estrategias de redacción que han aprendido en el texto cuando preparen su composición.
- No tomar mucho tiempo para corregir y calificar los ejercicios del **Cuaderno de actividades para hispanohablantes.** Los estudiantes se beneficiarán más si Ud. les pide que ellos mismos verifiquen su propio trabajo o el de otro estudiante.

Vocabulario activo

En esta sección los estudiantes encuentran listas de vocabulario activo idénticas a las listas que se presentan al inicio de cada lección en el texto de los instructores *(Teacher's Edition)*. Las palabras y expresiones que figuran aquí se organizan bajo los subtítulos de las partes correspondientes a **Gente del Mundo 21** y **Del pasado al presente**. Hay espacios en blanco en cada subdivisión del vocabulario para permitirles a los estudiantes que escriban otras palabras nuevas que han aprendido en la lectura de la lección. Este procedimiento también les ayuda a recordar palabras y expresiones que previamente aprendieron acerca del tema de la lectura en cuestión. Al permitir a los estudiantes que personalicen sus listas de vocabulario activo, se les anima a que vean el vocabulario no como una lista limitada que tienen que memorizar, sino como un vocabulario personal en continua expansión que responde a sus necesidades individuales. Después de cada lista, se incluyen varios tipos de actividades para practicar el vocabulario nuevo.

Sugerencias para trabajar con el *Vocabulario activo*

A continuación se presentan algunas posibilidades sobre cuándo y cómo los estudiantes pueden trabajar con esta sección de vocabulario.

- Pedirles a los estudiantes que añadan palabras a sus listas de **Vocabulario activo** cada vez que terminen las lecturas del texto que aparecen en las secciones **Gente del Mundo 21** y **Del pasado al presente.** Esto se puede hacer en clase o como tarea en casa.
- Requerir que los estudiantes añadan por lo menos cuatro o cinco palabras nuevas en cada subdivisión de vocabulario.
- Permitir que los estudiantes comparen sus listas entre sí en clase para ver si quieren incorporar a su lista algunas de las palabras de las listas de sus compañeros.
- Pedirles a los estudiantes que hagan los ejercicios de **Vocabulario activo** en clase, limitándoles el tiempo para hacerlo. Pueden hacerlo solos, en parejas o en grupos de tres o cuatro.
- Asignar estos ejercicios como tarea para hacerse en casa y corregirlos en clase el día siguiente.
- Se recomienda no dedicar mucho tiempo a la corrección de los ejercicios del **Vocabulario activo.** Los estudiantes se beneficiarán más si ellos mismos verifican su propio trabajo o el de otro estudiante.

Composición

Ésta forma parte de la sección **Vocabulario activo** y les ofrece a los estudiantes temas abiertos para que escriban de una manera original. Los temas están diseñados para despertar la creatividad de los estudiantes al pedirles que expresen sus propias opiniones o den sus propias interpretaciones de eventos históricos o textos literarios que se incluyen en la lección. Se hace un esfuerzo consciente de recordar a los estudiantes que practiquen las estrategias y los principios de redacción presentados en las secciones de **Escribamos ahora** de la unidad que estén estudiando.

Sugerencias para trabajar con la *Composición*

- Asignar la Composición como tarea uno o dos días antes de completar la lección.
- Recordarles a los estudiantes que utilicen las estrategias de redacción que han aprendido en la sección **Escribamos ahora** del texto: desarrollar y organizar ideas, escribir el primer borrador, revisar el contenido con un(a) compañero(a), desarrollar el segundo borrador, redactar este borrador y escribir el borrador final.
- Corregir y calificar las composiciones de una forma comprensiva *(holistic)* siguiendo una de las sugerencias que se presentan en la página T26 del texto para el instructor *(Teacher's Edition)*. Al calificar de esta manera, las composiciones no deben tomar demasiado tiempo y deben servir para motivar a los estudiantes a desarrollar una mayor fluidez en su redacción en español.
- Recordarles que escriban errores de ortografía en la **Tabla de anotaciones para mejorar el deletreo** que se incluye en la sección **Antes de empezar** de este **Cuaderno.**

Apéndices

Clave de respuestas

Esta clave de respuestas para los ejercicios del **Cuaderno de actividades para hispanohablantes** compone el Apéndice A. Le permite a Ud. pedirles a los estudiantes que ellos mismos corrijan su propio trabajo en vez de siempre tener que depender de Ud. para hacerlo. Para aquellos profesores que no deseen que los estudiantes tengan la clave, estas páginas están perforadas y pueden ser removidas el primer día de clase.

Reglas de acentuación en español

En el Apéndice B se encuentra un resumen de las reglas de acentuación en español que se presentan en detalle en este **Cuaderno de actividades para hispanohablantes.**

Formulario diagnóstico

El Apéndice C contiene copias adicionales de la tabla de anotaciones para mejorar el deletreo del estudiante. La tabla se usa para anotar errores de deletreo que el estudiante comete constantemente y le ayuda a superar los errores más comunes.

¡Buena suerte!

Fabián A. Samaniego

Francisco X. Alarcón

Elba R. Sánchez

Nelson Rojas

ANTES DE EMPEZAR

La presencia hispana en EE.UU.

Según el censo de 1990, el número de hispanos en EE.UU. es más de 22 millones, casi el 10 por ciento de la población entera. Como es de esperar, la mayoría está en California (7,6 millones), Texas (4,3 millones), Nueva York (2,2 millones) y la Florida (1,6 millones). Pero lo sorprendente del último censo es que el número de hispanos tuvo un gran aumento en muchos otros estados, por ejemplo, Illinois (879.000), Nueva Jersey (720.000), Arizona (681.000), Nuevo México (577.000), Colorado (419.000), Massachusetts (276.000), Pennsylvania (220.000), Washington (206.000) y Connecticut (204.000).

En algunas ciudades de EE.UU. el número de niños hispanos matriculados en las escuelas públicas ya representa una mayoría; se anticipa que para principios del siglo XXI este fenómeno será la norma en un gran número de ciudades. A la vez, muchos acuerdos interamericanos hacen que el comercio internacional de EE.UU. vaya enfocándose más y más en Hispanoamérica. Esto le da una importancia imprescindible a la enseñanza de la lengua española en EE.UU. No cabe duda que los hispanohablantes en EE.UU., con su conocimiento y aprecio por la cultura hispana, y con la ventaja de haber ya internalizado muchos de los matices más difíciles de la lengua, podrán facilitar la comunicación a cualquier nivel con nuestros vecinos hispanoamericanos.

Los antropólogos han descubierto que cuando una lengua muere, también deja de existir su cultura. Si se espera que la cultura hispanoestadounidense siga viva y vibrante, es esencial que los jóvenes hispanos en este país reconozcan que la lengua española es parte de nuestra identidad y de una rica herencia cultural que compartimos con otros pueblos. Nuestra lengua es el puente que nos une tanto con nuestro pasado como con nuestro futuro. Ya que EE.UU. es actualmente el quinto país más grande de habla española, a través del conocimiento y el desarrollo de nuestra lengua materna podremos confirmar nuestro lugar en el Mundo 21.

Formularios diagnósticos

A continuación se encuentran unos formularios diagnósticos que ayudarán al instructor y al estudiante a decidir si esta clase es la apropiada, a analizar y evitar los errores más comunes de deletreo y a corregir las composiciones.

El primer formulario está diseñado para ser completado por los estudiantes el primer día de clase. Les da a los instructores un perfil general del uso del español que tiene cada estudiante fuera de clase y una muestra de su nivel de redacción en español. Esta información les ayudará a los instructores a aconsejar a los estudiantes sobre el nivel en que deben estar, las áreas específicas de la lengua en que necesitan atención inmediata y en las que necesitarán atención especial durante el curso. De esta manera, el instructor puede organizar el curso para satisfacer las necesidades individuales de los estudiantes.

El segundo formulario es una tabla modelo que los instructores pueden pedirles a los estudiantes que utilicen frecuentemente, quizás después de escribir cada composición. Tomando en cuenta el concepto de que los estudiantes deben asumir cierta responsabilidad por sus conocimientos, esta tabla fue construida para ayudarles a analizar y a resolver los problemas específicos de deletreo que tengan. Por cada palabra problemática que encuentren, los estudiantes escriben individualmente en la tabla el deletreo normativo de la palabra, el deletreo original que incluye errores, las razones posibles por la confusión y una regla o apunte que les ayude a recordar el deletreo normativo.

Al final de la sección hay una tabla con diversos símbolos que facilitan la corrección de las composiciones. Estos símbolos se pueden usar para entrenar a los estudiantes a corregir sus propios errores en todas las composiciones —las del **Cuaderno de actividades para hispanohablantes,** las del texto y las de los exámenes.

UN CUESTIONARIO DIAGNÓSTICO

Completa este cuestionario y entrégaselo a tu profesor(a) de español el primer o segundo día de clases. La información que se pide aquí informará a tu profesor(a) de tus antecedentes con la lengua española para saber si esta clase es apropiada para ti. Contesta todas la preguntas en tu mejor español usando oraciones completas, pero no te preocupes si cometes algunos errores. Lo importante es que tu profesor(a) obtenga una buena idea de cómo hablas, escribes y lees español al empezar la clase.

Nombre: _____ **Fecha:** _____

Antecedentes personales y de educación

1. ¿Dónde naciste? _____

   ¿Cuánto tiempo has vivido en Estados Unidos? _____

2. ¿De dónde son tus padres? _____

   ¿Dónde han vivido la mayor parte de su vida?

   _____

3. ¿Son tus padres hispanohablantes nativos? ¿Hablan tus padres español

   en casa? _____

4. ¿Les contestas tú en español a tus padres?   sí _____   no _____

5. ¿Hablas tú español con tus amigos? ¿Sobre qué temas y cuándo?

   _____

   _____

6. ¿En qué situaciones prefieres hablar español? ¿Y en cuáles inglés?

   _____

   _____

7. ¿Piensas que el español que hablas es mejor (igual o peor) que el inglés

   que hablas? ¿Por qué piensas eso? _____

   _____

8. ¿Has estudiado español en la escuela? ¿Dónde y cuánto tiempo?

   _____

9. ¿Lees en español? ¿Qué? ¿Cuándo? _____

   _____

10. ¿Escribes en español? ¿Qué? ¿Cuándo? _____

_____

11. ¿Cuáles son tus puntos fuertes en español, tanto al escribir como al hablar?

_____

_____

12. ¿En qué áreas necesitas más desarrollo en español: leer, escribir, hablar, etc.? ¿Cómo podrías recibir ayuda efectiva en estas áreas?

_____

_____

13. ¿Qué beneficios piensas obtener al estudiar el español formal?

_____

_____

Composición

Escribe una breve composición sobre tus experiencias con el español. ¿Por qué te interesa estudiarlo? ¿Piensas que el conocer español es una ventaja? ¿Por qué? ¿Qué importancia tiene el español en tu vida?

_____

_____

_____

_____

_____

_____

_____

_____

_____

_____

_____

_____

_____

ANOTACIONES PARA MEJORAR EL DELETREO

Usa esta tabla para anotar errores de deletreo que sigues repitiendo. En cada caso, escribe el deletreo formal, el error que tú tiendes a repetir, la razón por la cual crees que te confundes y algo que te ayude a recordar el deletreo formal en el futuro. Sigue el modelo. Este proceso debe ayudarte a superar los errores más comunes. En el Apéndice C hay más copias de esta tabla.

Nombre: _____ Fecha: _____

Tabla de anotaciones para mejorar mi deletreo

Deletreo normativo	Mi deletreo	Razones por confusión	Lo que me ayuda a recordar el deletreo normativo
asistí	assistí	Escribí dos eses como la palabra en inglés	En español nunca se usan dos eses

SIGNOS PARA LA CORRECCIÓN DE COMPOSICIONES

Cuando entregues tus composiciones para ser calificadas, es probable que tu profesor(a) decida sólo indicar los errores y pedir que tú mismo(a) los corrijas. Si así es el caso, esta lista de signos te ayudará a interpretar las indicaciones.

⬭	Falta de acento	⬭ proximo
⊖	No lleva acento	interesãnte
d.	Deletreo	*d.* vurro
s.	Usa un sinónimo	María estudia mucho. Ella estudia *s.* seis horas cada noche.
≡	Necesita mayúscula	Vamos a méxico. ≡
/	Se escribe con minúscula	Los Ⱥicaragüenses son pinoleros.
c.	Concordancia en género y número entre sustantivo y adjetivo, o sujeto y verbo	*c.* *c.* Un tarde caluroso. *c.* *c.* Rosa y Pepe vamos juntos.
n.e.	Una forma no-estándar (no necesariamente incorrecta pero no apropiada para este trabajo)	*n.e.* Dudo que haiga tiempo. *n.e.* No teníamos muncho dinero. *n.e.* Van pa la playa.
c.f.	"Cognado falso"	*c.f.* Nosotros realizamos quién era.
( )	No se necesitan (letras/palabras extras)	Los estudiant(t)es estudiarán las reglas y(luego ellos)pondrán acentos escritos donde se necesite.
——	Algo no está claro en una o varias palabras	
?	Enfatiza que no está claro lo escrito en una o varias oraciones	
√	Muy buena expresión o idea	

CUADERNO DE ACTIVIDADES

PARA·HISPANOHABLANTES

¡A escuchar!

El Mundo 21

Premio Nóbel de Literatura. Escucha lo que les dice una profesora de literatura latinoamericana a sus alumnos sobre uno de los escritores mexicanos más importantes del siglo XX. Luego marca si cada oración que sigue es **cierta (C), falsa (F)** o si no tiene relación con lo que escuchaste **(N/R).** Si la oración es falsa, corrígela.

C   F   **N/R**   **1.** Octavio Paz fue galardonado con el Premio Nóbel de Literatura en 1993.

_____

_____

C   F   **N/R**   **2.** Nació en la Ciudad de México en 1914.

_____

_____

C   F   **N/R**   **3.** Publicó su primer libro de poesía, *Luna silvestre,* cuando tenía cuarenta años.

_____

_____

C   F   N/R   **4.** El hecho que más lo conmovió durante su juventud fue su primera visita a París.

_____

_____

C   F   N/R   **5.** Fue embajador de México en la India.

_____

_____

C   F   N/R   **6.** Quizás su libro de ensayos de mayor influencia sea *El laberinto de la soledad*.

_____

_____

B **La lengua española en EE.UU.** Escucha el siguiente texto acerca del español en EE.UU. y luego selecciona la opción correcta para completar las siguientes oraciones. Escucha una vez más para verificar tus respuestas.

1. El español tiene ... en la historia del territorio que hoy forma parte de EE.UU.

   a. profundas raíces

   b. poca importancia

   c. raíces muy superficiales

2. Por ejemplo, ... estados con nombres españoles formaron parte del extenso imperio español.

   a. cinco

   b. siete

   c. diez

3. Muchos puntos geográficos de estas regiones conservan el nombre que les dieron los primeros exploradores y colonizadores hispanos a partir...

   a. del siglo XVI

   b. del siglo XVIII

   c. del siglo XX

4. Muchas ciudades norteamericanas que tienen nombres españoles están localizadas en el ... de EE.UU.

   a. noroeste

   b. este

   c. suroeste

5. Estados Unidos es el ... país en el mundo en número de hispanohablantes.

   a. segundo

   b. quinto

   c. séptimo

El abecedario

Los nombres de las letras del alfabeto en español son los siguientes. Repítelos al escuchar a la narradora leerlos.

a	a	**k**	ka	**t**	te
b	be (*be* grande, *be* larga, *be* de burro)	**l**	ele	**u**	u
		m	eme	**v**	ve, uve (*ve* chica, *ve* corta, *ve* de vaca)
c	ce	**n**	ene		
d	de	**ñ**	eñe		
e	e	**o**	o	**w**	doble v, doble uve
f	efe	**p**	pe	**x**	equis
g	ge	**q**	cu	**y**	i griega, ye
h	hache	**r**	ere	**z**	zeta
i	i	**rr**	erre		
j	jota	**s**	ese		

Observa que en español hay dos letras más que en inglés: la **ñ** y la **rr**. Hasta hace poco la **ch** y la **ll** también se consideraban letras del alfabeto español, pero fueron eliminadas en 1994 por la Real Academia Española.

C ¡A deletrear! Deletrea en voz alta las palabras que va a pronunciar el narrador.

1. diversidad   6. multirracial

2. empobrecer   7. incluir

3. traicionar   8. lucha

4. español   9. judío

5. azteca   10. castillo

Sonidos y deletreo problemático

Muchos sonidos tienen una sola representación al escribirlos. Otros, como los que siguen, tienen varias representaciones y, por lo tanto, palabras con estos sonidos presentan problemas al deletrearlas.

El sonido /b/. La letra **b** y la **v** representan el mismo sonido. Por eso, es necesario memorizar el deletreo de palabras con estas letras. Repite los siguientes sonidos y palabras que va a leer la narradora.

/b/		/b/	
ba	**B**aca	va	**v**aca
bo	**bo**tar	vo	**vo**tar
bu	**bu**rro	vu	**vu**lgar
be	**be**so	ve	**ve**rano
bi	**bi**llar	vi	**ví**bora

Los sonidos /k/ y /s/. La **c** delante de las letras **e** o **i** tiene el sonido /s/, que es idéntico al de la letra **s** y al de la **z**, excepto en España donde se pronuncia como *th* en inglés. Delante de las letras **a, o, u** tiene el sonido /k/. Para conseguir el sonido /k/ delante de las letras **e** o **i**, es necesario deletrearlo **que, qui**. Repite los siguientes sonidos y palabras que va a leer el narrador.

/k/	
ca	**ca**sa
co	**co**bre
cu	**cu**chara
que	**que**so
qui	**qui**nto

/s/		/s/		/s/	
ce	**ce**ntro	se	**se**ñal	ze	**ze**ta
ci	**ci**dra	si	**si**lencio	zi	**zi**gzag

Lección
preliminar

Los sonidos /g/ y /x/. La **g** delante de las letras **e** o **i** tiene el sonido **/x/** que es idéntico al sonido de la **j**. Delante de otras letras usualmente tiene un sonido fuerte. Para conseguir el sonido **/g/** delante de las letras **e** o **i**, es necesario deletrearlo **gue, gui.** Para conseguir el sonido de la **u** en esa combinación, hay que deletrearlo con diéresis, o sea, con dos puntos sobre la **u** en **güe, güi.** Repite los siguientes sonidos y palabras que va a leer la narradora.

/g/		**/x/**		**/x/**	
ga	**gal**án	ge	**ge**nte	je	**je**rga
go	**go**ta	gi	**gi**mnasio	ji	**ji**nete
gu	**gu**sto				
gue	**gue**rra				
gui	**guí**a				
güe	**güe**ra				
güi	**güi**pil				

El sonido /y/. En partes de Latinoamérica, la **ll** y la **y** tienen el sonido **/y/.** Por eso, es necesario memorizar el deletreo de palabras con estas letras. Repite los siguientes sonidos y palabras que va a leer la narradora.

/y/		**/y/**	
lla	**lla**ma	ya	**ya**nqui
llo	**llo**ra	yo	**yo**ga
llu	**llu**via	yu	**yu**ca
lle	**lle**gar	ye	**ye**rba
		yi	**yi**ddish

D **Sonido y deletreo.** Indica cómo se escribe cada sonido que van a leer los narradores. Si un sonido tiene varias representaciones escritas, escríbelas todas. Cada sonido se va a repetir dos veces.

1. _____   6. _____

2. _____   7. _____

3. _____   8. _____

4. _____   9. _____

5. _____   10. _____

Separación en sílabas

Sílabas. Todas las palabras se dividen en sílabas. Una sílaba es la letra o letras que forman un sonido independiente dentro de una palabra. Para pronunciar y deletrear correctamente, es importante saber separar las palabras en sílabas. Hay varias reglas que determinan cómo se forman las sílabas en español. Estas reglas hacen referencia tanto a las **vocales (a, e, i, o, u)** como a las **consonantes** (cualquier letra del alfabeto que no sea vocal).

Regla N° 1: Todas las sílabas tienen por lo menos una vocal.

Estudia la división en sílabas de las siguientes palabras mientras la narradora las lee.

Tina:	Ti-na	gitano:	gi-ta-no
cinco:	cin-co	alfabeto:	al-fa-be-to

Regla N° 2: La mayoría de las sílabas en español comienza con una consonante.

moro:	mo-ro	romano:	ro-ma-no
lucha:	lu-cha	mexicano:	me-xi-ca-no

Una excepción a esta regla son las palabras que comienzan con una vocal. Obviamente la primera sílaba de estas palabras tiene que comenzar con una vocal y no con una consonante.

Ahora estudia la división en sílabas de las siguientes palabras mientras el narrador las lee.

Ana:	A-na	elegir:	e-le-gir
elefante:	e-le-fan-te	ayuda:	a-yu-da

Regla N° 3: Cuando la **l** o la **r** sigue una **b, c, d, f, g, p** o **t** forman agrupaciones que nunca se separan.

Estudia cómo estas agrupaciones no se dividen en las siguientes palabras mientras la narradora las lee.

poblado:	po-**bl**a-do	drogas:	**dr**o-gas
bracero:	**br**a-ce-ro	anglo:	an-**gl**o
escritor:	es-**cri**-tor	actriz:	ac-**tr**iz
flojo:	**fl**o-jo	explorar:	ex-**pl**o-rar

Lección

preliminar

Regla Nº 4: Cualquier otra agrupación de consonantes siempre se separa en dos sílabas.

Estudia cómo estas agrupaciones se dividen en las siguientes palabras mientras la narradora las lee.

azteca:	a**z**-**t**e-ca	excepto:	e**x**-**c**e**p**-**t**o
mestizo:	me**s**-**t**i-zo	alcalde:	a**l**-**c**a**l**-**d**e
diversidad:	di-ve**r**-**s**i-dad	urbano:	u**r**-**b**a-no

Regla Nº 5: Las agrupaciones de tres consonantes siempre se dividen en dos sílabas, manteniendo las agrupaciones indicadas en la regla Nº 3 y evitando la agrupación de la letra **s** antes de otra consonante.

Estudia la división en sílabas de las siguientes palabras mientras la narradora las lee.

instante:	i**ns**-**t**an-te	construcción:	co**ns**-**tr**u**c**-ción
empleo:	e**m**-**pl**e-o	extraño:	e**x**-**tr**a-ño
estrenar:	e**s**-**tr**e-nar	hombre:	ho**m**-**br**e

E **Separación.** Divide en sílabas las palabras que escucharás a continuación.

1. comunidad
2. extranjero
3. empobrecer
4. celta
5. nombrar
6. abdicar
7. protestante
8. oro

9. musulmana
10. crisis
11. destructivo
12. imponer
13. calidad
14. complejidad
15. inflación
16. jardines

Dictado. Escucha el siguiente dictado e intenta escribir lo más que puedas. El dictado se repetirá una vez más para que revises tu párrafo.

Lengua multinacional

_____

_____

_____

_____

_____

_____

_____

_____

_____

_____

_____

_____

_____

_____

_____

_____

_____

_____

_____

_____

_____

_____

_____

¡A explorar!

Repaso básico de la gramática: Terminología

- Un **sustantivo** *(noun)* es una palabra que identifica ...

  1. una **persona**: primas, papá, maestro, niños

  2. una **cosa**: camión, sofá, tortillas, parque

  3. un **lugar**: restorán, librería, pueblo, casa

  4. una **abstracción**: terror, libertad, amor, opresión

  Un **nombre propio** *(proper name / noun)* es el nombre particular de una persona, un lugar, una cosa o un evento. Todos los nombres propios son sustantivos.

Estela	San Juan
Río Bravo	Segunda Guerra Mundial.

- Un **pronombre** *(pronoun)* es una palabra que sustituye a un sustantivo. Hay varios tipos de pronombres. En esta lección vas a concentrarte en los pronombres **personales, demostrativos** e **interrogativos**.

PRONOMBRES PERSONALES

Singular	Plural
yo	nosotros, nosotras
tú	vosotros, vosotras
usted (Ud.)	ustedes (Uds.)
él, ella	ellos, ellas

PRONOMBRES DEMOSTRATIVOS

masculino	ése	ésos	éste	éstos	aquél	aquéllos
femenino	ésa	ésas	ésta	éstas	aquélla	aquéllas
neutro	eso		esto		aquello	

Los **pronombres demostrativos neutros** nunca llevan acento escrito y siempre se refieren a algo abstracto.

Eso, lo que acabas de decir, es exactamente lo que dice Carlos Fuentes.

Esto, lo de incluir y excluir, es lo más importante.

Aquello pasó hace tantos años que ya no recuerdo.

Los **pronombres interrogativos** son:

1. **¿quién? ¿quiénes? ¿a quién(es)? ¿de quién(es)?**

    ¿Quién obtuvo el Premio Nóbel de la Paz en 1992?

2. **¿cuál? ¿cuáles?**

    ¿Cuáles son los cuatro premios prestigiosos que ganó Rita Moreno?

3. **¿cuánto? ¿cuánta? ¿cuántos? ¿cuántas?**

    ¿Cuántos galardonados asistieron a la recepción?

4. **¿qué?**

    ¿Qué dijo Edward James Olmos de "ganas de triunfar"?

- Un **artículo** (*article*) indica el número y género de un sustantivo. Hay dos tipos de artículos: **definidos** e **indefinidos**.

    1. **artículos definidos:** el, los, la, las

    2. **artículos indefinidos:** un, unos, una, unas

    Los artículos definidos e indefinidos siempre concuerdan en número y género con el sustantivo que acompañan.

- Un **adjetivo** (*adjective*) describe o modifica un sustantivo o pronombre y concuerda con el sustantivo o pronombre correspondiente. Hay **adjetivos descriptivos** y **adjetivos determinativos.**

    1. El **adjetivo descriptivo** describe una característica intrínseca del sustantivo como...

    calidad: Es una persona **hermosa**.

    color: Vivíamos en una casa **azul**.

    tamaño: El joven **alto** es mi hijo.

    nacionalidad: Las estudiantes **latinas** estudian mucho.

    Generalmente, los adjetivos descriptivos se escriben después del sustantivo que modifican.

2. El **adjetivo determinativo** no se refiere a una característica del sustantivo sino a...

cantidad: Dos maestras eran árabes.

posición relativa: Estas puertas son de acero.

posesión: El carro azul es de **mi** hermana.

> ¡OJO! Generalmente, los adjetivos determinativos se escriben antes del sustantivo que modifican.

- Un **adverbio** *(adverb)* modifica a un verbo, a un adjetivo o a otro adverbio. Es invariable —no cambia ni en número ni en género como los adjetivos. El adverbio contesta las siguientes preguntas:

¿cómo? manera (bien, mal, así, peor)

Gloria Estefan canta **muy bien**.

¿cuándo? tiempo (hoy, mañana, ayer)

Chita Rivera ganó el premio "Tony" en **1984 y 1993**.

¿cuánto? grado (más, menos, tan)

Los indígenas guatemaltecos aman **mucho** a Rigoberta Menchú.

¿dónde? lugar (aquí, allí, arriba)

El Premio Nóbel de Literatura no se da **aquí**, sino en Estocolmo.

¿por qué? explicación (cuando, con tal que, antes de que)

Carlos Fuentes dice que **cuando** incluimos a otros nos enriquecemos y nos encontramos a nosotros mismos.

Muchos adverbios se forman agregando la terminación **-mente** a los adjetivos. (Equivale a la terminación *-ly* en inglés.)

libre: libre**mente**   exacto: exacta**mente**

fiel: fiel**mente**   lento: lenta**mente**

> ¡OJO! La terminación **-mente** se añade directamente a adjetivos que sólo tienen una forma como **libre** y **fiel**, y a la forma femenina de adjetivos que tienen dos formas como **lento/lenta** y **exacto/exacta**.

Si el adjetivo lleva acento escrito, éste se mantiene en su lugar original al formar el adverbio.

fácil: **fácilmente**   difícil: **difícilmente**

Cuando hay dos o más adverbios en una frase o en una enumeración, la terminación **-mente** se añade sólo al último adverbio y los otros siempre llevan la forma femenina del adjetivo.

frase:
Cuando Octavio Paz habla, siempre se expresa **lenta** pero **claramente**.

enumeración:
Gloria Estefan, como la mayoría de los cubanoamericanos, habla **rápida**, **entusiasmada** y **dramáticamente**.

- Una **preposición** *(preposition)* es una palabra que indica la relación entre un sustantivo y otra palabra en una oración. Aquí hay algunos ejemplos de las preposiciones más comunes:

a *(at, to)*	**entre** *(between, among)*
antes *(before)*	**hacia** *(toward)*
bajo *(under)*	**hasta** *(until, to, up to)*
con *(with)*	**mediante** *(by means of)*
contra *(against)*	**para** *(for, in order to, by)*
de *(from, since)*	**por** *(for, by, through)*
durante *(during)*	**sin** *(without)*
en *(in, into, at, on)*	**sobre** *(on, about)*

La mayoría de **preposiciones compuestas** *(compound prepositions)* se componen de dos palabras.

delante de *(in front of)*	**conforme a** *(according to)*
detrás de *(after, behind)*	**contrario a** *(contrary to)*
debajo de *(under, below)*	**frente a** *(opposite to)*
encima de *(on top of)*	**junto a** *(close to)*

Otras **preposiciones compuestas** se componen de tres palabras.

en cuanto a *(as for)*   **en frente de** *(in front of)*

a causa de *(on account of)* **en vez de** *(instead of)*

a pesar de *(in spite of)*   **por causa de** *(on account of)*

Durante el concierto yo me senté **detrás de** mamá y papá **a pesar de** que ellos son más altos que yo.

- Una **conjunción** *(conjunction)* es una palabra que une o conecta. Hay conjunciones sencillas y conjunciones compuestas.

Las conjunciones sencillas son:

o *(or)*   **ni** *(nor, neither)*

y *(and)*   **que** *(that)*

pero, mas, sino *(but)* **si** *(if, whether)*

Carolos Fuentes dice **que si** incluimos a otros, nos enriquecemos **y** nos mejoramos.

Para evitar la concurrencia de dos sonidos parecidos, la conjunción **y** cambia a **e** cuando precede a una palabra que empieza con **i** o **hi**, y la conjunción **o** cambia a **u** cuando precede a una palabra que empieza con **o** o **ho**.

Las lenguas oficiales de Nuevo México son español **e** inglés.

¿Quién ganó el Premio Nóbel de la Paz en 1987? ¿Fue Rigoberta Menchú **u** Óscar Arias?

 La conjunción **y** no cambia cuando precede palabras que empiezan con **hie** o con **y**.

Sírvamelo con limón **y** hielo.

Ella **y** yo fuimos los primeros en llegar.

La mayoría de las **conjunciones compuestas** consisten en preposiciones o adverbios seguidos de **que**. Unas de las más comunes son:

a fin de que	en caso (de) que
a menos (de) que	en cuanto
ahora que	en vez de que
antes (de) que	hasta que
aunque	mientras (que)
conque	para que
con tal (de) que	porque
dado que	según
de manera que	siempre que
de modo que	sin que
desde que	tanto que
después (de) que	ya que

F **Gramática básica.** Identifica las partes de la oración de las palabras enumeradas en las siguientes oraciones.

              1   **2**   **3**   **4**

MODELO   Octavio Paz recibió el Premio Nóbel de Literatura.

1 **sustantivo/nombre propio** 3   **artículo definido**

2   **verbo**   4   **preposición**

     1   **2**   **3**

1. Dos hispanos contemporáneos han sido galardonados con el Premio

                 4

Nóbel de la Paz: Óscar Arias y Rigoberta Menchú.

1 _____   3 _____

2 _____   4 _____

             1   **2** **3**   **4**

2. Edward James Olmos ganó un premio "Emmy" por su actuación en "Miami Vice".

1 _____   3 _____

2 _____   4 _____

    1   **2**   **3** **4**

3. En total, veintinueve latinos han ganado los Guantes de Oro.

1 _____   3 _____

2 _____   4 _____

      1   2   3   4

4. ¿Quién es el poeta mexicano galardonado con el Premio Nóbel de Literatura en 1990?

    1 _____   3 _____

    2 _____   4 _____

    1   2   3   4

5. Él dice que su libro de ensayos se distingue mundialmente.

    1 _____   3 _____

    2 _____   4 _____

    1   2   3   4

6. Rita Moreno es una actriz, cantante y bailarina puertorriqueña.

    1 _____   3 _____

    2 _____   4 _____

        1   2

7. En el arte de Wifredo Lam se destacan sus raíces africanas mientras

    3   4

que en el de Rufino Tamayo sobresale la cultura indígena.

    1 _____   3 _____

    2 _____   4 _____

Gramática en contexto

LP.1 Sustantivos terminados en *-ma*

Muchos de los sustantivos que terminan en **-ma** son de origen griego y son palabras **masculinas** en español. Aquí hay ejemplos de los más comunes:

el proble**ma**	el cli**ma**	el idio**ma**
el progra**ma**	el poe**ma**	el diagra**ma**
el telegra**ma**	el dile**ma**	el sínto**ma**
el le**ma**	el fantas**ma**	el siste**ma**
el te**ma**	el dra**ma**	el dog**ma**

Edward James Olmos. Selecciona la palabra apropiada para completar el texto.

Según el actor chicano de _____ (1. mucho/mucha) fama,

Edward James Olmos, _____ (2. el/la) problema principal que enfrentan

muchos jóvenes latinos es la falta de oportunidades. _____

(3. Otro/Otra) dilema que existe es que no hay _____

(4. muchos/muchas) programas especiales para esta población. El

mensaje principal que Olmos expresa con _____

(5. mucho/mucha) calma, se puede resumir en _____ (6. los/las)

palabras: "¡Sí, se puede!". Éste es _____ (7. el/la) tema general de su

película titulada *"Stand and Deliver"* sobre la vida del maestro de

matemáticas Jaime Escalante.

LP.2 Artículos definidos e indefinidos

El español en el Mundo 21. Completa el siguiente texto con el **artículo definido** o **indefinido** apropiado. Escribe **X** si no se necesita ningún artículo. Presta atención a las contracciones **al** y **del** y en esos casos agrega solamente la letra que falta.

Después de _____ (1) inglés, _____ (2) de las lenguas más populares es

_____ (3) español. Más de 1.300.000 jóvenes norteamericanos estudian

español en _____ (4) escuela secundaria. Hay muchas razones que

explican esa popularidad. Primeramente, _____ (5) personas que hablan

español en EE.UU., suman más de 22 millones. También _____ (6) otra

razón es que el español es _____ (7) lengua oficial de veinte países en

_____ (8) mundo. Por otro lado, el español no es _____ (9) lengua tan

díficil como _____ (10) chino o _____ (11) japonés.

Lección

preliminar

LP.3 Presente de indicativo: Verbos regulares

Los verbos en el **presente del modo indicativo** se usan para hablar de hechos concretos en los que no existe ninguna duda. Los verbos en español son muy importantes porque dan mucha información por sí solos. Es más, un solo verbo puede ser una oración completa; por ejemplo: **Trabajo.** Los verbos conjugados como el anterior dicen ...

- quién hace la acción (**yo**)

- cuándo ocurrió la acción (**en el tiempo presente**)

La mayoría de los verbos en español son regulares, es decir, siguen cierto patrón general. Fíjate en el cuadro que sigue cómo la terminación de cada persona señala el pronombre personal o sujeto del verbo. Por esa razón, en español el pronombre personal como sujeto usualmente no se expresa.

Infinitivos: **-ar, -er, -ir**			Pronombre	
trat**ar**	corr**er**	asist**ir**	personal	Persona y número
trat**o**	corr**o**	asist**o**	(yo)	1ª persona singular
trat**as***	corr**es**	asist**es**	(tú)	2ª persona singular informal
trat**a**	corr**e**	asist**e**	(usted)	2ª persona singular formal
trat**a**	corr**e**	asist**e**	(él/ella)	3ª persona singular
trat**amos**	corr**emos**	asist**imos**	(nosotros/ nosotras)	1ª persona plural
trat**áis**	corr**éis**	asist**ís**	(vosotros/ vosotras)	2ª persona plural (España)
trat**an**	corr**en**	asist**en**	(ustedes)	2ª persona plural
trat**an**	corr**en**	asist**en**	(ellos/ellas)	3ª persona plural

* En ciertas regiones de Centroamérica, Argentina y Uruguay el **vos** sustituye al **tú: vos tratás, vos corrés, vos asistís.**

- **Usted** (**Ud.**) es *segunda persona singular formal* pero usa las terminaciones de la tercera persona singular.

- **Ustedes** (**Uds.**) es *segunda persona plural* pero usa las terminaciones de la tercera persona plural.

I **Diversiones.** A lado de cada dibujo, escribe lo que tú y tus amigos hacen. Identifica también la persona y el número de cada verbo.

MODELO

Elena

Elena baila en una fiesta.

persona y número: **3ª persona singular**

Vocabulario útil

asistir a partidos	ir a la playa
alquilar un video	ir de compras
bailar en una fiesta	montar en bicicleta
cenar en un restaurante	nadar en la piscina
correr por el parque	tocar la guitarra
escuchar la radio	tomar sol

Gabriel

1. _____

persona y número: _____

Cristina

2. _____

persona y número: _____

Yo

3. _____

persona y número: _____

Ustedes

4. _____

persona y número: _____

Tú

5. _____

persona y número: _____

Jimena y yo

6. _____

persona y número: _____

Los hermanos Ruiz

7. _____

persona y número: _____

Separación en sílabas

J **Silabificación.** Divide las siguientes palabras en sílabas.

1. originales
2. resultados
3. cruzar
4. desarrollo
5. documental
6. humanidad
7. gitano
8. perfil
9. africano
10. actriz
11. ultramoderna
12. pretender
13. contexto
14. escritoras
15. aproximadamente
16. homenaje

Lengua en uso

Letras minúsculas

A diferencia del inglés, en español se emplean **letras minúsculas** *(lower case letters)* en vez de **letras mayúsculas** *(capital letters)* en las siguientes palabras.

- Los días de la semana: lunes, martes, miércoles, jueves, etc.
  Hoy es lunes.   *Today is Monday.*

- Los meses del año: enero, febrero, marzo, abril, etc.
  Regresamos el 20 de abril. *We return April 20.*

- Las nacionalidades, las etnicidades y las religiones: mexicano, puertorriqueño, hispano, católico, etc.
  Octavio Paz es un poeta   *Octavio Paz is a Mexican*
  mexicano.   *poet.*

- Las lenguas: español, latín, inglés, francés, etc.
  Nosotros estudiamos   *We study Spanish, a language*
  español, una lengua   *derived from Latin.*
  derivada del latín.

Letras mayúsculas

Las letras mayúsculas se emplean en los siguientes casos.

- La primera palabra de una oración.
  Ella habla náhuatl. **Es** la lengua original de los aztecas.

- Los nombres propios y sus abreviaciones: Rita Moreno, Costa Rica, Latinoamérica, Arg., EE.UU., etc.
  El puertorriqueño **Roberto Clemente** recibió doce **Guantes de Oro** jugando béisbol en **EE.UU.**

  ¡Ojo! Cuando se abrevia un nombre propio plural, se doblan las letras para mostrar que es plural.

- Sólo la letra inicial de los títulos de cualquier obra escrita.
  Mis libros favoritos son *El laberinto de la soledad*, *El espejo enterrado* y *Cien años de soledad*.

  ¡Ojo! Los nombres propios dentro de un título siempre se escriben con mayúscula: *El ingenioso hidalgo don Quijote de la Mancha.*

- La palabra "ciudad" cuando forma parte de un nombre propio: Ciudad Juárez, Ciudad de México, Ciudad Bolívar, etc.
  ¿Has visitado la **Ciudad** de Panamá?

- Las abreviaturas de títulos profesionales y grados militares:

Lic.	licenciado o licenciada	**Ing.**	ingeniero o ingeniera
Arq.	arquitecto o arquitecta	**Prof.**	profesor
Dr.	doctor	**Profra.**	profesora
Dra.	doctora	**Gral.**	general

¿Viste el nuevo letrero en la oficina de la **doctora** Alemán? Dice "**Dra.** Alemán e hija: cirujanas".

 Estas denominaciones se escriben con minúsculas cuando no están abreviadas.

K **Nuestra herencia.** Cambia las minúsculas a mayúsculas donde sea necesario.

nuestra cultura

podemos decir que somos la piedra memorable del pasado indígena, la

herencia española que es cristiana judía e islámica. también incluye la

vitalidad de nuestra cultura de origen africana. nuestra cultura es

tradicional y modernizante, es nuestra manera de amar y hablar, es lo que

comemos, como nos vestimos, nuestras memorias y deseos. finalmente es

nuestra manera de ver.

(adaptado del libro *el espejo enterrado* de carlos fuentes)

Vocabulario activo

A continuación se encuentra el vocabulario activo de la sección **El español: Pasaporte al Mundo 21** de la Lección preliminar. En los espacios en blanco bajo cada tema, añade otras palabras que has aprendido en esta lección y que crees que te serán útiles.

Fuentes culturales

árabe _____

azteca _____

cristiano(a) _____

europeo(a) _____

gitano(a) _____

griego(a) _____

ibero(a) _____

_____

_____

indígena _____

judío(a) _____

mestizo(a) _____

moro(a) _____

negro(a) _____

romano(a) _____

_____

_____

Realidad multicultural

comunidad _____

desafío _____

diversidad _____

empobrecer _____

encuentro _____

excluir _____

filosofía _____

incluir _____

_____

lucha _____

multicultural _____

multirracial _____

perfil _____

sentimiento _____

traicionar _____

voluntad _____

_____

Diversidad multirracial. Completa el siguiente juego de palabras con los nombres que aparecen a continuación, de las diferentes razas, regiones y culturas que han contribuido al mundo hispánico. Luego escribe la letra del número correspondiente indicado en los espacios en blanco para contestar la pregunta.

AFRICANO   GITANO   MESTIZO   CRISTIANO   EUROPEO
ARABE   GRIEGO   MORO   INDIGENA   JUDIO
AZTECA   IBERO   NEGRO   ROMANO

H

☐ ☐ I ☐ ☐ ☐ ☐ ☐
     9

☐ ☐ S ☐ ☐ ☐

☐ ☐ ☐ P ☐ ☐
       7

☐ ☐ ☐ ☐ ☐ ☐ A
     1

N ☐ ☐ ☐

☐ ☐ ☐ O
   4

A ☐ ☐ ☐ ☐
         11

☐ ☐ M ☐ ☐

☐ ☐ ☐ E ☐
           8

☐ ☐ R ☐
 10

I ☐ ☐ ☐
   2

☐ ☐ ☐ C ☐
     3

A ☐ ☐ ☐ ☐ ☐ ☐
             5

☐ ☐ ☐ N ☐
 6

O

¿Qué debemos hacer todos según Carlos Fuentes?

¡__ __ __ __ __ __ __   __ __ __ L __ __ __
 1 2 11 2 10 8 9   6 5 3   4 6 7

__ __   __ X __ L __ __ __!
 5 8   2   3   4 6 7

M **La sociedad.** Selecciona la opción correcta para completar las siguientes oraciones.

1. Cuando hay mucha variedad hay...

   a. diversidad

   b. sentimiento

   c. comunidad

2. No ser fiel o leal es...

   a. incluir

   b. traicionar

   c. luchar

3. Echar a una persona de una sociedad es...

   a. empobrecer

   b. incluir

   c. excluir

4. Dos personas que se ven cuando no lo esperaban tienen...

   a. un encuentro

   b. una voluntad

   c. un desafío

5. El combate entre dos personas o dos grupos es...

   a. un perfil

   b. una filosofía

   c. una lucha

Composición: *opiniones personales*

 El español: pasaporte al mundo. En una hoja en blanco escribe una breve composición sobre las ventajas de saber español en la actualidad. ¿Crees que es importante saber esta lengua en Estados Unidos? ¿Por qué? ¿Qué es lo que más te gusta de ella? ¿Cómo piensas usar el español en el futuro?

¡A escuchar!

El Mundo 21

César Chávez. Ahora vas a tener la oportunidad de escuchar a una de las personas que hablaron durante una celebración pública en homenaje a César Chávez. Escucha con atención lo que dice y luego marca si cada oración que sigue es **cierta (C)**, **falsa (F)** o si no tiene relación con lo que escuchaste **(N/R)**. Si la oración es falsa, corrígela.

C   F   N/R   **1.** César Chávez nació el 31 de marzo de 1927 en Sacramento, California.

_____

_____

C   F   N/R   **2.** El Concejo Municipal y el alcalde de Sacramento declararon el último lunes de marzo de cada año como un día festivo oficial en honor a César Chávez.

_____

_____

C   F   N/R   **3.** César Chávez fue un político muy reconocido que fue gobernador de California.

C   F   N/R   **4.** La oradora dice que la vida de César Chávez se compara con la de Gandhi y la de Martin Luther King.

C   F   N/R   **5.** En sus discursos, César Chávez hacía referencia a Martin Luther King.

B

Los hispanos de Chicago. Escucha el siguiente texto acerca de la población hispana de Chicago y luego selecciona la opción correcta para completar las siguientes oraciones. Escucha una vez más para verificar tus respuestas.

1. Chicago es la … ciudad más poblada de EE.UU.

   a. primera

   b. segunda

   c. tercera

2. En Chicago, los hispanos representan el … por ciento de la población total.

   a. 10

   b. 20

   c. 25

3. Hay una fuerte concentración de población mexicana en…

   a. Pilsen

   b. Placitas

   c. La Chiquita

4. La "Fiesta del Sol" se celebra todos los años en el mes de…

   a. agosto

   b. mayo

   c. octubre

5. En Chicago, desde 1982 existe...

    a. un teatro mexicano

    b. una biblioteca hispana

    c. un museo de arte mexicano

C   **Niños.** Vas a escuchar descripciones de varios niños. Basándote en la descripción que escuchas, haz una marca (**X**) antes de la oración correspondiente. Escucha una vez más para verificar tus respuestas.

1. ☐ Nora es buena.   ☐ Nora está buena.

2. ☐ Pepe es interesado.   ☐ Pepe está interesado.

3. ☐ Sarita es lista.   ☐ Sarita está lista.

4. ☐ Carlitos es limpio.   ☐ Carlitos está limpio.

5. ☐ Tere es aburrida.   ☐ Tere está aburrida.

Acentuación y ortografía

El "golpe". En español, todas las palabras de más de una sílaba tienen una sílaba que se pronuncia con más fuerza o énfasis que las demás. Esta fuerza de pronunciación se llama acento prosódico o "golpe". Hay dos reglas o principios generales que indican dónde llevan el "golpe" la mayoría de las palabras de dos o más sílabas.

Regla Nº 1: Las palabras que terminan en **vocal, n** o **s,** llevan el "golpe" en la penúltima sílaba. Escucha al narrador pronunciar las siguientes palabras con el "golpe" en la penúltima sílaba.

ma-no   pro-fe-**so**-res   ca-**mi**-nan

Regla Nº 2: Las palabras que terminan en **consonante,** excepto **n** o **s,** llevan el "golpe" en la última sílaba. Escucha al narrador pronunciar las siguientes palabras con el "golpe" en la última sílaba.

na-**riz**   u-ni-ver-si-**dad**   ob-ser-**var**

D **Para reconocer el "golpe".** Ahora escucha al narrador pronunciar las palabras que siguen y <u>subraya</u> la sílaba que lleva el golpe. Ten presente las dos reglas que acabas de aprender.

es-tu-dian-til	o-ri-gi-na-rio
Val-dez	ga-bi-ne-te
i-ni-cia-dor	pre-mios
ca-si	ca-ma-ra-da
re-a-li-dad	glo-ri-fi-car
al-cal-de	sin-di-cal
re-loj	o-ri-gen
re-cre-a-cio-nes	fe-rro-ca-rril

Acento escrito. Todas las palabras que no siguen las dos reglas anteriores llevan acento **ortográfico** o **escrito.** El acento escrito se coloca sobre la vocal de la sílaba que se pronuncia con más fuerza o énfasis. Escucha al narrador pronunciar las siguientes palabras que llevan acento escrito. La sílaba subrayada indica donde iría el "golpe" según las dos reglas anteriores.

<u>ma</u>-**má**   in-for-<u>ma</u>-**ción**   Ro-**drí**-<u>guez</u>

E **Práctica con acentos escritos.** Ahora escucha al narrador pronunciar las siguientes palabras que requieren acento escrito. Subraya la sílaba que llevaría el golpe según las dos reglas anteriores y luego pon el acento escrito en la sílaba que realmente lo lleva. Fíjate que la sílaba con el acento escrito nunca es la sílaba subrayada.

con-tes-to	do-mes-ti-co
prin-ci-pe	ce-le-bra-cion
li-der	po-li-ti-cos
an-glo-sa-jon	et-ni-co
ra-pi-da	in-di-ge-nas
tra-di-cion	dra-ma-ti-cas
e-co-no-mi-ca	a-gri-co-la
de-ca-das	pro-po-si-to

Dictado. Escucha el siguiente dictado e intenta escribir lo más que puedas. El dictado se repetirá una vez más para que revises tu párrafo.

Los chicanos

_____

_____

_____

_____

_____

_____

_____

_____

_____

_____

_____

_____

_____

_____

_____

_____

_____

_____

_____

_____

_____

¡A explorar!

Repaso básico de la gramática: Partes de una oración

Toda oración requiere dos elementos: un sujeto y un verbo. Además, muchas oraciones tienen objetos o complementos directos e indirectos.

- El **sujeto** (*subject*) de la oración es la persona, cosa, lugar o abstracción de lo que se habla.

    1. El sujeto puede ser sustantivo o pronombre o una frase sustantivada.

        Sandra va a leer su poesía. **¿Tú** piensas ir?.
        El memorizar diálogos largos no es difícil para actores como Luis Valdez.

    2. Con frecuencia en español, el sujeto no se expresa ya que queda implícito en la terminación del verbo.

        Sandra Cisneros es una escritora chicana. (sujeto: *Sandra Cisneros*)
        Vive en Texas, en San Antonio. (sujeto implícito: *ella*)

    3. Puede haber uno o varios sujetos.

        Rebeca y Daniel van a ver *Zoot Suit* de Luis Valdez esta noche.

- El **verbo** es la parte de la oración que expresa la acción o estado del sujeto.

    César Chávez **nació** en un rancho cerca de Yuma, Arizona.
    Él **fundó** el sindicato "United Farm Workers".
    Yo **lloré** cuando **supe** de su muerte.

- El **objeto (complemento) directo** (*direct object*) es la persona o cosa que recibe la acción directa del verbo. La manera más fácil para identificar el objeto directo es buscar el sujeto y el verbo y preguntar **¿qué?** o **¿a quién?**

    Víctor busca **el dinero**. (¿Qué busca Víctor?)
    Adolfo Miller ama **a Francisquita**. (¿A quién ama Adolfo?)

    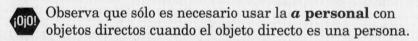 Observa que sólo es necesario usar la **a personal** con objetos directos cuando el objeto directo es una persona.

- El **objeto (complemento) indirecto** (*indirect object*) es la persona o cosa *para quién, a quién, para qué* o *a qué* se hace, se da o se dice algo. La manera más fácil para identificar el objeto indirecto es buscar el sujeto y el verbo y preguntar **¿para quién?**, **¿a quién?**, **¿para qué?** o **¿a qué?**

Adolfo Miller no le escribe **a Don Anselmo**. (¿A quién no le escribe Adolfo?)

Francisquita le lavaba la ropa **a Adolfo**. (¿Para quién lavaba Francisquita?)

 Observa que siempre es necesario usar la **a personal** con objetos indirectos.

Los **pronombres de objeto (complemento) directo e indirecto** *(direct and indirect object pronouns)* sustituyen a los objetos directos e indirectos en una oración. Mira cómo las formas de estos pronombres son idénticas con la excepción de las de la tercera persona singular y plural.

Pronombres: Objetos directos		Pronombres: Objetos indirectos	
Singular	Plural	Singular	Plural
me	nos	me	nos
te	os	te	os
la, lo	**las, los**	**le**	**les**

Luis Valdez **le** dedicó su última obra a su mamá.

Necesito dos entradas para hoy. ¿Dónde **las** podemos comprar?

¿**Me** prestas tu copia?

F **Sujetos y objetos.** Identifica las partes de la oración según se indica. Reemplaza los objetos directos e indirectos con sus respectivos pronombres. Indica con una **X** si no hay objetos.

MODELO   *Sabine Ulibarrí dedicó un libro de cuentos a sus padres.*

sujeto **Sabine Ulibarrí**   verbo **dedicó**

objeto directo **libro**   objeto indirecto **padres**

pronombre **lo**   pronombre **les**

1. Sandra Cisneros escribió su libro *The House on Mango Street* en 1983.

sujeto _____   verbo _____

objeto directo _____   objeto indirecto _____

pronombre _____   pronombre _____

2. Actualmente, Sandra Cisneros reside en San Antonio, Texas.

sujeto _____   verbo _____

objeto directo _____   objeto indirecto _____

pronombre _____   pronombre _____

3. César Chávez trabajó por muchos años como campesino migratorio.

sujeto _____   verbo _____

objeto directo _____   objeto indirecto _____

pronombre _____   pronombre _____

4. Al saber de su muerte, el presidente del Senado de California hizo un elogio a César Chávez.

sujeto _____   verbo _____

objeto directo _____   objeto indirecto _____

pronombre _____   pronombre _____

5. Luis Valdez nos dio las películas *Zoot Suit* y *La Bamba*.

sujeto _____   verbo _____

objeto directo _____   objeto indirecto _____

pronombre _____   pronombre _____

6. Las dos películas de Valdez critican la imagen negativa que muchos tienen de los chicanos.

sujeto _____   verbo _____

objeto directo _____   objeto indirecto _____

pronombre _____   pronombre _____

7. El presidente Clinton nombró a Henry Cisneros Secretario de Vivienda y Desarrollo Urbano.

sujeto _____   verbo _____

objeto directo _____   objeto indirecto _____

pronombre _____   pronombre _____

8. Él realizó estudios en la Universidad de Harvard en Massachusetts.

sujeto _____   verbo _____

objeto directo _____   objeto indirecto _____

pronombre _____   pronombre _____

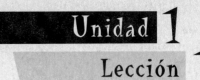

Unidad 1

Lección 1

G **Las partes de la oración.** Subraya las partes de las siguientes oraciones, indicando el sujeto (**S**), el verbo (**V**) y el objeto directo (**OD**) e indirecto (**OI**). Escribe la abreviación apropiada sobre cada parte de la oración.

MODELO   **S**   **V**   **OD**
          <u>Adolfo Miller</u> no <u>conoce</u> <u>a nadie</u> en Tierra Amarilla.

1. Don Anselmo y doña Francisquita tienen sólo una hija.

2. Adolfo Miller aparece un día en Tierra Amarrilla.

3. Poco a poco él se gana la simpatía de todos.

4. Don Anselmo da trabajo a Adolfo Miller.

5. Primero don Anselmo da pequeñas tareas al gringuito mostrenco.

6. Muy pronto el chico rubio se gana la buena voluntad y la confianza de

don Anselmo.

7. En casa, Adolfo Miller ayuda a don Anselmo con todos los quehaceres.

8. Pronto la gente toma a Adolfo Miller como hijo de don Anselmo.

Gramática en contexto

1.1 Usos de los verbos *ser* y *estar*

H **Viajeros.** Algunos amigos hispanos que tienes viajan por diferentes países. Usando este mapa, indica en qué país se encuentran en este momento.

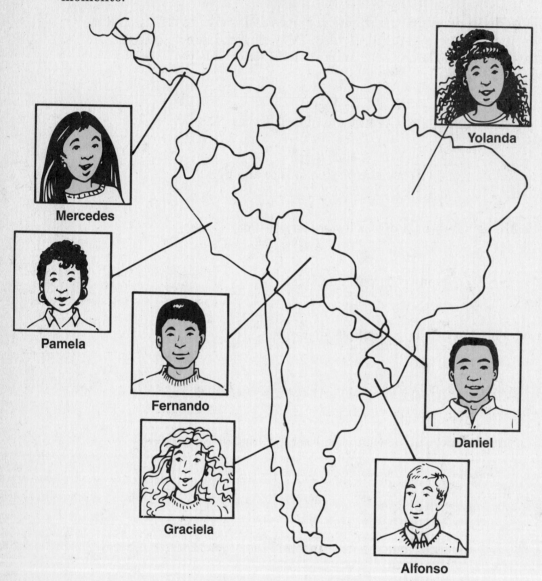

MODELO   *Mercedes (venezolana)*
Mercedes es de Venezuela, pero ahora está en Panamá.

1. Alfonso (ecuatoriano)

_____

_____

2. Pamela (argentina)

_____

_____

3. Graciela (panameña)

_____

_____

4. Fernando (paraguayo)

_____

_____

5. Daniel (colombiano)

_____

_____

6. Yolanda (mexicana)

_____

_____

I   **Hombre de negocios.** Completa la siguiente descripción de Víctor, el tío de Sabine Ulibarrí, usando la forma apropiada del **presente de indicativo** de los verbos **ser** o **estar.**

Mi tío Víctor _____ (1) un hombre de negocios que

siempre _____ (2) muy ocupado. _____ (3)

muy listo para los negocios. Tiene una cadena de ranchos en Nuevo México

y Colorado, y hoy _____ (4) listo para comprar tres más

en Arizona. _____ (5) muy activo, siempre

_____ (6) haciendo cosas; de vez en cuando, noto que

_____ (7) un poco cansado. Él dice que

_____ (8) un hombre feliz; con la vida que lleva nunca

_____ (9) aburrido.

1.2 Adjetivos descriptivos

¿Cómo son? Describe a las siguientes personas y personajes.

MODELO

Henry Cisneros

Henry Cisneros
es alto, guapo
e inteligente.

| Sabine Ulibarrí | Adolfo Miller | Don Anselmo | Víctor |

1. _____

2. _____

3. _____

4. _____

| Francisquita, la madre | Francisquita, la hija | Sandra Cisneros |

5. _____

6. _____

7. _____

Acentuación y ortografía

El "golpe" y el acento escrito. Toda palabra que se compone de más de una sílaba recibe un "golpe" (acento prosódico) de pronunciación en...

- la penúltima sílaba si termina en **vocal, n,** o **s.**

- la última sílaba si termina en **consonante**, **excepto n** o **s.**

Todas las palabras que no siguen estas dos reglas llevan **acento escrito.**

K **Sílabas, el "golpe" y acento escrito.** Escribe cada palabra de nuevo dividiéndola en sílabas y subrayando la sílaba que llevaría el "golpe" según las dos reglas de acentuación. Si la palabra requiere acento escrito, escríbela una vez más poniendo el acento en la sílaba que realmente lo lleva. Recuerda que sólo las palabras que no siguen las dos reglas de acentuación llevan acento escrito.

MODELO   *huesped*
   hues – ped   **huésped**

1. descendientes _____ _____

2. politico _____ _____

3. cultural _____ _____

4. Mexico _____ _____

5. Gonzalez _____ _____

6. evolucion _____ _____

7. capital _____ _____

8. significado _____ _____

9. ecologico _____ _____

10. africana _____ _____

Correspondencia práctica

Nota informal. Tanto en español como en inglés, con frecuencia se presenta la necesidad de escribir una notita a un amigo o una amiga, a un pariente o a veces, a ti mismo. El contenido en estas notas informales varía muchísimo—puede ser una nota informando por qué no vas a regresar a casa a la hora debida, o por qué no vas a poder jugar fútbol esta tarde, cómo preparar la cena, qué compras hay que hacer, etc. En todas lo que más importa es la brevedad, por una parte, y la claridad y especifidad, por otra.

L **Hubo dos mensajes.** Tú estás en casa sólo(a) y el teléfono no ha dejado de sonar. Como piensas salir pronto a una fiesta, decides escribirles una notita a tus padres con el mensaje que el médico te dio acerca del resultado de la examinación que se hizo tu madre la semana pasada. También escribe la información que un amigo te acaba de dar acerca de dónde va a ser la fiesta esta noche y cómo llegar allí.

Lengua en uso

Variantes coloquiales en el habla: El "caló"

Riqueza lingüística. El español es una lengua viva y vibrante que siempre está cambiando ya sea debido a nuevo vocabulario, nuevos dialectos, variantes coloquiales, etc. Es importante entender y respetar todos estos cambios que son parte de la riqueza cultural del mundo de habla española. En este capítulo vas a familiarizarte con el habla de los chicanos, de los cubanoamericanos y personas del caribe, variantes que utilizan regionalismos y dan testimonio de la gran riqueza lingüística del español de las Américas.

Al descifrar el "caló". Una de las variantes coloquiales que se escucha en los barrios chicanos de EE.UU. se conoce como "caló". Algunos autores chicanos utilizan el caló en el habla de personajes chicanos en sus obras literarias. Muchos de los verbos del caló son fáciles de reconocer. Para entender palabras del caló, es bueno empezar por identificar si la palabra es un sustantivo, adjetivo o verbo. Ya sabiendo eso, hay que fijarse en cómo se usa la palabra en la oración, en qué contexto. Por ejemplo, piensa en el significado de *gacho* y *chante* en la oración que sigue.

> Un día Sammy inventó una bomba de apeste y tan *gacho* era el olor que hasta entraba al *chante* de Sammy y todos se enfermaban.

Es fácil reconocer que *gacho* es un adjetivo y que *chante* es un sustantivo. El contenido implica que *gacho* sería algo como *feo, ofensivo, malo* y que *chante* sería algo como *casa, vivienda, hogar.*

M **El "caló".** Lee ahora este fragmento inicial del cuento "Sammy y los del Tercer Barrio" de José Antonio Burciaga y selecciona la palabra en la segunda columna que mejor define cada palabra caló en la primera columna.

El Sammy llegó a su chante° todo caldeado° porque los batos° lo habían cabuleado° ... quesque° era buti° agarrado° con su feria°.

Los batos eran en apariencia más indios que el metate° y traiban° un paño rojo como cabezada. Eran descendientes de los mayas, zapotecas y de los gachupines°. Más directamente eran descendientes de los pachucos. Ahora se llamaban cholos, aunque pertenecían a muchas pandillas.

El Sammy era gaba°, vivía a la orilla del barrio y era el más calote° con la excepción de Iván que cantoneaba° al otro lado del *"freeway"*. Sammy era medio joven, alto, muscular y con ojos azules y pelo rubio...

_____	**1.** chante	**a.**	muy
_____	**2.** caldeado	**b.**	dinero
_____	**3.** batos	**c.**	españoles
_____	**4.** cabuleado	**d.**	tacaño
_____	**5.** quesque	**e.**	piedra para moler
_____	**6.** buti	**f.**	traían
_____	**7.** agarrado	**g.**	gringo
_____	**8.** feria	**h.**	amigos
_____	**9.** metate	**i.**	enojado
_____	**10.** traiban	**j.**	casa
_____	**11.** gachupines	**k.**	grandote
_____	**12.** calote	**l.**	vivía
_____	**13.** gaba	**m.**	dizque o dicen que
_____	**14.** cantoneaba	**n.**	burlado

Vocabulario activo

A continuación se encuentra el vocabulario activo de las secciones **Gente del Mundo 21** y **Del pasado al presente** de la Lección 1. En los espacios en blanco bajo cada tema, añade otras palabras que has aprendido en esta lección y que crees que te serán útiles.

Gente del Mundo 21

actor, actriz

alcalde

campesino(a) migratorio(a)

cineasta

chicano(a)

director(a)

dramaturgo

escritor(a)

gabinete

iniciador(a)

líder

organizador(a) sindical

poeta

político(a)

presidente(a)

Secretario(a) de Vivienda y

   Desarrollo Urbano

Del pasado al presente

Los orígenes

adquirir

anglosajón, anglosajona

colonizador(a)

explorar

ferrocarril

garantía

guerra

poblar

territorio

tierra

tratado

El rápido desarrollo del suroeste y *El programa de braceros*

bracero _____	repatriado(a) _____
familiar _____	vecino(a) _____
indocumentado(a) _____	_____
_____	_____
_____	_____
_____	_____
_____	_____
_____	_____

El Movimiento Chicano y *El presente*

Aztlán _____	méxicoamericano(a) _____
conciencia _____	orgullo étnico _____
derecho civil _____	pasado indígena _____
huelga _____	raza _____
La Causa _____	sindicato _____
M.E.Ch.A. _____	tradición colonizadora _____
_____	_____
_____	_____
_____	_____
_____	_____
_____	_____
_____	_____

N **Lógica.** En cada grupo de palabras, subraya aquélla que no esté relacionada con el resto.

1. actor alcalde director cineasta dramaturgo

2. campesino gobernador presidente gabinete político

3. dramaturgo novelista escritor poeta anglosajón

4. inmigrante iniciador migratorio bracero campesino

5. raza chicano angloamericano Aztlán M.E.Ch.A.

Ñ **Definiciones.** Indica qué frase de la segunda columna describe correctamente cada palabra de la primera.

_____ 1. huelga   **a.** origen o linaje

_____ 2. sindicato   **b.** persona que regresa a su país

_____ 3. ferrocarril   **c.** persona que habita cerca de Ud.

_____ 4. tierras   **d.** garantías de los ciudadanos

_____ 5. guerra   **e.** organización chicana

_____ 6. vecino   **f.** abandono voluntario del trabajo

_____ 7. M.E.Ch.A.   **g.** propiedad

_____ 8. raza   **h.** combate

_____ 9. repatriado   **i.** tren

_____ 10. derechos civiles   **j.** unión de obreros

Composición: *autodescripción*

O **Amigos por correspondencia.** Una amiga tuya te ha dado una hoja para que escribas una autodescripción, que ella luego mandará a la sección "Amigos por correspondencia" de una conocida revista juvenil de gran circulación en Latinoamérica. En una hoja en blanco escribe un párrafo en el que describas tu edad, tu apariencia física, tus pasatiempos favoritos, tus intereses generales. Intenta ser original haciendo referencias a las cualidades que más te caracterizan y a las actividades que más te interesan.

¡A escuchar!

El Mundo 21

A **Esperando a Rosie Pérez.** Ahora vas a tener la oportunidad de escuchar a dos comentaristas de la radio en español que asisten a la ceremonia de la entrega de los premios "Óscar". Escucha con atención lo que dicen y luego marca si cada oración que sigue es **cierta (C)**, **falsa (F)** o si no tiene relación con lo que escuchaste **(N/R)**. Si la oración es falsa, corrígela.

C   F   N/R   **1.** Los comentaristas de la radio están en la entrada del Teatro Chino, en Hollywood, donde va a tener lugar la entrega de los premios "Óscar".

_____

_____

C   F   N/R   **2.** Rosie Pérez ha sido nominada para un premio "Óscar" por su actuación en la película titulada *Fearless*.

_____

_____

C   F   **N/R**   **3.** La actriz nació en San Juan de Puerto Rico pero su familia se mudó a Los Ángeles.

_____

_____

C   F   **N/R**   **4.** Rosie Pérez estudió biología marina en la Universidad Estatal de California de Los Ángeles.

_____

_____

C   F   **N/R**   **5.** Un actor latino acompaña a Rosie Pérez a la entrega de premios.

_____

_____

C   F   **N/R**   **6.** Lo que más le sorprendió a uno de los comentaristas es su elegante vestido negro.

_____

_____

B   **Una profesional.** Escucha la siguiente descripción y luego haz una marca (**X**) sobre las palabras que completan correctamente la información. Escucha una vez más para verificar tus respuestas.

1. La persona que habla es...

socióloga   psicóloga   enfermera

2. Tiene...

27 años   17 años   37 años

3. Su lugar de nacimiento es...

Nueva Jersey   Puerto Rico   Nueva York

4. En su práctica profesional atiende a...

adolescentes   niños   ancianos

5. En sus horas libres, para distraerse, a veces...

juega al béisbol   mira la televisión   practica el tenis

Acentuación y ortografía

Diptongos. Un diptongo es la combinación de una vocal débil (**i, u**) con cualquier vocal fuerte (**a, e, o**) o de dos vocales débiles en una sílaba. Un diptongo forma una sílaba y emite un solo sonido. Escucha pronunciar al narrador los siguientes ejemplos de diptongos.

ia: d**ia**rio	ei: af**ei**tarse	eu: **eu**calipto
ui: r**ui**do	ua: g**ua**nte	ue: b**ue**no

C **Identificar diptongos.** Ahora, cuando el narrador pronuncie las siguientes palabras, pon un círculo alrededor de cada diptongo.

bailarina	inaugurar	veinte
Julia	ciudadano	fuerzas
barrio	profesional	boricuas
movimiento	puertorriqueño	cientos
regimiento	premio	elocuente

Dos sílabas. Un acento escrito sobre la vocal débil de un diptongo rompe el diptongo en dos sílabas y causa que la sílaba con el acento escrito se pronuncie con más énfasis.

ma-**íz**	me-lo-**dí**-a	ba-**úl**

D **Separación de diptongos.** Ahora, cuando el narrador pronuncie las siguientes palabras, pon un acento escrito en aquéllas donde se rompe el diptongo en dos sílabas.

desafio	escenario	judios
cuatro	ciudadania	premio
categoria	pais	miembros
frio	causa	Raul
diferencia	actua	sandia

Una sílaba acentuada. Un acento escrito sobre la vocal fuerte de un diptongo hace que *toda* la sílaba del diptongo se pronuncie con más énfasis.

ad-mi-nis-tra-**ción**	tam-**bién**	a-**cuér**-da-te

Práctica de acentuación. Ahora, cuando el narrador pronuncie las siguientes palabras, pon un acento escrito a aquellas palabras que lo necesitan.

organizacion	despues	composiciones
recuerdos	beisbol	periodicos
television	dieciseis	conversacion
territorio	actuacion	iniciador
secretario	tranquilo	tambien

Dos vocales fuertes. Las vocales fuertes (**a, e, o**) nunca forman un diptongo al estar juntas en una palabra. Dos vocales fuertes siempre se separan y forman dos sílabas. La sílaba subrayada lleva el "golpe" según las reglas de acentuación.

<u>ca</u>-os   le-al-<u>tad</u>   po-<u>e</u>-ta

F **Vocales fuertes.** Mientras el narrador pronuncia las siguientes palabras, sepáralas en sílabas. Pon un acento escrito a las palabras que lo necesitan.

1. teatro   _____

2. bateador   _____

3. contemporaneo   _____

4. europeo   _____

5. caotico   _____

6. realmente   _____

7. camaleon   _____

G **Silabificación y acentuación.** Mientras la narradora pronuncia las siguientes palabras, divídelas en sílabas y subraya la sílaba que debiera llevar el "golpe" según las dos reglas de acentuación. Luego, coloca el acento escrito donde sea necesario.

1. actitud _____		**7.** Juarez _____
2. cuentalo_____		**8.** lideres _____
3. decadas _____		**9.** naciones _____
4. alegria _____		**10.** jovenes _____
5. huelga _____		**11.** autentico_____
6. actual _____		**12.** todavia _____

Dictado. Escucha el siguiente dictado e intenta escribir lo más que puedas. El dictado se repetirá una vez más para que revises tu párrafo.

Los puertorriqueños en EE.UU.

_____

_____

_____

_____

_____

_____

_____

_____

_____

_____

_____

_____

_____

_____

_____

_____

_____

_____

_____

_____

_____

_____

¡A explorar!

Repaso básico de la gramática: Signos de puntuación

Los **signos de puntuación** representan por escrito las pausas y las inflexiones de voz que se hacen al hablar. Estos signos facilitan la lectura y la comprensión de los textos escritos. En general, la puntuación en inglés y español es similar con unas cuantas excepciones.

Hay tres categorías de signos de puntuación: los que indican pausas, los que indican distribución u ordenamiento y los que indican entonación.

- **Signos de puntuación que indican pausas**

  (,) **La coma** *(comma)* indica una pausa corta.

  (.) **El punto (y) seguido** *(period)* indica pausa entre oraciones dentro de un párrafo.

- **Signos de puntuación que indican distribución u ordenamiento**

  (.) **El punto (y) aparte** o **punto final** *(period)* separa, en dos párrafos, conceptos que no tienen relación inmediata.

  (;) **El punto y coma** *(semicolon)* indica una pausa entre dos ideas completas que están relacionadas de alguna manera.

  (:) **Los dos puntos** *(colon)* introducen una lista, un ejemplo, un saludo, o una cita textual. También se usan para introducir texto entre comillas.

  (...) **Los puntos suspensivos** *(ellipsis)* indican la omisión de algo.

  ( ) **El paréntesis** *(parenthesis)* se utiliza para indicar que cierta información es de menor importancia o suplementaria.

  (*) **El asterisco o la estrellita** *(asterisk)* se usa para indicarle al lector que debe referirse al pie de la página para conseguir más información.

- **Signos de puntuación que indican entonación**

  (¡ !) **Los signos de exclamación** *(exclamation marks)* se escriben al principio y al final de una exclamación.

  (¿?) **Los signos de interrogación** *(question marks)* se escriben al principio y al final de una pregunta.

  (" ") **Las comillas** *(quotation marks)* se usan para las citas y con títulos de cuentos, artículos y poemas.

(-) **El guión** *(hyphen)* se usa para separar las sílabas de una palabra.

(—) **El guión largo** o **raya** *(dash)* se usa para indicar el inicio de diálogo.

(') **El apóstrofo** *(apostrophe)* se utiliza para indicar la omisión de letras.

H **Puntuación.** En el siguiente trozo del cuento de Sabine Ulibarrí, "Hombre sin nombre", coloca los signos de puntuación donde tú veas necesario.

Al fin me tocó brindar a mí Ya me encontraba bastante alegre y mis aprensiones anteriores se empezaban a disipar Tomé la copa de vino y la levanté con un gesto muy turriasguesco y exclamé Bebamos al monumento de mi padre al monumento que amasé en estas páginas con cariño respeto y admiración Bebamos pues al brindis favorito de mi padre que mirándose en su copa de vino solía decir Bebámonos cada quien a sí mismo y así viviremos para siempre Y tomando la copa con las dos manos como tantas veces había visto a mi padre me miré en el vino.

Gramática en contexto

1.3 Verbos de cambio en la raíz

Hay varios tipos de irregularidades en los verbos del **presente de indicativo**. La más común es la de verbos que no siguen un patrón general porque al conjugarse requieren cambios en la raíz.

I **La vida de una chicana.** Dolores Martínez que vive en Salinas, California, nos cuenta su vida. Para saber lo que dice, completa el texto en el **presente de indicativo** de los verbos entre paréntesis.

Me llamo Dolores Martínez, aunque mi familia y mis amigos me

_____ (1. decir) Lola. Durante el verano, todos los días me

_____ (2. despertar) a las cinco de la mañana y _____

(3. desayunar) junto con mis padres y mis hermanos. Mamá siempre nos

_____ (4. servir) un buen desayuno. Como mis hermanos y yo no

_____ (5. tener) que ir a la escuela en el verano, durante esos

meses, nosotros _____ (6. conseguir) diferentes trabajos. Por

ejemplo, yo a veces _____ (7. acompañar) a mis padres a

trabajar en el campo. Aunque el trabajo es difícil, yo me _____

(8. divertir) escuchando los chistes que _____ (9. contar) las

amigas de mi mamá. Sin embargo, al final del verano, yo _____

(10. adquerir) una buena cantidad de dinero en mi cuenta de ahorros.

1.4 Verbos con cambios ortográficos y verbos irregulares

Otros dos tipos de irregularidades en los verbos del presente de indicativo son:

1) verbos con cambios ortográficos o sea, en la manera de deletrearlos y

2) verbos que llevan cambios en unas personas y no en otras.

Es importante que memorices las conjugaciones irregulares de estos verbos para evitar problemas de ortografía en el futuro.

J **La dieta de Luis.** Luis habla de la dieta que sigue para perder peso. Completa lo que dice en el **presente de indicativo** usando la forma apropiada del verbo que aparece entre paréntesis.

Como yo ya no _____ (1. caber) en mi sillón favorito y me

_____ (2. sentir) muy cansado al subir escaleras, ahora

_____ (3. reconocer) la necesidad de una dieta balanceada.

Todas las mañanas _____ (4. hacer) ejercicio por lo menos

quince minutos porque _____ (5. reconocer) que el ejercicio es

muy importante para perder peso. En todas mis comidas, _____

(6. incluir) frutas y verduras porque éstas _____ (7. tener)

muchas vitaminas. En realidad no _____ (8. confiar) mucho en

lo que la gente _____ (9. decir) de mí; yo

_____ (10. saber) lo que _____ (11. valer) y por

eso me _____ (12. proponer) llevar una vida sana.

K **Persona, número e infinitivo.** Ahora identifica la persona y el número
(singular o plural) de los siguientes verbos. Luego, escribe el infinitivo.

MODELO *hablo*: **1ª persona singular**   **hablar**

1. sigues   _____   _____

2. Uds. adquieren   _____   _____

3. ellas eligen   _____   _____

4. él mueve   _____   _____

5. ellos se desvisten _____   _____

6. comenzamos   _____   _____

7. convenzo   _____   _____

8. ellos destruyen   _____   _____

9. pertenezco   _____   _____

10. huelo   _____   _____

11. sonrío   _____   _____

12. Uds. amplían   _____   _____

13. juegas   _____   _____

14. Ud. miente   _____   _____

15. recojo   _____   _____

Acentuación y ortografía

L   **Repaso de la acentuación.** Divide las siguientes palabras en sílabas y subraya la sílaba que lleva el "golpe" según las dos reglas de pronunciación. Luego coloca el acento escrito donde sea necesario.

MODELOS   Miguel   **Mi-guel**   arbol   **ár-bol**

1. Victor   _____

2. actriz   _____

3. depresion   _____

4. cultural   _____

5. direccion   _____

6. suroeste   _____

7. Velazquez   _____

8. acentuan   _____

9. simbolo   _____

10. realidad   _____

11. diaspora   _____

12. mutuo   _____

13. garantía   _____

14. aguacate   _____

15. ultimas   _____

16. atraer   _____

Lengua en uso

Variantes coloquiales: El habla caribeña

Muchos caribeños, ya sean cubanos, puertorriqueños o dominicanos, muestran una riqueza de variantes coloquiales en su habla. Estas variantes incluyen consonantes sustituidas por vocales aspiradas: esta = *ehta*, sílabas o letras desaparecidas: todo = *to*, y unas consonantes sustituidas por otras: muerto = *muelto*. Es importante reconocer que estas variantes sólo ocurren al hablar y no al escribir, a menos que un autor trate de imitar el diálogo caribeño, como es el caso con el autor puertorriqueño en el ejercicio que sigue.

M **El habla coloquial.** Ahora lee el siguiente fragmento del cuento titulado "Garabatos" del autor puertorriqueño Pedro Juan Soto, donde aparecen muchas palabras del uso coloquial puertorriqueño. Luego cambia las palabras indicadas al español formal.

—¡Qué! ¿Tú piensah° seguil° echao° toa° tu vida? Parece que la mala barriga te ha dao° a ti. Sin embargo, yo calgo° el muchacho.

Todavía él no la miraba a la cara. Fijaba la vista en el vientre hinchado, en la pelota de carne que crecía diariamente y que amenazaba romper el cinturón de la bata.

—¡Acaba de levantalte°, condenao°! ¿O quiereh° que te eche agua?

Él vociferó a las piernas abiertas y a los brazos en jarra, al vientre amenazante, al rostro enojado:

—¡Me levanto cuando salga de adentro y no cuando uhté° mande! ¡Adiós! ¿Qué se cree uhté°?...

Palabra coloquial	**Palabra formal**
1. piensah	_____
2. seguil	_____
3. echao	_____
4. toa	_____
5. dao	_____
6. calgo	_____
7. levantalte	_____
8. condenao	_____
9. quiereh	_____
10. uhté	_____

Vocabulario activo

A continuación se encuentra el vocabulario de las secciones **Gente del Mundo 21** y **Del pasado al presente** de la Lección 2. En los espacios en blanco bajo cada tema, añade otras palabras que has aprendido en esta lección y que crees que te serán útiles.

Gente del Mundo 21

artístico(a) _____

aspirar _____

aspirante _____

carrera _____

categoría _____

congresista _____

coreógrafo(a) _____

cortador(a) de caña _____

diputado(a) _____

_____

_____

_____

_____

_____

distrito _____

hacer el papel _____

nivel _____

nominar _____

obra _____

premio _____

reluciente _____

teatral _____

_____

_____

_____

_____

_____

Del pasado al presente

El Barrio de Nueva York

bodega _____

botánica _____

canal de televisión _____

El Barrio _____

_____

_____

_____

_____

esquina _____

Este de Harlem _____

vibrante _____

_____

_____

_____

_____

Ciudadanos estadounidenses y *Una población joven*

ciudadanía _____

ciudadano(a) _____

condecorado(a) _____

desafío _____

educativo(a) _____

estereotipo _____

_____

_____

_____

_____

_____

_____

fuerzas armadas _____

grupo étnico _____

reclutar _____

regimiento _____

superar _____

_____

_____

_____

_____

_____

_____

La situación actual

boricua _____

emigración _____

enriquecer _____

esperanza _____

_____

_____

_____

_____

_____

_____

_____

inaugurar _____

investigador(a) científico(a) _____

_____

_____

_____

_____

_____

_____

_____

Lógica. En cada grupo de palabras, subraya aquella palabra o frase que no esté relacionada con el resto.

1. diputado   distrito   caña   nominación   voto

2. actriz   reluciente   artística   botica   hacer el papel

3. Este de Harlem   nivel   ciudadanos   emigración   boricuas

4. barrio   grupos étnicos   tratado   esquina   vibrante

5. fuerzas armadas   reclutar   regimiento   vecino   condecorados

Ñ

Definiciones. Indica cuál es la palabra que se define en cada caso.

1. Que brilla o que se manifiesta con esplendor.

   a. esperanza
   b. reluciente
   c. enriquecer

2. Lugar destinado para guardar el vino pero que en *"Spanish Harlem"* es una tienda de comestibles.

   a. esquina
   b. botica
   c. bodega

3. Acción y efecto de provocar.

   a. desafío
   b. reclutar
   c. superar

4. Persona que ha recibido una medalla o una cruz.

   a. cortador de caña
   b. condecorado
   c. congresista

5. Habitante de un pueblo o una metrópoli.

   a. ciudadano
   b. indocumentado
   c. repatriado

Composición: *autodescripción*

O

Costumbres o hábitos. En una hoja en blanco describe en detalle todas las actividades que haces o puedes hacer cuando asistes a un juego de béisbol, a un concierto de música popular, a un evento cultural o a una reunión familiar como la Navidad, una boda, etc. Ya que se trata de una costumbre o hábito usa los verbos en el **presente de indicativo.**

¡A escuchar!

El Mundo 21

A **Actor cubanoamericano.** Ahora vas a tener la oportunidad de escuchar la conversación que tienen dos amigas cubanoamericanas después de ver una película de Andy García en un teatro de Miami. Escucha con atención lo que dicen y luego marca si cada oración que sigue es **cierta (C), falsa (F)** o si no tiene relación con lo que escuchaste **(N/R)**. Si la oración es falsa, corrígela.

C   F   N/R   **1.** Las amigas fueron juntas al cine a ver la película *El Padrino, Parte III.*

_____

_____

C   F   N/R   **2.** A una de las amigas no le gustó la actuación de Andy García.

_____

_____

C   F   N/R   **3.** Ambas amigas están de acuerdo en que este actor es muy guapo.

_____

_____

C   F   N/R   **4.** Las amigas se sorprenden de que el actor cobre un millón de dólares por actuar en una película.

_____

_____

C   F   N/R   **5.** Una de las amigas comenta que Andy García ha hecho únicamente papeles de personajes hispanos.

_____

_____

C   F   N/R   **6.** Una de las amigas dice que Andy García es más cubano que cualquiera y que su cultura es la base de su éxito.

_____

_____

B   **Islas caribeñas.** Vas a escuchar información en la que se compara Cuba con Puerto Rico. Para cada una de las comparaciones que aparecen a continuación, haz un círculo alrededor de **Sí,** si los datos que escuchas coinciden con la comparación escrita; haz un círculo alrededor de **No,** si no escuchas nada acerca de ese tema. Escucha una vez más para verificar tus respuestas.

Sí   No   **1.** Cuba es más grande que Puerto Rico.

Sí   No   **2.** Cuba tiene más playas que Puerto Rico.

Sí   No   **3.** El turismo genera más dinero en Puerto Rico que en Cuba.

Sí   No   **4.** Proporcionalmente, hay más carreteras pavimentadas en Puerto Rico que en Cuba.

Sí   No   **5.** Hay más influencia de las culturas africanas en Cuba que en Puerto Rico.

Sí   No   **6.** La Habana tiene menos habitantes que San Juan.

Sí   No   **7.** Proporcionalmente, las zonas urbanas de Cuba tienen tantos habitantes como las zonas urbanas de Puerto Rico.

Sí   No   **8.** Puerto Rico tiene menos habitantes que Cuba.

Acentuación y ortografía

Triptongos. Un triptongo es la combinación de tres vocales: una vocal fuerte (**a, e, o**) en medio de dos vocales débiles (**i, u**). Los triptongos pueden ocurrir en varias combinaciones: **iau, uai, uau, uei, iai, iei,** etc. Los triptongos se pronuncian como una sola sílaba en las palabras donde ocurren.* Escucha al narrador pronunciar las siguientes palabras con triptongos.

financi**áis**	**guau**	desafi**áis**	m**iau**

La **y** tiene valor de vocal y cuando aparece después de una vocal fuerte precedida por una débil forma un triptongo. Escucha a la narradora pronunciar las siguientes palabras con una **y** final.

b**uey**	Urug**uay**	Parag**uay**

C   **Triptongos y acentos escritos.** Ahora escucha a los narradores leer algunos verbos, en la segunda persona del plural (**vosotros**), junto con algunos sustantivos. En ambos casos, las palabras presentan triptongo. Luego, escribe las letras que faltan en cada palabra.

1. d e s a f ___ ___ ___ s   **5.** a n u n c ___ ___ ___ s

2. c a r a g ___ ___ ___   **6.** b ___ ___ ___

3. d e n u n c ___ ___ ___ s   **7.** i n i c ___ ___ ___ s

4. r e n u n c ___ ___ ___ s   **8.** a v e r i g ___ ___ ___ s

D   **Separación en sílabas.** El triptongo siempre se pronuncia en una sola sílaba. Ahora, al escuchar a los narradores pronunciar las siguientes palabras con triptongo, escribe el número de sílabas de cada palabra.

1. _____   **5.** _____

2. _____   **6.** _____

3. _____   **7.** _____

4. _____   **8.** _____

*Si la sílaba con el diptongo requiere acento escrito, éste siempre se escribe sobre la vocal fuerte.

Repaso. Escucha al narrador pronunciar las siguientes palabras y ponles un acento escrito si lo necesitan.

1. filosofo   **3.** diptongo   **5.** examen   **7.** faciles   **9.** ortografico

2. diccionario   **4.** numero   **6.** carcel   **8.** huesped   **10.** periodico

Dictado. Escucha el siguiente dictado e intenta escribir lo más que puedas. El dictado se repetirá una vez más para que revises tu párrafo.

Miami: Una ciudad hispanohablante

_____

_____

_____

_____

_____

_____

_____

_____

_____

_____

_____

_____

_____

_____

_____

_____

_____

_____

_____

_____

¡A explorar!

Repaso básico de la gramática: Clases de verbos

Los verbos se dividen en varias clases con respecto a cómo se usan: transitivos, intransitivos, reflexivos, recíprocos y personales e impersonales.

Los verbos transitivos. Un verbo es transitivo cuando tiene un sujeto y un objeto. Es decir, hay alguien o algo que recibe la acción del verbo. Si no hay o no se expresa el objeto, el verbo deja de ser transitivo.

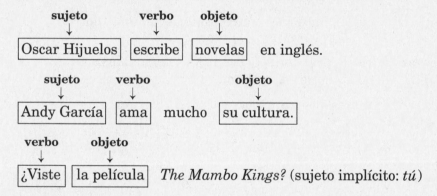

sujeto   **verbo**   **objeto**

| Oscar Hijuelos | escribe | novelas | en inglés.

sujeto   **verbo**   **objeto**

| Andy García | ama | mucho | su cultura. |

verbo   **objeto**

| ¿Viste | la película | *The Mambo Kings?* (sujeto implícito: *tú*)

Los verbos intransitivos. Los verbos intransitivos no tienen un objeto, solamente un sujeto. A veces los modifica un adverbio o una frase adverbial.

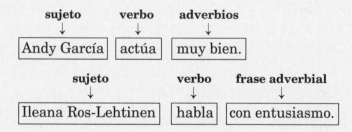

sujeto   **verbo**   **adverbios**

| Andy García | actúa | muy bien. |

sujeto   **verbo**   **frase adverbial**

| Ileana Ros-Lehtinen | habla | con entusiasmo. |

Los verbos reflexivos. Un verbo transitivo se hace reflexivo cuando su acción recae sobre el sujeto, eso es, cuando el sujeto y el objeto son idénticos. En oraciones con verbos reflexivos, no hace falta que el sujeto se exprese ya que es idéntico con el objeto. Fíjate en la conjugación del verbo reflexivo **bañarse,** en el cual los pronombres reflexivos siempre están en concordancia, es decir, son idénticos en persona con el sujeto.

bañarse
me baño
te bañas
se baña
nos bañamos
se bañan

> Xavier Suárez, el político, **se levanta** muy temprano.

> Papá y yo **nos afeitamos** por la noche.

Los verbos recíprocos. Los verbos recíprocos son aquéllos en los cuales la misma acción se ejecuta y recibe por dos o más sujetos.

> Los cubanoamericanos **se ayudan** mucho. (el uno al otro)

> "Andy y yo **nos conocimos** hace años", dice Hijuelos. (el uno al otro)

Los verbos personales e impersonales. Los verbos personales son aquéllos cuyo sujeto se expresa o se sobrentiende. Como por ejemplo:

> Pronto, los refugiados establecieron negocios. (Sujeto claramente expresado.)

> También creaste muchas fuentes de trabajo. (El sujeto "tú" se sobrentiende.)

Los verbos impersonales no tienen ni sujeto ni objeto. La acción de estos verbos simplemente ocurre sin la participación activa de nada o nadie. Generalmente se utilizan en tercera persona singular para hablar de un fenómeno de la naturaleza.

> En Miami **llueve** con mucha frecuencia.

> **Ha nevado** todo el día.

> **Relampagueaba** por todas partes.

F **El cumpleaños de abuelita.** María Elena y Pedro celebran felizmente con su abuelita. Al leer de cómo celebran, identifica el sujeto (**S**) y objeto (**O**) de cada oración, para entonces decidir qué tipo de verbo se está utilizando: transitivo, intransitivo, recíproco o reflexivo. El primero ya está identificado.

     S   **S**
María Elena y Pedro (1) <u>compran</u> un
  O
libro para su abuelita.   Como en unos

días su abuelita (2) <u>celebrará</u> su

cumpleaños, ellos (3) <u>deciden</u> organizar

una fiesta en su honor. Ese día, más

tarde (4) <u>se hablan</u> por teléfono.

     El día de la fiesta, el sol (5) <u>brillaba</u>

y el cielo (6) <u>estaba</u> muy azul.

Pedro (7) <u>se levantó</u> y (8) <u>se fue</u> a la

panadería a recoger el pastel. Al llegar

allí (9) <u>vio</u> un letrero que decía: "No

(10) <u>aceptamos</u> cheques personales".

Inmediatamente, Pedro (11) <u>llamó</u> a

María Elena porque él sólo (12) <u>llevaba</u>

cheques. María Elena (13) <u>llegó</u> en unos

minutos, (14) <u>pagó</u> el pastel, y los

dos, muy contentos, (15) <u>caminaron</u>

hacia la casa de su abuelita.

1. ____transitivo____

2. _____

3. _____

4. _____

5. _____

6. _____

7. _____

8. _____

9. _____

10. _____

11. _____

12. _____

13. _____

14. _____

15. _____

Gramática en contexto

1.5 Adjetivos y pronombres demostrativos

G

Opiniones. En el siguiente diálogo encontrarás pronombres y adjetivos demostrativos, así como pronombres neutros. Subraya los adjetivos demostrativos y circula los pronombres demostrativos. Asegúrate de colocar un acento escrito sobre aquellos pronombres que lo necesitan.

—¿Te gusta este poeta o prefieres aquellos que vimos en "Cristina" la semana pasada?

—Este es interesante pero aquellos fueron más controvertidos.

—Este joven poeta ha publicado más que aquellos poetas universitarios.

—Sí, pero aquellos poetas entusiasmaron al público mucho más que este, ¿no crees?

—Bueno, estos poetas están interesando al público bastante. Mira a ese señor. Tiene lágrimas en los ojos.

—¿Cuál? ¿Dónde? Eso lo estás inventando o te lo estás imaginando.

—En serio, todo aquello de drogas y problemas familiares me parece de menor interés general. Esto, al contrario, de veras te toca el corazón.

—¡Cómo puedes decir eso! Todo esto es demasiado sentimental.

—Y aquello, con aquellos jóvenes fue demasiado escandaloso.

—Es obvio que en esto no nos vamos a poner de acuerdo. Y con eso, ¡basta! ¡Ya no voy a decir nada más!

1.6 Comparativos y superlativos

H **Ficha personal.** Basándote en la información que aparece a continuación, haz comparaciones entre tu hermana y tú.

	Mi hermana	Yo
Edad	22 años	17 años
Estatura	1,50 m	1,65 m
Peso	45 kilos	52 kilos
Trabajo	40 horas por semana	15 horas por semana
Vestidos	elegantes	informales
Ir al cine	dos veces por semana	dos veces por semana

MODELO   *joven*
   Soy más joven que mi hermana o
   Mi hermana es menos joven que yo.

1. alto(a): _____

_____

2. elegante: _____

_____

3. trabajar: _____

_____

4. pesar: _____

_____

5. ir al cine: _____

_____

I **Las dos islas.** Basándote en los datos que aparecen a continuación, compara Cuba con Puerto Rico.

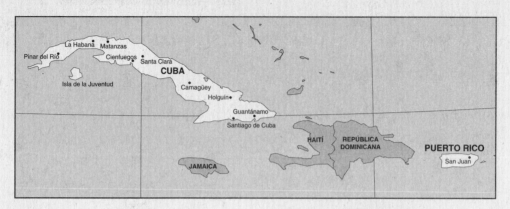

CUBA	PUERTO RICO
Población: 10.846.821 hab. (1992)	**Población:** 3.566.000 hab. (1992)
Tasa de crecimiento de la población: 1%	**Tasa de crecimiento de la población:** 1%
Extensión: 110.922 km²	**Extensión:** 9.104 km²
Población urbana: 72%	**Población urbana:** 67%
Capital: La Habana, 2.077.000 hab.	**Capital:** San Juan, 437.735 hab.
Ingreso por turismo: $250.000.000 (1990)	**Ingreso por turismo:** $1.370.000.000 (1990)
Carreteras pavimentadas: 14.477 km	**Carreteras pavimentadas:** 13.762 km

MODELO *grande*
> **Cuba es más grande que Puerto Rico. Es casi diez veces más grande.**

1. habitantes de la isla

_____

_____

2. habitantes de la capital

_____

_____

3. crecimiento de la población

_____

_____

4. ingresos por turismo

_____

_____

5. porcentaje de personas que viven en las ciudades

_____

_____

6. carreteras pavimentadas

_____

_____

J **Hispanos en EE.UU.** Traduce del inglés al español los siguientes comentarios sobre hispanos en EE.UU.

1. Is Cristina Saralegui as famous as Oprah Winfrey?

_____

_____

2. According to my sister, Jon Secada is the most talented singer.

_____

_____

3. César Chávez is one of the most respected Chicano leaders.

_____

_____

4. There are more Puerto Ricans in New York than in San Juan.

_____

_____

Acentuación y ortografía

K   **Triptongos.** Divide las siguientes palabras en sílabas. Usa guiones como en el siguiente ejemplo.

MODELO   *Paraguay*   **Pa-ra-guay**

1. cualquiera   _____

2. miau   _____

3. Guaymas   _____

4. acariciáis   _____

5. Uruguay   _____

6. siguiente   _____

7. maguey   _____

8. Guayaquil   _____

L   **Repaso de acentuación.** Divide las siguientes palabras en sílabas. Usa guiones como en el siguiente ejemplo. Pon un acento escrito donde sea necesario.

MODELO   *generacion*   **ge-ne-ra-ción**

1. banquero   _____

2. proporcionar   _____

3. tiburon   _____

4. preocupacion   _____

5. refugiados   _____

6. embarcais   _____

7. idealista   _____

8. exito   _____

Lengua en uso

Variantes coloquiales: El habla cubanoamericana

En el habla coloquial de muchos cubanoamericanos aparecen varios cambios fonológicos que son comunes al habla coloquial caribeña y de otras partes del mundo hispano. Por ejemplo, la preposición **para** se reduce a **pa'** y muchas consonantes finales desaparecen y así se dice **caridá** en vez de **caridad** e **inglé** en vez de **inglés**. También la terminación **-ada** se reduce a **-á** y así se dice **casá** en vez de **casada**. Igualmente en algunas palabras se utiliza la **l** en vez de **r** como en **amal** en vez de **amar**.

M **"Milagro de la Ocho y la Doce".** En la obra narrativa del escritor cubanoamericano Roberto G. Fernández aparece con frecuencia el habla coloquial que usan los cubanoamericanos que viven en la Florida. Este escritor nació en 1951 en Cuba pero llegó a EE.UU. cuando tenía diez años. Reescribe las oraciones coloquiales tomadas del cuento "Milagro de la Ocho y la Doce" de Roberto G. Fernández usando un lenguaje escrito más formal.

MODELO *Sí chica, Pepe el casado con Valentina la jorobá.*
Sí chica, Pepe el casado con Valentina la jorobada.

1. Barbarita, ni te preocupes pa' lo que sirve mejor la dejas enredá.

_____

2. La verdá es que todavía no estaba muy convencida.

_____

3. ¿Tú habla inglé?

_____

4. Yo me quedé maravillá y espantá a la vez.

_____

5. Tócalo mijito pa' que se te curen lah paticah.

_____

6. Mamá, ya puedo caminal...

_____

7. Sí, Barbarita, pero na' má que un poquitico.

_____

Vocabulario activo

A continuación se encuentra el vocabulario activo de las secciones **Gente del Mundo 21** y **Del pasado al presente** de la Lección 3. En los espacios en blanco bajo cada tema, añade otras palabras que has aprendido en esta lección y que crees que te serán útiles.

Gente del Mundo 21

alcanzar	entusiasmo
capacidad	éxito
coalición	generación
coordinar	meta
crítica	mudarse
cubanoamericano(a)	penetrante
elegido(a)	título
elegir	valor

Del pasado al presente

Los primeros refugiados cubanos y Muchas fuentes de trabajo

empleado(a)	proporcionar
exilio	recién llegado(a)
fuente de trabajo	refugiado(a)
incentivo	sistema comunista
lograr	vivienda

Los marielitos

adaptación _____

apoyo _____

clase media _____

_____

_____

_____

_____

_____

_____

_____

clase menos acomodada _____

embarcarse _____

marielito _____

_____

_____

_____

_____

_____

_____

_____

El éxito cubano

banquero(a) _____

bilingüe _____

financiero(a) _____

fervientemente _____

_____

_____

_____

_____

_____

_____

preocupación _____

régimen _____

transacción _____

vehemente _____

_____

_____

_____

_____

_____

_____

N **Descripciones.** Indica con qué verbo o frase de la segunda columna se describe cada verbo de la primera.

_____	**1.** lograr	**a.**	subirse a un barco
_____	**2.** apoyar	**b.**	distribuir
_____	**3.** embarcarse	**c.**	seleccionar
_____	**4.** mudarse	**d.**	organizar
_____	**5.** proporcionar	**e.**	alcanzar
_____	**6.** coordinar	**f.**	profundizar
_____	**7.** elegir	**g.**	cambiarse
_____	**8.** penetrar	**h.**	sostener

Ñ **Refugiados.** De esta lista selecciona seis características de los refugiados cubanos. Luego escribe una oración describiendo a los refugiados con cada característica que seleccionaste.

exilio	incentivos de trabajo
banqueros	clase media
bilingües	adaptación lenta
éxito	fuentes de trabajo
cubanoamericanos	125.000 se embarcaron

1. _____

2. _____

3. _____

4. _____

5. _____

6. _____

Composición: *descripción*

O **Ayudante de productor.** Trabajas para el productor de un programa de entrevistas y comentarios muy popular en la televisión hispana de EE.UU. En un futuro programa se va a hacer un reportaje sobre los cubanoamericanos. Tu tarea es identificar a la persona que van a entrevistar y preparar en una hoja en blanco preguntas apropiadas para esa persona. Debe haber suficientes preguntas para una entrevista de quince minutos. Es mejor que sobren preguntas antes de que falten. ¡Suerte en tu nueva carrera de ayudante de productor!

¡A escuchar!

El Mundo 21

A **Los Reyes Católicos.** En uno de los salones de la Alhambra, el palacio musulmán en Granada, España, una guía explica a un grupo de estudiantes el importante papel que tuvieron los Reyes Católicos en la historia de España. Escucha con atención lo que dice y luego marca si cada oración que sigue es **cierta (C)**, **falsa (F)** o si no tiene relación con lo que escuchaste **(N/R).** Si la oración es falsa, corrígela.

C F N/R **1.** Isabel de Castilla y Fernando de Aragón, conocidos como los Reyes Católicos, se casaron en 1492.

_____

_____

C F N/R **2.** Los Reyes Católicos terminaron la Reconquista de España al tomar Granada, el último reino visigodo de la Península Ibérica.

_____

_____

C F N/R 3. Los Reyes Católicos lograron la unidad política y territorial de España.

_____

_____

C F N/R 4. En el Palacio de la Alhambra, los Reyes Católicos recibieron a Cristóbal Colón, quien les explicó su plan de viajar hacia el Occidente.

_____

_____

C F N/R 5. En 1492, los Reyes Católicos les permitieron a los judíos seguir practicando su religión en España.

_____

_____

B **Narración confusa.** Un policía escucha a Teresa, testigo de un accidente. Teresa está tan nerviosa que al hablar del accidente que tuvo su amigo Julián, también habla de sí misma. Indica con un círculo en la palabra apropiada, si las oraciones que escuchas se refieren a Julián o a Teresa. Escucha una vez más para verificar tus respuestas.

	Julián	_Teresa_
1.	cruzó	cruzo
2.	prestó	presto
3.	prestó	presto
4.	miró	miro
5.	miró	miro
6.	atropelló	atropello
7.	quedó	quedo
8.	quedó	quedo

C **El Cid.** Indica si los datos que aparecen a continuación se mencionan (**Sí**) o no (**No**) en el siguiente texto acerca del Cid, héroe nacional español. Escucha una vez más para verificar tus respuestas.

Sí   No   **1.** El Cid nació en 1044.

Sí   No   **2.** El Cid murió en 1099.

Sí   No   **3.** El rey Alfonso X desterró al Cid.

Sí   No   **4.** Después del destierro, el Cid no reconoció más al rey Alfonso como su rey.

Sí   No   **5.** El Cid conquistó la ciudad de Valencia.

Sí   No   **6.** El Cid conquistó también la ciudad de Granada.

Sí   No   **7.** Los musulmanes gobernaron Valencia antes que el Cid.

D **Ayer.** Escucha mientras Marisa le pregunta a su mamá sobre lo que ves en los dibujos. Coloca una **X** debajo del dibujo que coincida con la respuesta que escuchas. Escucha una vez más para verificar tus respuestas.

1.

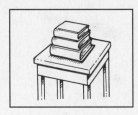

A. _____

B. _____

C. _____

2.

A. _____

B. _____

C. _____

3.

A. _____   B. _____   C. _____

4.

A. _____   B. _____   C. _____

5.

A. _____   B. _____   C. _____

6.

A. _____   B. _____   C. _____

7.

A. _____   B. _____   C. _____

Acentuación y ortografía

E **Repaso de acentuación.** Al escuchar a la narradora pronunciar las siguientes palabras: 1) divídelas en sílabas, 2) subraya la sílaba que debiera llevar el golpe según las dos reglas de acentuación y 3) coloca el acento ortográfico donde se necesite.

MODELO *p o l i t i c a*
           p o / l í / <u>t i</u> / c a

1. h e r o e

2. i n v a s i o n

3. R e c o n q u i s t a

4. a r a b e

5. j u d i o s

6. p r o t e s t a n t i s m o

7. e f i c a z

8. i n f l a c i o n

9. a b d i c a r

10. c r i s i s

11. s e f a r d i t a s

12. e p i c o

13. u n i d a d

14. p e n i n s u l a

15. p r o s p e r o

16. i m p e r i o

17. i s l a m i c o

18. h e r e n c i a

19. e x p u l s i o n

20. t o l e r a n c i a

Acento escrito. Ahora escucha a los narradores leer las siguientes oraciones y coloca el acento ortográfico sobre las palabras que lo requieran.

1. El sabado tendremos que ir al medico en la Clinica Lujan.

2. Mis examenes fueron faciles, pero el examen de quimica de Monica fue muy dificil.

3. El joven de ojos azules es frances, pero los otros jovenes son puertorriqueños.

4. Los Lopez, los Garcia y los Valdez estan contentisimos porque se sacaron la loteria.

5. Su tia se sento en el jardin a descansar mientras el comia.

Dictado. Escucha el siguiente dictado e intenta escribir lo más que puedas. El dictado se repetirá una vez más para que revises tu párrafo.

La España musulmana

_____

_____

_____

_____

_____

_____

_____

_____

_____

_____

_____

_____

_____

_____

_____

_____

¡A explorar!

Signos de puntuación: La coma (,)

- La coma es un signo que indica una pausa corta y, como en inglés, se usa principalmente para **separar la enumeración** de conceptos o palabras.

  En la cueva de Altamira hay pinturas prehistóricas de animales en movimiento: bisontes, toros, ciervos, caballos y lobos.

  Entre los primeros habitantes de la Península Ibérica están los iberos, los celtas, los fenicios y los griegos.

- A diferencia del inglés, en español *no* se escribe una coma antes de la **y** o la **o** que precede a la última palabra o frase en una enumeración.

  Los romanos construyeron grandes ciudades, carreteras, excelentes puentes e impresionantes acueductos.

  The Romans constructed large cities, highways, excellent bridges, and impressive aquaducts.

- La coma separa el nombre en **vocativo**, es decir, el nombre de la persona con quien se habla directamente. El vocativo puede ir al principio, en medio o al final de la oración.

  Señor Ferrer, agradezco su ayuda con esta lectura.

  Agradezco su ayuda, **señor Ferrer,** con esta lectura.

  Agradezco su ayuda con esta lectura, **señor Ferrer**.

- Se usa la coma para separar una **frase explicativa**, o sea una expresión incidental que puede suprimirse sin alterar o modificar el significado del contexto.

  El Cid Campeador, **cuyo nombre real era Rodrigo Díaz de Vivar,** se hizo famoso por sus campañas militares.

  En el imperio de Carlos I de España, **quien también fue llamado Carlos V del Sacro Imperio Romano,** "nunca se ponía el sol".

  Si la frase explicativa da información esencial que especifica, la coma no se usa.

  El hijo **que está en Toledo** no pudo venir.

- También se separan con comas las **agregaciones**, es decir, las frases o palabras que repiten de otra manera lo ya dicho en la oración.

  Córdoba, **la capital de la España musulmana,** se convirtió en uno de los grandes centros intelectuales de la cultura islámica.

- La coma se usa para separar las **expresiones ilativas,** es decir, las expresiones que denotan conexión entre dos conceptos. A continuación hay una lista de expresiones ilativas comunes.

además	no obstante	por último
en consecuencia	por consiguiente	pues
en fin	por lo tanto	sin duda
es decir	por otro lado	sin embargo
esto es	por otra parte	vale decir

Los Reyes Católicos lograron la unidad territorial de España, **además,** trataron de conseguir la unidad religiosa con la expulsión de los judíos y los musulmanes.

Los musulmanes mantuvieron una tolerancia étnica y religiosa, **sin embargo,** fueron forzados a salir de España.

- La coma también puede indicar la omisión de un verbo o de otras palabras sobrentendidas.

Isabel era reina de Castilla y Fernando, rey de Aragón. (**era**)

Primero llegaron los fenicios y después, los griegos. (**llegaron**)

- La coma se usa después de las palabras **sí** y **no** en una respuesta afirmativa o negativa al principio de una oración.

Sí, me gusta la obra de Cervantes.

No, no he leído el "Cantar de Mío Cid".

- Al escribir números, se usa la llamada **coma decimal** para separar los números enteros de los decimales.

Hay 39,37 pulgadas en un metro.

G **España.** Al repasar varios hechos interesantes e importantes en la historia de España, escribe las comas que faltan según su uso en cada oración.

1. Santa Teresa de Jesús reconocida como una de las cumbres de la mística universal fue canonizada en 1970.

2. Las leyes que recopiló Alfonso X el Sabio eran las leyes de Castilla del siglo XIII.

3. Por otro lado los romanos impusieron su lengua su cultura y su gobierno.

4. El casamiento de Fernando e Isabel tuvo grandes repercusiones es decir cambiaría el curso de la historia.

5. Mientras estuvieron en España los musulmanes hicieron grandes avances en las ciencias las letras la artesanía la arquitectura y el urbanismo.

6. Los españoles expulsaron primero a los musulmanes y luego a los judíos.

7. Una leyenda dice que al ser derrotado Boabdil el último rey moro su madre le dijo: "Hijo está bien que llores como niño por lo que no supiste defender como hombre".

8. Carlos V emperador del Sacro Imperio Romano controlaba parte de los Países Bajos de Italia de Alemania de Austria de Francia de África además de los territorios de América.

9. El reinado de Carlos V fue uno de expansión y enriquecimiento el de Felipe II uno de constantes guerras religiosas y en consecuencia de grandes problemas económicos.

10. Si hay 3937 pulgadas en un metro ¿cuántos pies hay en un metro? Respuesta: 328 pies

Gramática en contexto

2.1 El pretérito: Verbos regulares

H **Cervantes.** Completa la siguiente biografía de Miguel de Cervantes, autor de *Don Quijote,* usando el **pretérito.**

Miguel de Cervantes Saavedra _____ (1. nacer) en 1547 y

_____ (2. fallecer) el 23 de abril de 1616. _____

(3. Escribir) novelas, poemas y obras de teatro. La primera parte de su

novela *El ingenioso hidalgo don Quijote de la Mancha*, su obra más

famosa, _____ (4. aparecer) en 1605 y la segunda un poco antes

de su muerte (1615). Hijo de una familia pobre, _____ (5. entrar)

en el ejército como soldado. _____ (6. Perder) su mano

izquierda en la batalla de Lepanto (1571) y _____ (7. pasar)

cinco años de su vida prisionero en Argelia (1575–1580). Cuando

_____ (8. volver) a España, _____ (9. trabajar)

para el gobierno en varios puestos, pero nunca _____

(10. lograr) ganar suficiente dinero para tener independencia económica.

En los últimos años de su vida, un benefactor lo _____

(11. ayudar), lo cual le _____ (12. permitir) dedicarse más

plenamente a la literatura.

2.2 Los pronombres de objeto directo e indirecto y la *a* personal

Sustitución de *le* y *les* por *se*. Cuando ambos el objeto directo e indirecto se reemplazan con pronombres en tercera persona (**la/lo** o **las/los** y **le/les**), la forma singular y plural de la tercera persona de los pronombres de objeto indirecto se sustituye por la partícula **se**.

Cristóbal Colón dio **el Nuevo Mundo a Isabel la Católica**.

lo   le→se

Cristobal Colón se lo dio.

Carlos V dejó sus **territorios a Felipe II y a su hermano Fernando**.

los   les→se

Carlos V se los dejó.

- Los dos pronombres se escriben **antes** del verbo conjugado—el pronombre de objeto indirecto se coloca primero, después el pronombre de objeto directo.

- Los pronombres de objeto directo e indirecto también se pueden agregar a un infinitivo o a un gerundio si éstos están presentes en la oración.

    La estoy estudiando.

    Estoy estudiándo**la**.

    Estoy estudiando la Reconquista.

    Se la voy a dar a Uds.

    Voy a dár**sela** a Uds.

    Voy a dar la información a Uds.

¡Ojo! Observa que al agregar pronombres al gerundio o al infinitivo, con frecuencia es necesario ponerles acento escrito para mantener la pronunciación original.

I **Cervantes y su obra maestra.** Contesta las preguntas sobre Cervantes y su obra de don Quijote. Usa pronombres del objeto directo en tus respuestas.

MODELO   *¿Cuándo publicó Cervantes la primera parte de su obra maestra?*
                   La publicó en 1605.

1. ¿Capturaron los piratas a Cervantes durante su viaje de vuelta a España?

_____

2. ¿Perdió Cervantes el uso de la mano izquierda en una batalla?

_____

3. ¿Leyeron la "Aventura de los molinos de viento" en clase?

_____

4. ¿Insistió la maestra en que escribieras un resumen de la aventura?

_____

5. ¿Escribió Cervantes el guión para una película de su obra literaria?

_____

6. En el episodio de los molinos, ¿vio Sancho Panza los gigantes?

_____

7. ¿Invitó don Quixote a Sancho Panza a viajar a París?

_____

8. ¿Tuvieron otras aventuras en el Puerto Lápice Sancho Panza y don Quijote?

_____

J **Reacciones.** ¿Cómo reaccionaron algunos de tus amigos después de ver una película de Pedro Almodóvar?

MODELO   *a Marisela / fascinar / la película*
         A Marisela le fascinó la película.

1. a David / impresionar / el comienzo

_____

2. a las hermanas Rivas / encantar / la historia

_____

3. a Yolanda / entusiasmar / las imágenes

_____

4. a Gabriel / ofender un poco / algunas escenas

_____

5. a mí / gustar mucho / la actuación de los protagonistas

_____

6. a Enrique / no agradar / los actores secundarios

_____

7. a todos nosotros / interesar / la película

_____

K **Madrid-Barajas**. Repasa lo que los hermanos Ruiz te contaron de su llegada al Aeropuerto Internacional Madrid-Barajas en el viaje que hicieron a España el año pasado. Usa los pronombres de objeto directo e indirecto siguiendo el modelo.

MODELO   _Sus padres les compraron los boletos de avión a ellos._
Sus padres se los compraron a ellos.

1. Sus padres les enviaron regalos a sus parientes de España.

_____

_____

2. Sus tíos les dieron abrazos y besos a ellos en el aeropuerto.

_____

_____

3. Los hermanos Ruiz les entregaron unos juguetes a su primo Pepito.

_____

_____

4. La señora Ruiz le mandó un regalo especial a su hermana.

_____

_____

5. Ellos les agradecieron todos los favores a sus parientes españoles.

_____

_____

L **El Cid.** Lola le cuenta a Miguel la película de *El Cid* con Charlton Heston (El Cid) y Sofía Loren (doña Jimena, su esposa). Usa los pronombres de objeto directo e indirecto para formar dos oraciones. Sigue el modelo.

MODELO   *En Burgos / nadie darle / asilo / al Cid*
     a. En Burgos nadie le dio asilo al Cid.
     b. Nadie se lo dio.

1. Martín Antolínez, / sobrino del Cid, / conseguirle dinero al Cid

   a. _____

   b. _____

2. El Cid / dejarle al abad de San Pedro de Cardeña / a doña Jimena y a sus dos hijas

   a. _____

   b. _____

3. El Cid / mandarle / rico botín al rey / después de vencer a los moros en Calatayud

   a. _____

   b. _____

4. De Valencia, / el Cid / enviarle / otro rico regalo al rey

   a. _____

   b. _____

5. El rey / permitirles / a doña Jimena y sus dos hijas / vivir con el Cid

   _____

   _____

6. El Cid / seleccionarles / esposos a sus dos hijas

   a. _____

   b. _____

7. Sus esposos, / los infantes de Carrión, / maltratar y abandonar / a sus esposas

    a. _____

8. El Cid / pedirle / justicia al rey

    a. _____

    b. _____

Acentuación y ortografía

M **Repaso de acentuación.** Para sentirte con más confianza en cuanto al uso de los acentos escritos, es importante practicar, practicar y seguir practicando. Las siguientes oraciones no llevan acento escrito. Léelas cuidadosamente y coloca los acentos donde se necesiten.

1. La Peninsula Iberica llego a ser parte del Imperio Romano.

2. Despues de la invasion musulmana se inicio la Reconquista.

3. Los judios salieron de España, llevandose consigo el idioma castellano.

4. ¿Que efecto tuvieron los musulmanes en la religion, la politica, la arquitectura y la vida cotidiana?

5. Durante esa epoca se realizaron muchos avances en areas como las matematicas, las artesanias y las ciencias.

6. Sin duda, existen raices del arabe en la lengua española.

7. El profesor aseguro que de la costa mediterranea surgieron heroes y heroinas epicos quienes, con sus hazañas historicas, cambiaron el mundo.

8. La caida del imperio español tuvo lugar en el siglo XVII cuando la inflacion causo el colapso de la economia.

Correspondencia práctica

Nota formal

De vez en cuando se presentan situaciones con nuestros mejores amigos o con parientes cuando es necesario enviarles una nota formal para invitarlos a una fiesta familiar, agradecerles un regalo, felicitarles en el día de su santo o de su cumpleaños, de su graduación, del nacimiento de un niño, etc. Estas notas tienden a ser más formales, mostrando la debida cortesía. A continuación hay unas fórmulas de cortesía para empezar notas formales.

- **Para invitar**

  El 17 del próximo mes vamos a celebrar el cumpleaños de papá y nos encantaría que nos acompañes...

  Cuánto nos gustaría a mis papás, mis hermanos y a mí, por supuesto, que vinieras a pasar Navidad con nosotros...

- **Para aceptar**

  No sabes cuánto agradezco tu amable invitación y qué gusto me dará celebrar con ustedes...

  Imagina la alegría que sentí al recibir tu invitación. ¿Cómo podría no aceptar?...

- **Para no aceptar**

  Acabo de recibir tu amable invitación, pero lamentablemente no podré aceptar...

  Imagina la tristeza que me dio al saber que no podré asistir a tu fiesta...

- **Para agradecer**

  Te escribo para darte las gracias por el precioso collar que me regalaste...

  Te envío estas líneas para expresar mi profundo agradecimiento por todas tus atenciones la semana pasada...

- **Para felicitar**

  Me permito felicitarte hoy en el día de tu santo...

  No te imaginas la alegría que sentí al saber de tu ascenso...

  Te deseo muchas felicidades en ocasión de tu graduación y espero que tengas mucho éxito en tu nueva profesión...

N **Graduación.** Una semana más y ¡te gradúas! En agradecimiento por todo lo que tu profesor(a) favorito(a) ha hecho para ti, decides escribirle una nota formal dándole las gracias. En una hoja en blanco, escribe esa carta.

Lengua en uso

Prefijos del griego

En español muchas palabras se forman anteponiendo una partícula o **prefijo** a la raíz de una palabra. Por ejemplo, del verbo **poner** se derivan **ex**poner, **contra**poner, **de**poner, **im**poner, **inter**poner, **pos**poner, **sobre**poner, **su**poner y **tras**poner.

El griego fue una de las lenguas de más prestigio en el mundo antiguo. Tuvo mucha influencia sobre el latín y durante la época del Renacimiento* muchas palabras de origen griego se incorporaron al español y a otras lenguas de Europa. En la actualidad, muchas nuevas palabras en el mundo científico se forman usando las raíces griegas. Los siguientes prefijos que proceden del griego son comunes en español.

Prefijos griegos	Ejemplos
a-, an- (privación, negación)	**a**teo, **an**ormal
anti- (contra)	**anti**social, **antí**doto
eu- (bien)	**eu**logía, **eu**tanasia
hemi- (mitad)	**hemi**sferio, **hemi**ciclo
hiper- (sobre, exceso)	**hiper**activo, **hiper**crítico
meta- (más allá)	**meta**lingüístico, **meta**mórfosis
mono- (uno)	**mono**cicleta, **mono**silábico
peri- (alrededor)	**perí**metro, **peri**scopio
tele- (lejos)	**tele**grama, **tele**comunicación

Ñ **Prefijos griegos.** Subraya las palabras que empiezan con prefijos griegos en las sigiuientes oraciones y explica su significado.

MODELO   *En la Edad Media había muchos analfabetas.*
Personas que no saben ni leer ni escribir

1. Los infantes de Carrión eran verdaderamente amorales.

_____

2. Era imposible tener leyes anticonstitucionales porque no tenían constituciones en ese entonces.

_____

3. Los infantes de Carrión eran la antítesis del Cid.

_____

4. En la Edad Media los hombres eran hipersensitivos en cuestiones del honor.

_____

5. Durante el Renacimiento hubo mucho interés en la metafísica.

_____

* El Renacimiento *(Renaissance)* fue un movimiento literario y artístico en Europa en los siglos XV y XVI. Se fundaba en la imitación de modelos grecorromanos clásicos.

Vocabulario activo

A continuación se encuentra el vocabulario activo de las secciones **Gente del Mundo 21** y **Del pasado al presente** de la Lección 1. En los espacios en blanco bajo cada tema, añade otras palabras que has aprendido en esta lección y que crees que te serán útiles.

Gente del Mundo 21

antiguo(a) _____	Reconquista _____
castellano(a) _____	reina _____
descendiente _____	reino _____
héroe, heroína _____	rey _____
héroe épico _____	Reyes Católicos _____
ley _____	siglo _____
protagonista _____	trono _____
_____	_____
_____	_____
_____	_____

Del pasado al presente

Los primeros pobladores

celta _____	fenicio(a) _____
costa mediterránea _____	invasión _____
cueva de Altamira _____	navegación _____
desarrollo _____	península _____
_____	_____
_____	_____
_____	_____
_____	_____

La Hispania romana

acueducto _____	islámico(a) _____
ayuda _____	musulmán, musulmana _____
carretera _____	procedente _____
conquistar _____	próspero(a) _____
crisis _____	puente _____
cristianismo _____	tolerancia _____
Imperio Romano _____	visigodo(a) _____
_____	_____
_____	_____

La Reconquista

expulsión _____	tropa _____
rehusar _____	unidad política _____
sefardita _____	unidad territorial _____
_____	_____
_____	_____

España como potencia mundial

abdicar _____	inflación _____
caída _____	oro _____
colapso _____	plata _____
dominio _____	poder militar _____
eficaz _____	protestantismo _____
emperador(a) _____	reunir _____
extenso(a) _____	sobresaliente _____
herencia _____	_____
_____	_____

O **Palabras cruzadas.** Completa este juego de palabras con nombres de invasores de la Península Ibérica.

INVASORES DE LA PENÍNSULA

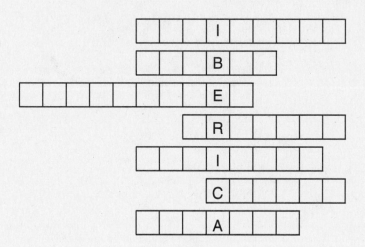

P **Relación.** Indica qué expresión de la segunda columna está relacionada con cada palabra de la primera.

_____	**1.** árabe	**a.**	cien años
_____	**2.** rey	**b.**	El Cid
_____	**3.** fenicios	**c.**	romanos
_____	**4.** siglo	**d.**	musulmán
_____	**5.** judíos	**e.**	protestantismo
_____	**6.** héroe épico	**f.**	puentes
_____	**7.** cueva de Altamira	**g.**	navegación
_____	**8.** acueductos	**h.**	primeros habitantes
_____	**9.** cristianismo	**i.**	sefarditas
_____	**10.** carreteras	**j.**	trono

Composición: *Descripción imaginaria*

 Una carta de Cervantes. En una hoja en blanco escribe una breve carta imaginaria en la que Miguel de Cervantes Saavedra le describe a un amigo, un escritor de Toledo, la aventura de los molinos de viento que acaba de escribir como parte de su novela *El ingenioso hidalgo don Quijote de la Mancha*. Imagina el estado de ánimo de Cervantes al escribir esta carta. ¿Cómo explicaría lo que acaba de escribir?

¡A escuchar!

El Mundo 21

A **Antonio Banderas.** Ahora vas a tener la oportunidad de escuchar a unos comentaristas de la radio que anuncian los éxitos obtenidos por un actor malagueño. Escucha con atención lo que dicen y luego marca si cada oración que sigue es **cierta (C), falsa (F)** o si no tiene relación con lo que escuchaste **(N/R).** Si la oración es falsa, corrígela.

C F N/R **1.** La comentarista es de Radio Málaga, localizada en la ciudad del mismo nombre en España, donde nació Antonio Banderas.

_____

_____

C F N/R **2.** Antonio Banderas es uno de los directores más importantes del cine español contemporáneo.

_____

_____

C   F   **N/R**   **3.** Ha actuado en dos películas de Hollywood: *Los reyes del mambo,* filmada en 1991, y *Filadelfia,* filmada en 1993.

_____

_____

C   F   **N/R**   **4.** Fue descubierto por el director español Carlos Saura.

_____

_____

C   F   **N/R**   **5.** Ha aparecido en la mayoría de las películas de Pedro Almodóvar, como por ejemplo *Matador, La ley del deseo* y *Átame.*

_____

_____

C   F   **N/R**   **6.** La comentarista señala que muchos críticos de cine opinan que la estatura ha favorecido mucho a Antonio Banderas en su carrera de actor.

_____

_____

B   **García Lorca.** Escucha los siguientes datos acerca de la vida del poeta Federico García Lorca. Cada oración que figura a continuación puede ser completada con dos de las opciones dadas; indica con una **X** la letra de la opción incorrecta.

> *Vocabulario útil*
>
> derecho: *ciencia legal*   letras: *humanidades*
> carrera: *profesión*   romance: *composición poética*
> gitano: *una raza de nómadas*   residir: *vivir*
> partidario: *afiliado*

1. Federico García Lorca nació...

   a. en Fuente Vaqueros

   b. en 1898

   c. en el norte de España

2. Estudió...

   a. sicología

   b. filosofía y letras

   c. derecho

3. Fue amigo de...

   a. Rafael Alberti

   b. Pablo Picasso

   c. Luis Buñuel

4. Dos obras de poemas de García Lorca son...

   a. *Poeta en Nueva York*

   b. *Bodas de sangre*

   c. *Primer romancero gitano*

5. En 1929 vivió en...

   a. Madrid

   b. Estados Unidos

   c. Nueva York

6. Murió...

   a. a comienzos de la Guerra Civil Española

   b. en el año 1936

   c. durante la Segunda Guerra Mundial

Acentuación y ortografía

Palabras que cambian de significado. Hay palabras parecidas que tienen distintos significados según: 1) dónde vaya el golpe y 2) si requieren acento ortográfico. Ahora presta atención a la ortografía y al cambio de golpe en estas palabras mientras la narradora las pronuncia.

ánimo	animo	animó
célebre	celebre	celebré
depósito	deposito	depositó
estímulo	estimulo	estimuló
hábito	habito	habitó
práctico	practico	practicó
título	titulo	tituló

C **Palabras parecidas.** Ahora escucha mientras el narrador lee estas palabras parecidas y escribe el acento donde sea necesario.

1. critico   critico   critico
2. dialogo   dialogo   dialogo
3. domestico   domestico   domestico
4. equivoco   equivoco   equivoco
5. filosofo   filosofo   filosofo
6. liquido   liquido   liquido
7. numero   numero   numero
8. pacifico   pacifico   pacifico
9. publico   publico   publico
10. transito   transito   transito

D **Acento escrito.** Ahora escucha a la narradora leer estas oraciones y coloca el acento ortográfico sobre las palabras que lo requieran.

1. Hoy publico mi libro para que lo pueda leer el publico.

2. No es necesario que yo participe esta vez, participe el sabado pasado.

3. Cuando lo magnifico con el microscopio, pueden ver lo magnifico que es.

4. No entiendo como el calculo debe ayudarme cuando calculo.

5. Pues ahora yo critico todo lo que el critico critico.

Dictado. Escucha el siguiente dictado e intenta escribir lo más que puedas. El dictado se repetirá una vez más para que revises tu párrafo.

Juan Carlos de Borbón

_____

_____

_____

_____

_____

_____

_____

_____

_____

_____

_____

_____

_____

_____

_____

_____

_____

_____

_____

_____

¡A explorar!

Signos de puntuación: Los puntos (.), (;), (:), (...)

- **El punto (.)** indica una pausa entre oraciones. Además, la pausa del punto siempre es más prolongada que la de la coma. Los usos más comunes del punto se llaman: **punto (y) seguido** cuando el punto ocurre dentro de un párrafo, **punto (y) aparte** cuando termina un párrafo y **punto (y) final** cuando se pone al final de un escrito (carta, dictado, artículo) o de una de sus partes (lección, capítulo, etc.).

  El **punto millar** separa unidades de mil al escribir números.

  La población de España ahora es más de 40.000.000.

- **El punto y coma (;)** representa una pausa más larga que la de la coma, pero menos prolongada que la del punto. Su uso más frecuente es separar dos ideas completas que están relacionadas de alguna manera. Con frecuencia, el punto y coma pueden ser reemplazados por **y** o por un punto.

  España se ha transformado con una rapidez increíble en las últimas dos décadas; evidencia de esto es la aparición de una gran clase media.

  También se utiliza el punto y coma antes de palabras o expresiones adversativas como **mas, aunque, por eso, sin embargo, o sea, es decir, pero** y otras más, cuando éstas se encuentran entre dos cláusulas independientes.

  El gobierno de Franco prohibió todos los partidos políticos y estableció la censura**; sin embargo**, España pasó a ser un país industrializado.

  Franco permitió el bárbaro bombardeo aéreo del pueblo más antiguo de los vascos, Guernica**; por eso** Picasso no permitió que su obra estelar se mostrara en España durante el gobierno de Franco.

  Otro uso del punto y coma es la separación de enumeración de cláusulas largas y complejas cuando interviene ya alguna coma.

  Teresa, Ricardo y Ana María hicieron sus presentaciones orales sobre España: Teresa habló de la Guerra Civil Española; Ricardo, sobre el franquismo; y Ana María, sobre el retorno a la democracia.

- **Los dos puntos (:)** representan una pausa intermedia como la del punto y coma. Este signo de puntuación se utiliza en los siguientes casos:

  1. Antes de una enumeración.

     En el Siglo de Oro sobresalen tres poetas místicos: Santa Teresa de Jesús, Fray Luis de León y San Juan de la Cruz.

  2. Después de una palabra o frase que expresa ejemplificación.

     por ejemplo: entre otros: modelo:

     Los siguientes son los dramaturgos españoles más importantes: Lope de Vega, Tirso de Molina y Pedro Calderón de la Barca.

3. Después del saludo en una carta o una nota.

    Estimados editores: Mi muy querida amiga:

4. Antes de una cita textual.

    Mi obra favorita de Lope de Vega es *Fuenteovejuna* y mi cita favorita: "Ovejas sois, bien lo dice de Fuenteovejuna el nombre".

- **Los puntos suspensivos (...)** indican una pausa casi igual a la del punto, al establecer una suspensión del discurso. Su función es expresar varios estados de ánimo: duda, temor, emoción o expectación. También puede señalar algo no acabado.

    Roberto creía que era muy inteligente, pero...

    Depués de tantos años separados, por fin estarían unidos, para luchar siempre juntos...

En otras ocasiones, los puntos suspensivos indican la omisión de palabras o líneas de un texto.

    Al acabar la guerra, ... se convirtió en jefe de estado.

    El resultado, al crear un Estado de Autonomías ... una transición sin violencia a la democracia.

 Cuando los puntos suspensivos aparecen al final de una oración, no se usa el punto y seguido.

E   **El *Guernica*.** Para saber lo que encuentran dos jóvenes investigadores del cuadro *Guernica,* coloca los signos de puntuación donde se necesiten.

1. Ramón y Cristina investigaron la correspondencia de Max Aub Luis Araquistáin y otros intelectuales con Picasso Ramón se concentró en las cartas de Max Aub escritas a Picasso María en las de Luis Araquistáin y otros intelectuales

2. Max Aub siempre empezaba sus cartas a Picasso "Estimado y apreciado amigo"

3. El 28 de mayo Max Aub el conocido intelectual español le escribió a Luis Araquistáin político y periodista español "Esta mañana llegué a un acuerdo con Picasso"

4. El 12 de julio siete semanas después el *Guernica* fue instalado en el patio del pabellón español frente al rostro de Federico García Lorca poeta y dramaturgo español fusilado en 1936

5. Sobre el cuadro de *Guernica* Picasso contestó "El cuadro será devuelto al Gobierno de la República el día en que en España se restaure la República"

6. A Franco le habría gustado recobrar el cuadro llevarlo a España y emplearlo como propaganda por eso Picasso puso una condición inequívoca "cuando en España se establezcan las libertades públicas"

7. Fueron muchos años de esperar la llegada del *Guernica* pero finalmente Ya sabes lo que pasó

8. Al llegar a Madrid el *Guernica* se instaló en el Buen Retiro edificio anexo al Museo del Prado

Gramática en contexto

2.3 El pretérito: Verbos con cambio en la raíz y verbos irregulares

F **Para preparar un trabajo de investigación.** Di lo que Cristina, una joven estudiante de Barcelona, hizo para realizar un trabajo de investigación. Cambia verbos en el presente al **pretérito**.

1. _____ (Comienzo) mi investigación en la biblioteca.

2. _____ (Leo) los libros elegidos.

3. _____ (Aplico) todos mis conocimientos relacionados a tomar y organizar apuntes.

4. _____ (Investigo) todas mis referencias.

5. _____ (Averiguo) el acceso a otras fuentes de información.

6. _____ (Verifico) la actualidad de mi información.

7. _____ (Comienzo) a escribir mi primer borrador.

8. _____ (Reviso), _____ (corrijo) mis

errores y _____ (escribo) el segundo borrador.

9. _____ (Entrego) la versión final a mi maestra.

G **Un viaje a Córdoba.** ¿Qué dice Lucía sobre su viaje a Córdoba? Para saberlo, conjuga los verbos entre paréntesis en el **pretérito**.

El año pasado yo _____ (1. ir) a Córdoba. Cuando

_____ (2. llegar) a la ciudad, _____ (3. saber)

que el día anterior, Antonio Banderas, conocido actor español,

_____ (4. estar) en el mismo hotel donde nos

_____ (5. hospedar). Mi amigo José Luis

_____ (6. tener) que calmarme; él me _____ (7. hacer)

respirar lenta y profundamente. Después yo _____ (8. enojarse)

con José Luis porque él no _____ (9. querer) ir conmigo a buscar

a Antonio Banderas. El día siguiente, yo _____ (10. andar),

recorriendo toda la ciudad como loca, en busca de mi artista favorito.

H **Un encuentro con las estrellas.** Cuando viajamos el verano pasado, tuvimos la gran suerte de encontrarnos con el director Pedro Almodóvar y las estrellas de su nuevo film, *Tacones lejanos.* Completa las siguientes oraciones usando el pretérito para darte cuenta de lo que hicimos mis amigas y yo.

1. Mimí _____ (pedir) un autógrafo a Victoria Abril.

2. Marisol _____ (reírse) de puros nervios al saludar a Pedro Almodóvar.

3. Carola y Marisol _____ (seguir) a Almodóvar todo el día.

4. Marisa Paredes _____ (consentir) en sacarse una fotografía con nosotras.

5. Nos _____ (sorprender) que Pedro creyera que nosotras también éramos artistas.

6. Durante nuestra breve conversación, Pedro nos _____ (decir) que ésta era su película favorita.

7. Esa noche, todas _____ (dormirse) muy a gusto y contentas.

8. Sin duda, nosotras _____ (divertirse) muchísimo y unos meses después _____ (ir) a ver la película.

I   **La llegada de los españoles.** La profesora Torreblanca de la Universidad de Madrid ofrece una breve charla a sus estudiantes sobre la transformación de las Américas al llegar los españoles. Cambia los verbos de su discurso del presente histórico al pretérito.

Al llegar al Nuevo Mundo, los españoles

exigen (1.) la conversión de los indígenas a la   **1.** _____

religión católica. Los indígenas que resisten (2.),   **2.** _____

mueren (3.). También llegan (4.) a ese fin   **3.** _____

los indígenas que no pueden (5.) resistir las   **4.** _____

enfermedades que llevan (6.) los españoles al   **5.** _____

Nuevo Mundo, como la viruela. Muchos otros   **6.** _____

pierden (7.) su vida porque rehúsan (8.)   **7.** _____

olvidar sus creencias y su religión.   **8.** _____

2.4 El verbo *gustar* y otras construcciones similares

J   **Los gustos de la familia.** Di lo que le gusta hacer a cada uno de los miembros de tu familia.

MODELO

A mi abuela le encanta coser.

Vocabulario útil		
encantar	**gustar**	**fascinar**
coser	dormir	armar rompecabezas
el biberón	correr	piano
comida china	programas deportivos	sofá

1. _____

_____

2. _____

_____

3. _____

_____

4. _____

_____

5. _____

_____

6. _____

_____

Acentuación y ortografía

Cambio de significado según el acento

K   **Carta de una editorial**. El joven escritor, Luis Pérez, acaba de recibir una carta de una importante editorial española en la que recibe comentarios sobre la novela que había enviado hacía unos meses. Al leer la carta, pon un acento escrito en las palabras subrayadas donde sea necesario.

Estimado Sr. Pérez:

Aqui le envio esta breve nota sobre su manuscrito titulado "Las aventuras de Sancho Panza". El humor de su narracion me levanto mucho el animo, por eso con esta carta me animo a decirle que estamos considerando seriamente su publicacion. Personalmente me gusto mucho el ultimo dialogo donde Sancho aparece como un filosofo y un comico a la vez. Un editor que leyo su manuscrito encontro el final de su novela un poco equivoco y cree que Ud. se equivoco al escribir que Sancho Panza vendio el caballo Rocinante para comprarse una motocicleta. Yo pienso que Ud. calculo muy bien la reaccion de los lectores frente a esta situacion ironica. Espero recibir pronto comunicacion suya.

Lengua en uso

Prefijos del latín

El español es una lengua que se deriva del latín y la mayoría de los prefijos en español tienen su origen en esta lengua. El latín fue la lengua del Imperio Romano del cual formó parte la Península Ibérica por varios siglos. Algunos de los prefijos latinos más comunes son los siguientes.

Prefijos latinos	Ejemplos
ante- (delante, previo)	**ante**ojos, **ante**ayer
contra- (oposición)	**contra**decir, **contra**rrevolución
extra- (fuera de)	**extra**ordinario, **extra**oficial
i-, im-, in- (negación)	**i**legal, **im**posible, **in**móvil
inter- (entre)	**inter**nacional, **inter**cambio
multi- (muchos)	**multi**color, **multi**forme
pos-, post- (después)	**pos**data (**post**data), **post**moderno
pre- (antes)	**pre**ver, **pre**ocupar
re- (repetición)	**re**leer, **re**elección
retro- (hacia atrás)	**retro**activo, **retro**spección
semi- (medio, casi)	**semi**círculo, **semi**final
sobre-, super- (encima, superior)	**sobre**mesa, **sobre**saliente, **super**mercado
sub- (bajo, inferior)	**sub**terráneo, **sub**conciencia
trans-, tras- (paso al lado opuesto)	**trans**oceánico, **trans**portar, **tras**mudar

L **Prefijos latinos.** Subraya las palabras que empiezan con prefijos latinos en las siguientes oraciones y explica su significado.

MODELO   *Tenemos que <u>subrayar</u> el título y <u>reescribir</u> el ejercicio.*
    a. Hacer una línea debajo de la palabra
    b. Escribir de nuevo

1. Nuestros antepasados vivieron en una zona semitropical.

 a. _____

 b. _____

2. Tú mismo te contradices al afirmar que eres incapaz de mentir.

 a. _____

 b. _____

3. Para tomar este curso hay varios prerequisitos.

 a. _____

4. No hay países subdesarrollados sino naciones sobreexplotadas.

 a. _____

 b. _____

5. Por favor, mueve a la izquierda el retrovisor que no puedo ver muy bien el coche que nos sigue.

 a. _____

6. Muchos científicos están reexaminando las teorías sobre la vida extraterrestre.

 a. _____

 b. _____

7. No pospongas lo que ahora puedes prevenir.

 a. _____

 b. _____

Vocabulario activo

A continuación se encuentra el vocabulario activo de las secciones **Gente del Mundo 21** y **Del pasado al presente** de la Lección 2. En los espacios en blanco bajo cada tema, añade otras palabras que has aprendido en esta lección y que crees que te serán útiles.

Gente del Mundo 21

campeón, campeona	meta
Comunidad Económica	nieto(a)
Europea (CEE)	Partido Socialista Obrero
disciplina	Español (PSOE)
galán	sucesor(a)
Juegos Olímpicos	tenista
medalla	torneo
_____	_____
_____	_____
_____	_____

Del pasado al presente

El Siglo de Oro

calidad	poeta místico
comedia	realismo
decadencia	sobresalir
excepcional	tragedia
idealismo	_____
_____	_____
_____	_____
_____	_____

Los Borbones y *La invasión francesa*

academia _____   jardines _____

avenida _____   modas _____

colonia _____   monarquía _____

imponer _____   neoclásico(a) _____

invadir _____   testimonio _____

_____   _____

_____   _____

_____   _____

_____   _____

_____   _____

España: siglo XX

coronar _____   industrializado(a) _____

destino _____   rebelión _____

Guerra Civil _____   _____

_____   _____

_____   _____

_____   _____

_____   _____

M **Crucigrama.** Completa este crucigrama en base a las claves verticales y horizontales.

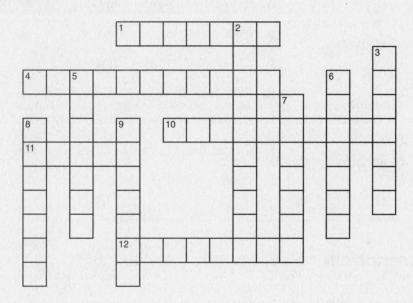

Claves horizontales

1. calle principal

4. estupendo, singular

10. deterioro, corrupción

11. hijo de tu hijo

12. mujer que gana una competencia

Claves verticales

2. autor de obras dramáticas

3. premio en los Juegos Olímpicos

5. teatro cómico

6. heredero, continuador

7. jugador de tenis

8. conquistar, penetrar

9. rey, emperador

N **Relación.** Indica qué descripción de la segunda columna está relacionada con cada palabra de la primera.

_____ 1. idealismo

_____ 2. realismo

_____ 3. coronar

_____ 4. monarquía

_____ 5. colonia

_____ 6. místico

_____ 7. calidad

_____ 8. sobresalir

_____ 9. tragedia

_____ 10. decadencia

a. Gobierno ejercido por un solo jefe

b. Conjunto de cualidades o importancia de una persona o cosa

c. Espiritual, contemplativo

d. Visión de lo bueno y lo bello

e. Destacarse, distinguirse

f. Elegir o proclamar un monarca

g. Principio de la ruina o de la caída

h. Drama que evoca terror y compasión

i. Contemplar las cosas tales como son

j. Poblado fundado por una nación en otro país

Composición: *Descripción*

Ñ ***Guernica.*** Busca una foto del cuadro *Guernica* del pintor español Pablo Picasso como la que aparece en la página 102 de tu texto. En una hoja en blanco, describe en detalle algunas secciones del cuadro. Esta pintura está considerada como una de las obras maestras del arte moderno y tiene como tema principal el bombardeo y la destrucción del pueblo vasco de Guernica en 1937, durante la Guerra Civil Española. ¿Qué figuras puedes reconocer en el cuadro? ¿Qué emociones proyectan estas imágenes?

¡A escuchar!

El Mundo 21

A **Antes de entrar al cine.** Escucha con atención lo que discute una pareja de jóvenes novios antes de entrar a un cine de Sevilla para ver *Tacones lejanos*, una película de Pedro Almodóvar. Luego marca si cada oración que sigue es **cierta (C), falsa (F)** o si no tiene relación con lo que escuchaste **(N/R).** Si la oración es falsa, corrígela.

C F N/R **1.** La pareja de novios decide finalmente alquilar una película de Pedro Almodóvar en una tienda de videos.

_____

_____

C F N/R **2.** Los novios discuten también la serie de televisión que Almodóvar hará para la televisión española.

_____

_____

C   F   N/R   **3.** *Mujeres al borde de un ataque de nervios* ganó el premio "Óscar" otorgado a la mejor película en lengua extranjera en 1988.

C   F   N/R   **4.** Al novio no le gustan las películas de Pedro Almodóvar.

C   F   N/R   **5.** En vez de ir al cine, el novio prefiere alquilar los videos de las películas para verlas en casa.

C   F   N/R   **6.** La novia quiere ser una de las primeras personas en ver *Tacones lejanos* para contársela a sus amigas.

B

Don Brígido. Escucha con atención lo que dice Conchita acerca de cómo pasaba las tardes don Brígido, un personaje pintoresco de su infancia, en un pequeño pueblo de España. Luego marca si cada oración que sigue es **cierta (C)**, **falsa (F)** o si no tiene relación con lo que escuchaste **(N/R).** Si la oración es falsa, corrígela. Escucha una vez más para verificar tus respuestas.

C   F   N/R   **1.** Don Brígido vivía en un pequeño pueblo de Castilla.

C   F   N/R   **2.** Todos los días acostumbraba comer un gran almuerzo que incluía paella.

C   F   N/R   **3.** Después de hacer esto tomaba una larga siesta en su recámara.

C   F   N/R   **4.** Cerraba los ventanales del segundo piso de su casa.

_____

C   F   N/R   **5.** Lo que más le impresionaba a Conchita era que don Brígido eructaba con gran fuerza.

_____

Acentuación y ortografía

Palabras parecidas. Hay palabras que se pronuncian igual y, con la excepción del acento ortográfico, se escriben igual pero tienen diferente significado y función en la oración. Estudia esta lista de palabras parecidas mientras la narradora las pronuncia.

aun	*even*	aún	*still, yet*
de	*of*	dé	*give*
el	*the*	él	*he*
mas	*but*	más	*more*
mi	*my*	mí	*me*
se	*himself, herself, etc.*	sé	*I know, be*
si	*if*	sí	*yes*
solo	*alone*	sólo	*only*
te	*you*	té	*tea*
tu	*your*	tú	*you*

C   **Dos maneras distintas.** Ahora mientras el narrador pronuncia cada palabra, escríbela de dos maneras distintas, al lado de la función gramatical apropiada.

MODELO   Escuchas: *tu*
              Escribes: __**tú**__ pronombre sujeto   __**tu**__ adjetivo posesivo

1. _____ artículo definido: *the*   _____ pronombre sujeto: *he*

2. _____ pronombre personal: *me*   _____ adjetivo posesivo: *my*

3. _____ preposición: *of*   _____ forma verbal: *give*

4. _____ pronombre reflexivo: *himself, herself, itself, themselves*   _____ forma verbal: *I know, be*

5. _____ conjunción: *but*   _____ adverbio de cantidad: *more*

6. _____ sustantivo: *tea* _____ pronombre personal: *you*

7. _____ conjunción: *if* _____ adverbio afirmativo: *yes*

8. _____ adjetivo: *even* _____ adverbio de tiempo: *still, yet*

9. _____ adverbio de modo: *only* _____ adjetivo: *alone*

D **¿Cuál corresponde?** Escucha a la narradora leer las siguientes oraciones y complétalas con las palabras apropiadas.

1. Éste es _____ material que traje para _____ .

2. ¿_____ compraste un regalo para _____ prima?

3. _____ amigo trajo este libro para _____ .

4. Quiere que le _____ café _____ México.

5. No _____ si él _____ puede quedar a comer.

6. _____ llama, dile que _____ lo acompañamos.

Dictado. Escucha el siguiente dictado e intenta escribir lo más que puedas. El dictado se repetirá una vez más para que revises tu párrafo.

Tacones lejanos

_____

_____

_____

_____

_____

_____

_____

_____

_____

_____

_____

_____

_____

_____

¡A explorar!

Signos de puntuación que indican entonación

- Los **signos de interrogación** (¿?) se utilizan al hacer preguntas. A diferencia del inglés, en español se ponen **signos de interrogación** al principio de la oración o cláusula así como al final. De esta manera, los signos de interrogación en español le ofrecen de antemano al lector o lectora una idea de cómo modular su voz.

    ¿Cómo estuvo?

    ¿Están aquí los manuscritos?

    En tu opinión, ¿por qué mató a su esposo?

Los signos de interrogación no se utilizan en preguntas indirectas.

    ¿Con quién fuiste? (Directa)

    Necesito saber con quién fuiste. (Indirecta)

    Pregúntales cuándo llegó. (Indirecta)

 No olvides que las palabras interrogativas siempre llevan acento escrito.

- Los **signos de exclamación** (¡!) expresan sorpresa, ironía, emoción o intensidad. Los signos de exclamación siguen las mismas reglas que los de interrogación. Se utilizan al principio de la oración o cláusula así como al final para ofrecerle de antemano al lector o lectora una idea de cómo modular su voz.

    ¡Eso es increíble!

    ¡Qué experiencia tan horrible!

Los signos de exclamación también se usan al principio y al final de interjecciones (¡ay! ¡eh! ¡oh! ¡ah! ¡caramba! ¡Dios mío!).

    ¡Ay! No sé que voy a hacer..

    ¡Dios mío! ¿Qué hora es?

- El **paréntesis** [( )] se emplea para encerrar o señalar palabras o cláusulas intercaladas que aclaran o amplían la comprensión del texto.

    La entrada al estreno de la nueva película de Pedro Almodóvar me costó cincuenta dólares ($50).

    Marisa Paredes (como era bien sabido) ya había firmado con Almodóvar.

    Tacones lejanos (título de una de las más reconocidas películas de Almodóvar) se tradujo al inglés como *"High Heels"*.

- El **paréntesis** también se utiliza para señalar datos numéricos que aclaran, en particular los años de nacimiento y muerte de personajes.

    El arquitecto Antonio Gaudí (1852-1926) imprimió un sello personal a la ciudad de Barcelona.

    La película de Almodóvar *Mujeres al borde de un ataque de nervios* (1988) fue nominada para un premio "Óscar" en Hollywood.

- Las **comillas** (" ") (« »)* se emplean en los casos siguientes:

    1. Para las citas directas.

    De esta película, Almodóvar dijo: "*Tacones lejanos* es una película que siempre me hace llorar".

    2. Con títulos de cuentos y artículos.

    Uno de mis cuentos favoritos de Camilo José Cela es "Marcelo Brito".

    ¿Leíste el artículo "España: la Cenicienta de Europa" en *El País*?

    3. Para llamar atención deliberadamente a ciertas palabras o para señalar que se usa una palabra o frase en un sentido especial.

    Cuando hablo en "caló" en España, nadie me entiende.

     En español, el punto y la coma usualmente se escriben **después**, no antes de las comillas.

    Pablo Picasso sustituyó una de las condiciones de depósito con otra que decía "cuando en España se establezcan las libertades públicas".

- **El guión** (-) se usa para separar palabras en sílabas al final de un renglón.

    Las películas de Pedro Almodóvar son trágicas y cómi-
    cas a la vez.

- **El guión largo o raya** (—) señala el inicio de diálogo y cuando dentro de un diálogo se hace referencia al hablante. Se usa el guión largo con mucha frecuencia en obras literarias: comedias, novelas, cuentos y poesía.

    —Calla, amigo Sancho —respondió don Quijote—; que las cosas de la guerra, más que otras, están sujetas a continuo cambio.

     Fíjate como la puntuación, el punto y coma en este caso, va inmediatamente después del guión largo.

En el ejemplo anterior se puede ver que el guión largo se usa al comenzar a hablar una persona. También se usa antes y después de cualquier referencia a la persona que habla. Nunca se utiliza al final de un párrafo.

*En español se utilizan tanto las comillas inglesas (" ") como las europeas (« »).

El guión largo también se usa para encerrar palabras o frases incidentales en una oración.

El arquitecto Antonio Gaudí dejó un sello personal por toda la ciudad —en el Parque Güell, el Templo de la Sagrada Familia, el Palacio Güell, etc.

- **El asterisco** (*) se utiliza para indicarle al lector o lectora la presencia de una nota o información adicional al pie de la página. Su uso es igual al uso del asterisco en inglés para referirse a un *"footnote"*.

- **El apóstrofo** (') se utiliza para señalar la omisión de ciertas letras o sílabas en el habla coloquial.

    M'ijo llega esta noche. (**mi hijo**)

    Voy **pa'** su casa a las tres. (**para**)

    ¡OJO! En español el apóstrofo nunca se usa para señalar posesión, como en inglés.

E *Tacones lejanos.* Unos estudiantes hablan de la película que acaban de ver en la clase de español. Para saber lo que dicen, coloca los signos de puntuación donde sean necesarios.

1. Tan pronto como la profesora dijo La película de hoy es *Tacones lejanos* de Pedro Almodóvar me sentí muy emocionada

2. Pero qué catástrofe Su esposa lo mató

3. *Tacones lejanos* 1991 es mi película favorita de Almodóvar

4. Qué opinas de la canción de la madre Piensa en mí Qué emocionante

5. No entendí por qué no se llevaron a la madre a la cárcel también

6. Lo más dramático fue cuando Becky preguntó Me quieres todavía un poquito

7. El diálogo que más me gustó fue cuando hablaban Becky y Rebeca

    Con Manuel perdimos las dos

    Sí pero fui yo que se casó con él No tú

Gramática en contexto

2.5 El imperfecto

F

Exageraciones paternas. ¿Cómo era la vida del padre de tu mejor amigo cuando asistía a la escuela primaria? Para saberlo, completa este párrafo con el **imperfecto** de los verbos indicados entre paréntesis.

Cuando yo _____ (1. ser) pequeño, _____

(2. vivir / nosotros) en una granja en las afueras del pueblo. Yo

_____ (3. levantarse) todos los días a las cinco y media de

la mañana, _____ (4. alimentar) a las gallinas que

_____ (5. tener / nosotros), _____

(6. arreglarse), _____ (7. tomar) el desayuno y

_____ (8. salir) hacia la escuela. La escuela no

_____ (9. estar) cerca de la casa y en ese entonces no

_____ (10. haber) autobuses; yo _____

(11. deber) caminar para llegar a la escuela. En los días de invierno,

_____ (12. ser) más difícil todavía, porque

_____ (13. hacer) un frío enorme. ¡Ah! y cuando

_____ (14. nevar) _____ (15. necesitar / yo)

un tiempo enorme para llegar a la escuela. Hoy en día, todo es demasiado

fácil. Ustedes son una generación de niños mimados.

G

Un día en la vida. Para saber lo que dice una profesora de tu escuela sobre su niñez, completa este párrafo con el imperfecto de los verbos entre paréntesis. ¿Puedes adivinar quién es la profesora?

Cuando yo _____ (1. ser) niña, _____ (2. levantarse) a

las seis de la mañana porque le _____ (3. ayudar) a mi mamá a

hacer el desayuno para todos mis hermanitos. _____ (4. Tener / yo)

dos hermanas y tres hermanos; yo _____ (5. ser) la mayor.

Después del desayuno, mis hermanas y yo _____ (6. lavar) los

trastes y mis hermanos _____ (7. hacer) los "lonches". En ese

entonces, todos _____ (8. trabajar), grandes y chiquitos. A veces

_____ (9. cosechar) frutas o verduras para venderlas. También,

mi mamá _____ (10. hornear) panes. Muchas veces, nosotros no

_____ (11. ver) a nuestro papá, porque él _____

(12. viajar) muy lejos. Mi papá _____ (13. recorrer) mucho

territorio. Él _____ (14. vender) semillas y ganado y a veces se le

_____ (15. hacer) muy de noche para regresar a casa. Mi mamá

_____ (16. necesitar) mucha ayuda y siempre nos

_____ (17. mantener) ocupados en los quehaceres y tareas de

cada día. ¿Cómo la ves? Ahora, ustedes los jóvenes, la llevan muy fácil.

Quizás por eso no pueden apreciar lo mucho que tienen.

2.6 El infinitivo y el gerundio

El infinitivo

- El infinitivo, es decir, las formas verbales que terminan en **-ar, -er** o **-ir** antes de conjugarse: **luchar**, **comer**, **vivir**, se utilizan como sujeto u objeto de una oración o como objeto de una preposición.

    Pensar en otra película, **escribir**la y **hacer**la es el destino de Pedro Almodóvar.

    Después de **filmar** _Mujeres al borde de un ataque de nervios_ (1988), Pedro Almodóvar llegó a **ser** conocido en todo el mundo.

El gerundio

- El gerundio es la forma del verbo que termina en **-ndo.** Para formar el gerundio se añade la terminación **-ando** a la raíz de verbos en **-ar**, y **-iendo** a la raíz de verbos en **-er** o **-ir**. El equivalente de las terminaciones del gerundio en inglés es _-ing: fighting, eating, living, feeling, sleeping, suggesting._

El gerundio		
–ar	**–er**	**–ir**
luchar: luch**ando**	comer: com**iendo**	vivir: viv**iendo**

- Verbos en **-er** o **-ir** cuya raíz termina en vocal añaden **-yendo** en vez de **-iendo.**

  leer: le**yendo**   oír: o**yendo**

  caer: ca**yendo**   construir: constru**yendo**

- Verbos en **-ir** con cambio en la raíz en la tercera personal singular y plural del pretérito mantienen el mismo cambio en el gerundio.

  sentir → sintió → **sint**iendo

  dormir → durmió → **durm**iendo

  sugerir → sugirió → **sugir**iendo

- El gerundio del verbo ir es **yendo**. Tiende a no usarse con el verbo **estar** en el presente progresivo; pero sí se usa con otros verbos como **seguir, continuar** y **terminar.**

  ¿Uds. **siguen yendo** a las montañas cada verano?

  No sé por qué **continúo yendo** a las películas de ese director. ¡Las odio!

Los usos del gerundio

Lo siguiente muestra que el gerundio tiene varios usos en español, unos similares al inglés, otros bastante alejados.

- Con el verbo auxiliar **estar** para formar los tiempos progresivos.

  Los estudiantes **están aprendiendo** mucho.

  Estuve viviendo allí más de diez años.

- Con otros verbos como **andar, ir, seguir**, **salir**, **venir**, **continuar**, **terminar** para formar construcciones progresivas que indican la duración o repetición de una acción.

  Seguimos leyendo el libro.

  Mis amigos **terminaron arguyendo.**

- Para expresar las condiciones o circunstancias presentes en el momento de realizarse la acción del verbo principal. En estos casos se traduce al inglés como *since, when, while* o *because.*

  Siendo muy joven, se mudó a Madrid.

  Since he was very young, he moved to Madrid.

  Trabajando en la calle, aprendió mucho.

  While working on the streets, he learned a lot.

- Para expresar el medio, la causa o la manera de hacer algo. Se traduce al inglés como *by, because* o *since.*

  Estudiando, vas a a salir bien en tus exámenes.

  By studying, you will do well on your exams.

  Comiendo poco, Luis adelgazó mucho.

  Because he ate little, he lost a lot a weight.

- En español el gerundio nunca se usa después de una preposición como es común en inglés. Tampoco se usa como sujeto de una oración. En esos casos se usa el infinitivo.

Rebeca estaba cansada **de mentir.**	*Rebecca was tired of lying.*
Colón murió **sin saber** que había llegado a un nuevo continente.	*Columbus died without knowing he had reached a new continent.*
El **fumar** no es bueno para la salud.	*Smoking is not good for your health.*

 Recuerda que cuando los pronombres directos e indirectos siguen al infinitivo o al gerundio en una oración, se escriben como una sola palabra. Ésta con frecuencia lleva acento escrito para preservar su pronunciación original.

Estoy **terminándolo** para **entregárselo** esta noche.	*I'm finishing it to turn it in to her tonight.*

H   **La clase de español**. ¿Qué están haciendo los estudiantes en la clase de español? Para saberlo, completa las oraciones con el gerundio de los verbos que están entre paréntesis.

1. Los estudiantes están _____ (repasar) la lección sobre

   España.

2. Miguel sigue _____ (leer) "La aventura de los molinos de

   viento".

3. Después de dar su opinión sobre *Tacones lejanos*, el profesor continuó

   _____ (decirnos) cómo seleccionaron a las actrices.

4. Alicia está _____ (sugerir) que el tema principal de

   Tacones lejanos fueron los problemas entre madre e hija.

5. _____ (creer) todo lo que vieron, los alumnos terminaron

   _____ (sentirse) tristes al terminar la película.

Visita a Granada. Estás visitando la bella ciudad de Granada en España y vas a describir las actividades que estás realizando. Completa tu descripción con el gerundio de los verbos que están entre paréntesis.

Aunque ahora está _____ (1. hacer) algo de calor, el clima todavía

es muy agradable. Yo sigo _____ (2. ir) a lugares muy

interesantes. Por ejemplo, ayer nosotros vimos que están _____

(3. reconstruir) una parte del fabuloso palacio de La Alhambra. Ahí

seguimos _____ (4. oír) mucho de la historia de la España árabe.

Después nos fuimos _____ (5. caminar) a la plaza de Granada. Y

terminamos el día _____ (6. bailar) flamenco en una taberna

granadina.

Acentuación y ortografía

J **Palabras homófonas**. Pon un acento escrito a las palabras subrayadas que lo necesiten.

1. Pedro Almodóvar es el cineasta español mas conocido en el mundo

   entero.

2. Antes de comenzar a filmar, el director siempre pide una taza de te en

   vez de café.

3. Yo no se si el es una persona realmente feliz.

4. Lo que si se es que el tiene mucho humor.

5. A mi me parece que sus películas no solo son dramáticas mas también

   son cómicas.

6. Tu no sabes cuánto se ríe tu amigo Luis con las películas españolas

   contemporáneas.

7. Para que una película tenga éxito y de buen resultado hay que ir mas

   allá de los melodramas.

Lengua en uso

Sufijos: Diminutivos y aumentativos

Los **sufijos** son las partículas que se añaden al final de la raíz de una palabra para formar otra de significado diferente. Por ejemplo, del sustantivo **libro** se derivan libr**ero**, libr**ería**, libr**esco**, libr**ito** y libr**illo**.

K **Sufijos.** Indica los sufijos de las siguientes palabras y de qué sustantivos se derivan. El primero ya está hecho.

	Sufijo	Sustantivo original
1. jardinero	–ero	jardín
2. joyería	_____	_____
3. burlesco	_____	_____
4. bolsillo	_____	_____
5. burrito	_____	_____

Los **diminutivos** se usan en español no sólo para expresar tamaño pequeño, sino también para expresar cariño o afecto y sarcasmo o ironía.

- Los sufijos que más se usan para formar el diminutivo son **-ito/-ita**, **-illo/-illa** y **-cito/cita**. Las terminaciones **-ito/-ita** y **-illo/-illa** generalmente se usan con sustantivos que terminan en **o**, **a** o **l**. La terminación **-cito** generalmente se usa con los sustantivos que terminan en otras letras menos **o**, **a** o **l**.

mesa	mes**ita**	corazón	corazon**cito**
	mes**illa**	amor	amor**cito**
papel	papel**ito**	limón	limon**cito**
	papel**illo**	calor	calor**cito**
oso	os**ito**	madre	madre**cita**
	os**illo**	mujer	mujer**cita**

- Algunos adverbios aceptan estos sufijos diminutivos.

  ahora ahor**ita**   pronto pront**ito**   cerca cer**quita**

- Al formar el diminutivo de palabras con raíces que terminan en **g, c** o **z** hay cambios de deletreo: **g → gu, c → qu** y **z → c.**

  amigo   ami**gu**ito   poco   po**qu**ito   lápiz   lapi**c**ito

L

Mi abuelita. Reescribe las palabras subrayadas usando los diminutivos **-ito/-ita** y **-cito/-cita**.

Siempre que oigo diminutivos me

acuerdo de mi abuela (1) que siempre   1. _____

los usaba diciendo cosas como las

siguientes: 2. _____

  "Hijo, (2) siéntate en esta silla (3)   3. _____

  para que me acompañes.   4. _____

  Tú sabes que mi comida (4)   5. _____

  tiene muy buen sabor. (5)   6. _____

  ¿Quieres un café (6) con un   7. _____

  pastel (7)?   8. _____

  ¿Prefieres que te sirva unos   9. _____

  huevos (8) con jamón (9) junto con   10. _____

  estas papas (10) que acabo de hacer?   11. _____

  ¿Quieres una tajada (11) de melón (12) ?"   12. _____

Los **aumentativos** se usan en español no sólo para expresar tamaño grande y grandeza, sino también para denotar una actitud despectiva—fealdad, enormidad, vileza o fastidio.

- Las sufijos **-ote/-ota, -azo/-aza, -ón/-ona** se usan para denotar tamaño grande, enormidad o grandeza.

  hombre   hombr**ote**   carro   carr**azo**   muchacho   muchach**ón**

  nariz   nariz**ota**   golpe   golp**azo**   mujer   mujer**ona**

- Las sufijos **-aco/-aca** y **-ucho/-acho** se usan para denotar fealdad, enormidad, vileza o fastidio.

  libro   libr**aco**   animal   animal**ucho**

  pájara   pajarr**aca**   casa   cas**ucha**

M   **Formación de aumentativos**. Forma los aumentativos de las siguientes palabras con las terminaciones **-ote/-ota**, **-azo/-aza** y **-ón/-ona**. El primero ya está hecho.

1. libro   __librote__   __librazo__   __librón__

2. animal   _____   _____   _____

3. hombre   _____   _____   _____

4. cazuela   _____   _____   _____

5. zapato   _____   _____   _____

6. bigote   _____   _____   _____

Vocabulario activo

A continuación se encuentra el vocabulario activo de la sección **El nuevo cine español** de la Lección 3. En los espacios en blanco, añade otras palabras que has aprendido en esta lección y que crees que te serán útiles.

El nuevo cine español

complejidad _____

contemporáneo(a) _____

convertirse _____

_____

_____

_____

_____

_____

_____

espejo _____

extranjero(a) _____

reflejar _____

_____

_____

_____

_____

_____

_____

Lógica. En cada grupo de palabras, subraya aquélla que no esté relacionada con las otras palabras.

1. complejidad   dificultad   completo   confusión

2. contemporáneo   conocido   moderno   actual

3. convertirse   transformarse   cambiarse   inspirarse

4. espejo   cristal   reflexión   grueso

5. extranjero   extra   forastero   gringo

6. reflejar   reflectar   enflaquecer   brillar

7. renovación   creación   reparación   cambio

Composición: *Reseña*

Ñ **Una película interesante.** En una hoja en blanco escribe una breve reseña *(film review)* de una de las películas de Pedro Almodóvar, o de algún otro cineasta, que hayas visto recientemente. Describe a los protagonistas de la película. ¿Cuál es el tema principal? ¿Qué es lo que más te gustó? En una escala de cero a cinco estrellas, ¿cuántas estrellas le darías a esta película? Explica por qué.

¡A escuchar!

El Mundo 21

A **Elena Poniatowska.** Una pareja de jóvenes estudiantes mexicanos de la Universidad Nacional Autónoma de México (U.N.A.M.) asiste a un acto en conmemoración de la masacre de Tlatelolco. Escucha con atención lo que dicen y luego marca si cada oración que sigue es **cierta (C), falsa (F)** o si no tiene relación con lo que escuchaste **(N/R).** Si la oración es falsa, corrígela.

C   F   N/R   **1.** Lo que más les impresionó del acto a Manuel y a Angélica fue la lectura que hizo Elena Poniatowska de su libro *La noche de Tlatelolco*.

_____

_____

C   F   N/R   **2.** Elena Poniatowska es una escritora francesa que nació en Polonia y que visita frecuentemente México.

_____

_____

C   F   N/R   **3.** Se han vendido más de 100.000 ejemplares de su libro *La noche de Tlatelolco*.

C   F   N/R   **4.** La masacre de Tlatelolco ocurrió el 2 de octubre de 1968, unos días antes de los Juegos Panamericanos en México.

C   F   N/R   **5.** Aunque no se sabe realmente cuántas personas murieron aquella noche, muchos testigos calculan que fueron más de trescientas, la mayoría estudiantes.

B **Hernán Cortés.** Escucha la siguiente narración acerca de Hernán Cortés y luego contesta las preguntas que figuran a continuación. Escucha una vez más para verificar tus respuestas.

1. Hernán Cortés llegó a México en 1519, en el mes de...
   a. junio
   b. abril
   c. agosto

2. Cuando llegó a México, Cortés tenía...
   a. veinticuatro años de edad
   b. cuarenta y cuatro años de edad
   c. treinta y cuatro años de edad

3. Cortés llevaba...
   a. cañones
   b. vacas
   c. cinco mil soldados

4. Cortés llegó a Tenochtitlán por primera vez en...
   a. 1519
   b. 1520
   c. 1521

5. Tenochtitlán cayó en poder de Cortés a fines de...
   a. noviembre de 1521
   b. junio de 1521
   c. agosto de 1521

C **Frida Kahlo.** En el Museo de Frida Kahlo, en Coyoacán, un área de la Ciudad de México, una guía le explica a un grupo de turistas la vida de la pintora Frida Kahlo. Escucha con atención lo que dice y luego marca si cada oración que sigue es **cierta (C)** o **falsa (F)**. Si la oración es falsa, corrígela. Escucha una vez más para verificar tus respuestas.

C   F   **1.** Frida Kahlo nació en 1910.

_____

C   F   **2.** Nació en Teotihuacán.

_____

C   F   **3.** A los dieciocho años sufrió un accidente serio.

_____

C   F   **4.** Se casó con Diego Rivera.

_____

C   F   **5.** El matrimonio fue muy feliz.

_____

C   F   **6.** Su casa es actualmente un museo.

_____

Acentuación y ortografía

Adjetivos y pronombres demostrativos. Los adjetivos demostrativos nunca llevan acento escrito. En cambio los pronombres demostrativos siempre lo llevan, excepto **eso** y **esto** por ser neutros (no requieren sustantivo). Escucha y estudia estos ejemplos mientras el narrador los lee.

Adjetivos demostrativos	Pronombres demostrativos
Estos libros son míos.	**Éstos** son los tuyos.
Esa falda es hermosa.	**¿Ésa?** ¡No me gusta!
Ese puesto es el mejor.	Sí, pero **éste** paga más.
Aquellos muchachos hablan inglés.	Sí, pues **aquéllos** de allá, no.
	Esto es muy importante.
	¡Eso es imposible!

Demostrativos. Ahora, escucha al narrador leer las siguientes oraciones y escribe los **adjetivos** o **pronombres demostrativos** que escuchas. Recuerda que sólo los pronombres llevan acento escrito.

1. _____ disco de Luis Miguel es mío y _____ es tuyo.

2. _____ pintura de Frida refleja más dolor y sufrimiento que _____.

3. _____ periódico se edita en México; _____ se edita en Nueva York.

4. Compramos _____ libros en el Museo del Templo Mayor y _____ en el Museo Nacional de Antropología.

5. No conozco _____ murales de Diego Rivera; yo sé que _____ está en el Palacio Nacional.

Palabras interrogativas, exclamativas y relativas. Todas las palabras interrogativas y exclamativas llevan acento escrito para distinguirlas de palabras parecidas que se pronuncian igual pero que no tienen significado ni interrogativo ni exclamativo. Escucha y estudia cómo se escriben las palabras interrogativas, exclamativas y relativas mientras los narradores leen las siguientes oraciones. Observa que las oraciones interrogativas empiezan con signos de interrogación inversos y las oraciones exclamativas con signos de exclamación inversos.

1. ¿**Qué** libro?
   El libro **que** te presté.
   ¡Ah! ¡**Qué** libro!

2. ¿Contra **quién** lucha Marcos hoy?
   Contra el luchador a **quien** te presenté.
   ¡Increíble contra **quién** lucha!

3. ¿**Cuánto** dinero ahorraste?
   Ahorré **cuanto** pude.
   ¡**Cuánto** has de sufrir, hombre!

4. ¿**Cómo** lo hiciste?
   Lo hice **como** quise.
   ¡**Cómo** me voy a acordar de eso!

5. ¿**Cuándo** vino?
   Vino **cuando** terminó de trabajar.
   Sí, ¡y mira **cuándo** llegó!

E **Interrogativas, exclamativas y relativas.** Ahora escucha a los narradores leer las oraciones que siguen y decide si son **interrogativas, exclamativas** o si simplemente usan una palabra **relativa.** Pon los acentos escritos y la puntuación apropiada (signos de interrogación, signos de exclamación y puntos) donde sea necesario.

1. Quien llamó

   Quien   El muchacho a quien conocí en la fiesta

2. Adonde vas

   Voy adonde fui ayer

3. Cuanto peso   Ya no voy a comer nada

   Que exagerada eres, hija   Come cuanto quieras

4. Quien sabe donde viven

   Viven donde vive Raúl

5. Que partido más interesante

   Cuando vienes conmigo otra vez

6. Lo pinté como me dijiste

   Como es posible

7. Trajiste el libro que te pedí

   Que libro   El que estaba en la mesa

8. Cuando era niño, nunca hacía eso

   Lo que yo quiero saber es,   cuándo aprendió

Dictado. Escucha el siguiente dictado e intenta escribir lo más que puedas. El dictado se repetirá una vez más para que revises tu párrafo.

México: Tierra de contrastes

_____

_____

_____

_____

_____

_____

_____

_____

_____

_____

_____

_____

_____

_____

_____

_____

_____

_____

_____

_____

_____

¡A explorar!

Lectura en voz alta: Proceso de enlace

El español es una lengua muy amigable donde realmente no existen pausas entre las palabras más allá de las indicadas por los signos de puntuación. Es decir, en la lengua hablada las distintas palabras se van enlazando. Por ejemplo, la consonante o vocal final de una palabra por lo general se une a la vocal inicial de la palabra que la sigue. El enlazamiento entre palabras o frases ocurre en los siguientes casos.

1. Enlace de consonante final con vocal inicial:

    poner bellezas en

2. Enlace de vocal final con vocal inicial:

    mi entendimiento

3. Enlace de consonantes iguales:

    Los sueños son numerosos

• El proceso de enlace ha sido reconocido desde un principio por los poetas que escriben en español. Al determinar el número de sílabas de un verso en la métrica de la poesía escrita en español, hay que tener presente cada enlace. Por ejemplo, el siguiente verso tiene once sílabas en la métrica española:

    poner bellezas en mi entendimiento

    po/ner/be/lle/za/sen/mien/ten/di/mien/to
     1   2   3   4   5   6   7   8   9   10 11

Al leer poesía, es esencial tener presente este proceso de enlace. Por falta de práctica, muchos estudiantes cuando leen en voz alta no siguen las reglas de enlace y leen palabra por palabra en vez de enlazar, como es natural en español.

Soneto de Sor Juana Inés de la Cruz. Un **soneto** es un poema de catorce versos. Si se aplica el proceso de enlace al contar sílabas, se puede ver que la mayoría de los versos del siguiente poema son endecasílabas, o sea, tienen once sílabas. Este soneto fue escrito por la famosa poeta mexicana, Sor Juana Inés de la Cruz* (1651-1695) quien es reconocida como la poeta más importante del período colonial en Hispanoamérica. Lee en voz alta la primera estrofa del poema tratando de evitar las pausas innecesarias entre las palabras. Luego marca los enlaces que faltan en las tres estrofas que restan y lee en voz alta el poema completo varias veces hasta que logres una fluidez natural.

En perseguirme, Mundo ¿qué intereses?

¿En qué te ofendo, cuando sólo intento

poner bellezas en mi entendimiento

y no mi entendimiento en bellezas?

Yo no estimo tesoros ni riquezas;

y así, siempre me causa más contento

poner riquezas en mi pensamiento

que no mi pensamiento en las riquezas.

Y no estimo hermosura que, vencida,

es despojo civil de las edades,

ni riqueza me agrada fementida,°   falsa, infiel

teniendo por mejor, en mis verdades,

consumir vanidades de la vida

que consumir la vida en vanidades.

---

*Antes de profesar como monja, se llamaba Juana de Asbaje y Ramírez. Fue una niña precoz y a los diez años eran conocidas sus composiciones poéticas. Sus obras se publicaron en tres volúmenes, dos antes de su muerte y el tercero en 1700.

Gramática en contexto

3.1 El pretérito y el imperfecto: Primera vista

G **Los aztecas.** Completa la siguiente información acerca de los aztecas con la forma apropiada del **pretérito** o del **imperfecto** de los verbos indicados entre paréntesis.

Los aztecas _____ (1. ser) una pequeña tribu de

agricultores y cazadores que, gracias a su habilidad y espíritu guerrero,

_____ (2. llegar) a ser los amos de un vasto

territorio. En menos de doscientos años, _____

(3. dominar) un territorio que _____ (4. extenderse)

de costa a costa del país que hoy llamamos México. En el año 1325

_____ (5. fundar) la ciudad de Tenochtitlán, capital

del imperio, que _____ (6. tener) una notable

cantidad de joyas arquitectónicas y artísticas. En 1519, Hernán Cortés

_____ (7. comenzar) su campaña contra los aztecas

con la ayuda de las tribus dominadas por éstos. Después de dos años de

lucha, los aztecas _____ (8. ser) derrotados por los

españoles y tribus de indígenas aliados que _____

(9. ser) enemigos de los aztecas.

H **Fuimos al cine.** ¿Qué hicieron tú y tus amigos ayer? Para saberlo, completa la siguiente narración con la forma apropiada del **pretérito** o del **imperfecto** de los verbos indicados entre paréntesis.

Ayer _____ (1. estar / nosotros) un poco aburridos y

_____ (2. decidir) ir al cine. En el Cine Imperio

_____ (3. estar) exhibiendo *Tacones lejanos* de Pedro

Almodóvar y _____ (4. ir) a ver esa película. A mí me

_____ (5. gustar) mucho la actuación de las dos

actrices principales, Marisa Paredes, quien _____

(6. hacer) el papel de la actriz Becky del Páramo, y Victoria Abril, quien

_____ (7. interpretar) a Rebeca, hija de Becky del

Páramo y locutora de televisión a cargo de las noticias del día.

_____ (8. Encontrar / yo) de gran humor la escena en

que Rebeca, como parte de las noticias, _____

(9. informar) a los televidentes de la muerte de una persona, su marido.

Un director necesita talento y genio para tratar de modo cómico

situaciones que no lo son. Después, todos nosotros nos

_____ (10. ir) a un café para hablar de la película.

Cada uno _____ (11. decir) qué parte de la película

le _____ (12. haber) gustado más.

3.2 Adjetivos y pronombres posesivos

I **Una familia de México.** Completa el siguiente párrafo con las formas apropiadas del adjetivo posesivo para así enterarte de lo que Virginia cuenta de su familia.

_____ (1) familia y yo vivimos en las afueras de la Ciudad de

México. _____ (2) casa no es muy grande pero todos vivimos

cómodos allí. Para ir al trabajo _____ (3) papá maneja

_____ (4) carro dos, a veces tres, días a la semana. Los otros días,

_____ (5) hermano mayor le presta _____ (6) motocicleta.

_____ (7) mamá se preocupa cuando _____ (8) papá anda

en la motocicleta; ella opina que con el tráfico en la ciudad, él estaría más

seguro en _____ (9) carro.

J **¡Qué lindos bordados!** Jesusita y Mercedes, compañeras de trabajo en una cooperativa de telares, charlan mientras trabajan. Para saber lo que dicen, completa su conversación con las formas apropiadas de los pronombres posesivos.

—Mis abuelos son tarascos,* ¿y los _____, (1) Jesusita?

—Los _____ (2) son huicholes.* Vivíamos en las montañas, pero

ahora estámos aquí. Mercedes, ¿son _____ (3) esos bordados?

—Sí, son _____ (4). ¿Conociste a María ayer? Ella y yo hemos

bordado manteles y colchas juntas. Mira, te voy a enseñar nuestro último

proyecto. ¿Ves ese bordado en el aparador? Ése es _____ (5).

—¡Qué bien hecho está! Mercedes, yo quiero perfeccionar mis bordados

para que los _____(6) estén tan bien hechos como los

_____(7).

*Los **tarascos** son indígenas del estado de Michoacán y los **huicholes** son indígenas de los estados de Nayarit y Jalisco en México.

Acentuación y ortografía

Los **adjetivos** y **pronombres demostrativos** funcionan de la misma manera que cualquier adjetivo o pronombre, es decir, los adjetivos concuerdan en número y género con el sustantivo que modifican y los pronombres reemplazan a sustantivos.

- Los adjetivos demostrativos nunca llevan acento escrito.

  ¿Te gusta **esta** canción de Luis Miguel o prefieres las más tradicionales en **aquel** disco.

  Estos cuentos de Elena Poniatowska son fantásticos.

- Con excepción de los pronombres neutros: **eso**, **esto** y **aquello**, los pronombres demostrativos siempre llevan acento escrito.

  Ésta es la mejor cantante mexicana de rock.

  Eso es verdad, pero sigo insistiendo que **éste** es el mejor conjunto.

K **Artistas mexicanos.** Varias personas comentan sobre las obras creativas de diversos artistas mexicanos. Para saber lo que dicen, escribe primero la forma del adjetivo o pronombre demostrativo según el contexto. Luego en la columna a la derecha, indica si el demostrativo que escribiste es adjetivo (**adjetivo**) o pronombre (**pronombre**).

1. _____ *(This)* canción de Alejandra   1. _____

   Guzmán me gusta mucho, aunque _____   _____

   (that one) de Luis Miguel también es buenísima.

2. _____ *(This)* cuento de Guillermo   2. _____

   Samperio nos inspiró mucho más que

   _____ *(those)* que leímos en clase.   _____

3. No había comparación, _____ *(those)*   3. _____

   ensayos de Elena Poniatowska eran los más

   fascinantes.

4. Tienes razón. Ayer vimos los murales de Diego

   Rivera en el Palacio Nacional y en el Palacio de

   Bellas Artes. _____ *(Those)* son unos de   4. _____

   sus mejores. ¿No crees?

5. Sí, _____ *(this)* vez aprendí mucho más   5. _____

   sobre la obra de los muralistas mexicanos.

6. No, _____ *(that)* no es la casa de Frida   6. _____

   Kahlo; ella vivió en _____ *(that one over*   _____

   there), la casa azul.

7. ¿Ves _____ *(those)* cuadros? Sí, pero,   7. _____

   ¿no son _____ *(those over there)* unas de   _____

   las obras de Frida Kahlo?

8. _____ *(These)* artistas mexicanos son   8. _____

   reconocidos alrededor del mundo.

Correspondencia práctica

Notas formales difíciles

Cuando un amigo o pariente de un amigo se lastima, contrae alguna enfermedad seria o peor aún, muere, se da la necesidad de mandar una nota deseándole que se recupere pronto o expresándole el pésame. Estas notas tienden a ser cortas y muy corteses, expresando sentimientos sinceros y compasivos. A continuación hay unas fórmulas de cortesía que se pueden usar en estas situaciones.

Para un amigo enfermo

Me acabo de enterar de que te rompiste el brazo durante tus vacaciones en...

No sabes cuánto me conmovió saber que estabas en el hospital...

Acaban de avisarme de tu mala suerte...

Para expresar el pésame

Acabo de enterarme del fallecimiento de...

No encuentro palabras para decirte cuánto siento la muerte de....

Ruego a Dios que te acompañe en estos momentos tan difíciles...

Recibe mi más sincera condolencia por el fallecimiento de tu muy amado...

Te mando el más sincero pésame por la pérdida de tu querido...

L   **Malas noticias.** Acabas de recibir malas noticias acerca de un pariente de tu mejor amigo(a). Escríbele una nota a tu amigo(a) para que sepa que lo acompañas en estos tiempos difíciles. Tu carta debe aclarar si se trata de una enfermedad o de una muerte.

Lengua en uso

Variantes coloquiales: Lengua campesina

En cada región del mundo hispano existe un habla llamado "arcaísmos" que difiere de la lengua más formal del español. Este habla con frecuencia tiene su origen en el habla española de los siglos XVI y XVII, o sea en el habla del Siglo de Oro. Por ejemplo, en zonas rurales de México y en el suroeste de EE.UU., se oyen muchas de estas palabras que antiguamente eran comunes pero, como la lengua es algo vivo que cambia constantemente, hoy se han dejado de usar en las grandes metrópolis. Las siguientes palabras son parte de esta lengua arcaica que aun continúa viva:

Arcaísmos	Norma contemporánea
ansina	así
creiba	creía
haiga	haya
mesmo	mismo
muncho	mucho
naiden	nadie
semos	somos
traiba	traía
truje	traje
vide	vi

M *Los de abajo*. Las siguientes oraciones fueron tomadas de la famosa novela titulada *Los de abajo*, escrita por el novelista mexicano Mariano Azuela (1873-1952). Esta obra es considerada la primera gran novela de la Revolución Mexicana. Subraya todas las palabras arcaicas que difieren del español formal. Luego reescribe las oraciones usando las palabras de la lengua más formal.

MODELO   *¿Y pa qué jirvió la agua?*
¿Y para qué hirvió el agua?

1. ¡Ande, pos si yo creiba que el aguardiente no más pal cólico era güeno!

   _____

   _____

2. ¿De moo es que usté iba a ser dotor?

   _____

3. Pos la mera verdá, yo le traiba al siñor estas sustancias...

   _____

   _____

4. Lo que es pa mí naiden es más hombre que otro...

   _____

   _____

5. Pa peliar, lo que uno necesita es tantita vergüenza.

   _____

   _____

Vocabulario activo

A continuación se encuentra el vocabulario activo de las secciones **Gente del Mundo 21** y **Del pasado al presente** de la Lección 1. En los espacios en blanco bajo cada tema, añade otras palabras que has aprendido en esta lección y que crees que te serán útiles.

Gente del Mundo 21

cantante	fuerza militar	masacre	renegociar
deuda	ídolo	negociar	Segunda Guerra
ensayo	iniciar	periodismo	Mundial
		periodista	

Del pasado al presente

Los orígenes mesoamericanos

civilización	frijol	maíz	prosperar
costeño(a)	fundar	mesoamericano(a)	región
cultivar	jitomate	núcleo urbano	

La conquista española

beneficio	emplumado(a)	mito	serpiente
caer	establecer	mitología	sitio
comandar	expedición	oriente	Virreinato de
conflicto	llegada	prometer	la Nueva
		Quetzalcóatl	España

México independiente en el siglo XIX

campesino(a)	forzar	huir	progresista
ceder	fuerza	independencia	promover
colono(a)	por la fuerza	insurrección	salvar
derrotar	golpe de estado	lucha armada	triunfante
estabilidad		mitad	

La Revolución Mexicana

corrido	nacionalización	período	repartición
cruzar	Partido	población	revolución
década	Revolucionario	por ciento	revolucionario(a)
durar	Institucional	raíces culturales	violento(a)
frontera	(PRI)		

México contemporáneo

acelerar	contaminado(a)	milagro	último(a)
actual	diversificar	poblado(a)	urbanizado(a)
actualidad		reducir	

La historia de México. Encuentra las siguientes palabras en la sopa de letras que figura más abajo y táchalas. Ten en cuenta que las palabras pueden aparecer en forma horizontal o vertical, y pueden cruzarse con otras. Luego, para encontrar la respuesta a la pregunta que sigue, pon en los espacios en blanco las letras que no tachaste, empezando de izquierda a derecha y de arriba hacia abajo.

ACTUAL	EMPLUMADO	POBLACION
BENEFICIO	FORZAR	PRI
CAER	FRONTERA	QUETZALCOATL
CAMPESINO	JITOMATES	RAIZ
COLONOS	LLEGADA	REVOLUCIONARIO
CORRIDOS	MASACRE	SALVAR
DERROTAR	NACIONALIZACION	SITIO

LA HISTORIA DE MÉXICO

P	R	I	P	S	A	L	V	A	R	L	F	S	C	D
R	E	V	O	.L	U	C	I	O	N	A	R	I	O	E
C	A	C	B	E	N	E	F	I	C	I	O	T	L	R
A	A	A	L	L	E	G	A	D	A	N	I	O	R	R
M	C	E	A	M	A	S	A	C	R	E	T	O	N	O
P	T	R	C	O	R	R	I	D	O	S	E	R	O	T
E	U	A	I	E	V	F	O	R	Z	A	R	O	S	A
S	A	I	O	L	E	M	P	L	U	M	A	D	O	R
I	L	Z	N	U	C	J	I	T	O	M	A	T	E	S
N	A	C	I	O	N	A	L	I	Z	A	C	I	O	N
O	Q	U	E	T	Z	A	L	C	O	A	T	L	I	O

¿Cuál fue el hecho más importante del siglo XX en la historia de México?

¡ __ __   __ __ __ __   __ __ __ __ __ __   <u>N</u> !

Ñ **Relación.** Indica qué palabra o frase de la segunda columna está relacionada con cada palabra de la primera.

_____ 1. urbanizado   **a.** distribución

_____ 2. actualidad   **b.** pasar

_____ 3. contaminado   **c.** poblado

_____ 4. golpe de estado   **d.** canciones mexicanas

_____ 5. repartición   **e.** diez años

_____ 6. milagro   **f.** el presente

_____ 7. durar   **g.** cambio de gobierno a la fuerza

_____ 8. década   **h.** continuar

_____ 9. cruzar   **i.** hecho increíble

_____ 10. corridos   **j.** sucio

Composición: *Descripción de semejanzas*

Tu nombre en náhuatl. En el mundo azteca, antes de la llegada de los españoles, era una práctica común que los nombres de las personas incluyeran el nombre de uno de los veinte *tonalli* o espíritus solares que simbolizaban los veinte días del calendario azteca. Escoje el *tonalli* con el que mejor te identifiques y en una hoja en blanco escribe las cualidades que consideres propias de ese símbolo. ¿Qué semejanzas encuentras entre el símbolo que elegiste y tu personalidad?

LOS VEINTE TONALLI

cipactli: cocodrilo

ehécatl: viento

calli: casa

cuetzpalin: lagartija

cóatl: serpiente

mázatl: venado

miquiztli: muerte

tochtli: conejo

atl: agua

itzcuintli: perro

océlotl: jaguar

cuauhtli: águila

cozcacuauhtli: zopilote

ollin: movimiento

ozomatli: mono

malinalli: hierba

técpatl: pedernal

ácatl: caña

quiáhuitl: lluvia

xóchitl: flor

¡A escuchar!

El Mundo 21

A **Miguel Ángel Asturias.** Un estudiante habla con una profesora de
literatura latinoamericana para que le recomiende a un escritor
guatemalteco del siglo XX. Escucha con atención lo que dicen y luego
marca si cada oración que sigue es **cierta (C), falsa (F)** o si no tiene
relación con lo que escuchaste **(N/R).** Si la oración es falsa, corrígela.

C   F   N/R   **1.** La profesora recomienda que el estudiante lea
Cien años de soledad, de Gabriel García Márquez.

_____

_____

C   F   N/R   **2.** Miguel Ángel Asturias ganó el Premio Nóbel de
Literatura en 1967.

_____

_____

C   F   N/R   **3.** Asturias nunca demostró interés por los ritos y
creencias indígenas de su país.

_____

_____

C F **N/R** **4.** Su novela *Hombres de maíz* hace referencia al mito mesoamericano que dice que los hombres fueron hechos de maíz.

_____

_____

C F **N/R** **5.** Como muchos escritores latinoamericanos, vivió en el barrio latino de París.

_____

_____

C F **N/R** **6.** Entre 1966 y 1970 fue embajador de Guatemala en Francia.

_____

_____

B **Los mayas.** Escucha el siguiente texto acerca de la civilización maya y luego indica si la información que figura a continuación aparece en el texto (**Sí**) o no (**No**). Escucha una vez más para verificar tus respuestas.

Sí **No** **1.** Hasta hace poco, todos creían que los mayas constituían un pueblo tranquilo.

Sí **No** **2.** Los mayas se dedicaban a la agricultura.

Sí **No** **3.** Ahora se sabe que los mayas practicaban sacrificios humanos.

Sí **No** **4.** Las ciudades mayas tenían pirámides fabulosas.

Sí **No** **5.** Se han encontrado nuevos datos con respecto a los mayas en libros sagrados.

Sí **No** **6.** En la actualidad se han descubierto nuevas ciudades mayas.

Sí **No** **7.** Hasta ahora no se ha podido descifrar la escritura jeroglífica de los mayas.

C   **¿Sueño o realidad?** Escucha la siguiente narración y luego indica si las oraciones que aparecen a continuación son **ciertas (C)** o **falsas (F)**. Si la oración es falsa, corrígela. Escucha una vez más para verificar tus respuestas.

C   F   **1.** La escena ocurre por la noche.

_____

C   F   **2.** La persona que cuenta la historia escucha que alguien golpea a la puerta.

_____

C   F   **3.** Puede ver a unos desconocidos que entran en el cuarto de al lado.

_____

C   F   **4.** Más tarde escucha disparos de revólver.

_____

C   F   **5.** No escucha más ruidos.

_____

C   F   **6.** El narrador está seguro de que ha tenido un mal sueño.

_____

C   F   **7.** La recepcionista del hotel le explica exactamente qué pasó.

_____

Pronunciación y ortografía

Los sonidos /k/ y /s/. El deletreo de estos sonidos con frecuencia resulta problemático al escribir. Esto se debe a que varias consonantes pueden representar cada sonido según la vocal que las sigue. El primer paso para aprender a evitar problemas de ortografía es reconocer los sonidos.

D **Práctica con los sonidos /k/ y /s/.** En las siguientes palabras, indica si el sonido que escuchas en cada una es /k/ o /s/. Cada palabra se repetirá dos veces.

1. /k/ /s/   6. /k/ /s/

2. /k/ /s/   7. /k/ /s/

3. /k/ /s/   8. /k/ /s/

4. /k/ /s/   9. /k/ /s/

5. /k/ /s/   10. /k/ /s/

Deletreo del sonido /k/. Al escuchar las siguientes palabras con el sonido /k/, observa cómo se escribe este sonido.

ca	**ca**ña	fra**ca**sar
que	**que**so	enri**que**cer
qui	**Qui**to	monar**quí**a
co	**co**lonización	sovié**ti**co
cu	**cu**ltivo	o**cu**pación

E **Práctica con la escritura del sonido /k/.** Ahora, escucha a los narradores leer las siguientes palabras y escribe las letras que faltan en cada una.

1. ___ ___ ___ p e s i n o   6. ___ ___ ___ u n i d a d

2. ___ ___ ___ n c e   7. m í s t i ___ ___ ___

3. ___ ___ ___ t z a l c ó a t l   8. ___ ___ ___ t i v a r

4. ___ ___ ___ p e ó n   9. ___ ___ r r i d o

5. ___ ___ ___ q u i s t a r   10. a ___ ___ ___ d u c t o

Deletreo del sonido /s/. Al escuchar las siguientes palabras con el sonido /s/, observa cómo se escribe este sonido.

sa o **za**	**sa**grado	**za**mbullir	pobre**za**
se o **ce**	**se**gundo	**ce**ro	enrique**cer**
si o **ci**	**si**tuado	**ci**viliza**ción**	pala**cio**
so o **zo**	**so**viético	**zo**rra	colap**so**
su o **zu**	**su**icidio	**zu**rdo	in**su**rre**cción**

E **Práctica con la escritura del sonido /s/.** Ahora, escucha a los narradores leer las siguientes palabras y escribe las letras que faltan en cada una.

1. r o ___ ___ o

2. o p r e ___ ___ ó n

3. b r o n ___ ___ a r s e

4. f u e r ___ ___

5. r e ___ ___ l v e r

6. o r g a n i ___ ___ ___ ___ ó n

7. ___ ___ r g i r

8. r e ___ ___ s t e n ___ ___ a

9. u r b a n i ___ ___ d o

10. ___ ___ m b a r

Dictado. Escucha el siguiente dictado e intenta escribir lo más que puedas. El dictado se repetirá una vez más para que revises tu párrafo.

La civilización maya

_____

_____

_____

_____

_____

_____

_____

_____

_____

_____

_____

_____

_____

_____

_____

_____

_____

_____

_____

_____

_____

_____

¡A explorar!

Acentuación de verbos

G **Los mayas y el *Popol Vuh*.** ¿Qué recuerdas de lo que leíste del *Popol Vuh*? Para refrescar la memoria, lee el párrafo que sigue y, al leerlo, pon los acentos escritos sobre los verbos conjugados en el **pretérito**, así como en **otras palabras** que lo necesiten.

Hace mas de dos mil años los mayas construyeron grandes piramides y palacios. Ellos emplearon el concepto del cero y crearon un calendario más exacto del que se usaba en Europa en esa epoca. Esta civilizacion prospero y se extendio a la peninsula de Yucatan, en el sureste de Mexico y en Belice. El *Popol Vuh*, la muy reconocida obra literaria maya quiché, es un texto poetico, lirico y hasta se puede decir, magico. Alli se reunen las leyendas y los mitos de los pueblos quiche. El libro esta dividido en tres partes. La primera parte cuenta de la creacion y de los origenes del hombre y de la mujer. La segunda parte se compone de las aventuras de dos jovenes heroes que destruyen a los dioses malos. Y la tercera es la historia de los pueblos indigenas de Guatemala.

Gramática en contexto

3.3 Expresiones indefinidas y negativas

H **Una excursión al museo.** Arturo y Teresa se sientan en un café para hablar de su visita a un museo donde vieron una exhibición de artefactos mayas. Completa su conversación con expresiones **indefinidas** y **de negación** para saber qué aprendieron los dos.

> *Vocabulario útil*
>
> | | | | |
> |---|---|---|---|
> | algo | nada | o, o ... o | ni, ni ... ni |
> | alguien | nadie | siempre | nunca |
> | alguno | ninguno | también | tampoco |

—Teresa, ¿habías ido a ese museo antes?

—No Arturo, yo _____ (1) había ido. Para decirte la verdad,

¡_____ (2) sabía que ese museo estaba allí!

—Yo _____ (3). Apenas me enteré de él hace unas semanas.

—Y, ¿sabías _____ (4) de los mayas antes de ir al museo?

—No, no sabía _____ (5). ¿Y tú, Arturo?

—Bueno, yo sí había leído _____ (6) de la civilización maya.

—¿De veras, Arturo? ¿Has leído el *Popol Vuh* o el libro de Rigoberta

Menchú?

—No, no he leído _____ (7) el *Popol Vuh* _____ (8) el

libro de Rigoberta Menchú. Es que yo _____ (9) me he

interesado más en la ciencia ficción. La arqueología y la antropología no

me atraen mucho.

3.4 El pretérito y el imperfecto: Segunda vista

I

Temblor. Los estudiantes cuentan lo que estaban haciendo cuando ocurrió un temblor en la ciudad. Para saber lo que dicen, observa los dibujos que aparecen a continuación y utiliza los pronombres **yo** o **nosotros,** según corresponda.

MODELO

Yo hablaba por _____

teléfono cuando _____

occurió el _____

temblor. _____

1. _____
   _____
   _____
   _____

2. _____
   _____
   _____
   _____

3. _____
   _____
   _____
   _____

4. _____
   _____
   _____
   _____

5. _____
   _____
   _____
   _____

Ortografía

Deletreo del sonido /k/. Como sabes, por escrito el sonido /k/ tiene varias representaciones: **ca**, **que**, **qui**, **co** y **cu**. Para practicar el deletreo, escribe las letras que faltan en las siguientes palabras.

1. derro ___ ___ do

2. Recon ___ ___ ___ sta

3. ___ ___ ntaminado

4. bus ___ ___ ___

5. ___ ___ eva

6. es ___ ___ ___ na

7. ___ ___ ___ ja

8. dé ___ ___ da

9. a ___ ___ educto

10. ___ ___ steño

Deletreo del sonido /s/. Por escrito, el sonido /s/ tiene varias representaciones: **sa/za**, **se/ce**, **si/ci**, **so/zo** y **su/zu.** Ten esto presente al escribir las letras que faltan en las siguientes palabras.

1. empobre ___ ___ r

2. de ___ ___ fío

3. ___ ___ ntimiento

4. trai ___ ___ onar

5. alcan ___ ___ r

6. coloni ___ ___ dores

7. entu ___ ___ asmo

8. suce ___ ___ r

9. redu ___ ___ r

10. sobre ___ ___ lir

Lengua en uso

Problemas de deletreo: La interferencia del inglés

El español y el inglés tienen muchas palabras parecidas en deletreo, la mayoría de origen latín. A continuación vas a ver palabras parecidas que en inglés se escriben con doble consonante pero en español sólo llevan una consonante.

Español	Inglés
aplicación	*application*
colectivo	*collective*
comisión	*commission*
comunidad	*community*
diferente	*different*
ocasión	*occasion*
oportunidad	*opportunity*
sesión	*session*

Las siguientes palabras también son similares aunque tienen distinto deletreo.

Español	Inglés
habilidad	*ability*
armonía	*harmony*
demostrar	*demonstrate*
dinámico	*dynamic*
especial	*special*
circunstancia	*circumstance*
consecuencia	*consequence*
lenguaje	*language*
mecánico	*mechanic*
objeto	*object*

Otra interferencia del inglés es la tendencia de escribir con mayúscula los nombres y adjetivos propios.

Español	Inglés
francés	*French*
americano	*American*
hispano	*Hispanic*

L **Carta de Guatemala**. Roberto es un hispanohablante, nativo de EE.UU. Acaba de llegar a la Ciudad de Guatemala para estudiar español. Como no tiene mucha experiencia en escribir cartas en español, te pide ayuda para que revises su carta porque tiende a usar el deletreo en inglés de las palabras parecidas. Subraya las palabras que están mal deletreadas en español y al lado escribe el deletreo correcto.

Queridos padres:

Estas últimas semanas he estado muy occupado   1. _____

estudiando español. Los ejercicios grammaticales   2. _____

se me hacen cada vez más fáciles. La differencia   3. _____

principal es que ahora tengo más práctica, pues   4. _____

vivo en una communidad donde todos hablan   5. _____

Español. También he tenido la opportunidad de   6. _____

conocer muchos lugares fabulosos. La semana   7. _____

passada unos amigos Guatemaltecos me   8. _____

invitaron a visitar unas ruinas Mayas. El carro en   9. _____

que íbamos se descompuso y tuvimos que   10. _____

conseguir a un mechánico para que lo arreglara.   11. _____

No regresamos a casa hasta después de

medianoche.

Bueno, no escribo más porque pienso llamarlos por

telephono el domingo. Su hijo que no se olvida de

Uds.

Roberto Márquez

Vocabulario activo

A continuación se encuentra el vocabulario activo de las secciones **Gente del Mundo 21** y **Del pasado al presente** de la Lección 2. En los espacios en blanco bajo cada tema, añade otras palabras que has aprendido en esta lección y que crees que te serán útiles.

Gente del Mundo 21

activista	intereses	palacio	quiché
defensa	extranjeros	municipal	reforma agraria
derrocar	mosaico	Premio Nóbel	reforma social
destacarse	mural	de la Paz /	rito
diseño	niñez	de Literatura	sufrir
embajador(a)		provincia	

Del pasado al presente

La civilización maya

cero	destrucción	escritura	pirámide
desaparición	emplear	pacífico(a)	sistema

Período colonial

asimilarse	mayoría
Capitanía General de Guatemala	presión
dominante	

Guatemala independiente

breve _____ facilitar _____	plantación _____ surgir _____
dueño(a) _____ inestabilidad _____	pobreza _____ unirse _____
_____	_____
_____	_____

Intentos de reformas

ambicioso(a) _____ expansión _____	idealista _____ propietario(a) _____
comunista _____ Guerra Fría _____	modernizar _____ proponer _____
distribuir _____ hectárea _____	promulgar _____
_____	_____
_____	_____

Rebeliones militares

Agencia Central de _____	derrocado(a) _____
Inteligencia (CIA) _____	dirigir _____
asesinar _____	disidente _____
coronel _____	gobierno _____
derechos humanos _____	resolver _____
_____	_____
_____	_____

Situación presente

bloquear _____	opresión _____
nombramiento _____	poderoso(a) _____
oligarquía _____	_____
_____	_____
_____	_____

M **Palabras cruzadas.** Completa este juego de palabras con las siguientes características de Rigoberta Menchú. Para saber qué fue lo que le dio fama mundial, completa la frase que sigue colocando en los espacios en blanco las letras correspondientes a los números indicados.

ACTIVISTA   IDEALISTA   PREMIO NOBEL

AMBICIOSA   POBREZA   QUICHE

DEFENSORA   PODEROSA   REFORMA AGRARIA

```
        [ ][R][ ][ ][ ]          [ ][ ][ ][ ][ ]
             1                        8
        [ ][ ][I][ ][ ]
                12
[ ][ ][ ][ ][ ][ ]   [ ][G][ ][ ][ ]
      2                   15      7
           [ ][O][ ][ ][ ]
                      4
        [ ][ ][B][ ][ ][ ]
                   5
     [ ][ ][ ][E][ ][ ][ ][ ]
              10 13   6
     [ ][ ][ ][R][ ][ ]
  [ ][ ][ ][ ][ ][ ][T][ ]
           3
              [A][ ][ ][ ][ ][ ][ ][ ][ ]
                11        14        9
```

___ U ___ ___ ___ ___ ___ ___ : ___ ___
13   3 7 8 6 5   1 2

___ ___ ___ ___ ___ ___ ___ ___ ___ ___ ___ ___ ___ ___
3 3 4 1 5   6 7 15 5 8 2 6 9 4

___ ___ ___ ___ Ú ___ Y ___ ___ ___ ___ ___
1 2 10 11 12   4 13 7 1 2

___ ___ ___ ___ ___ ___ ___
10 4 11 7 5   3 4

___ ___ ___ ___ ___ ___ ___ ___ ___
11 5 10 11 7 2 10 11 7 4

Lógica. En cada grupo de palabras, subraya aquélla que no esté relacionada con el resto.

1. propietario   dueño   comunista   hectárea   plantación

2. derrocar   disidentes   destrucción   desaparición   diseño

3. asociarse   unirse   asimilarse   surgir   congregar

4. gobierno   rito   comunista   oligarquía   sistema

5. derechos   defensa   propietario   opresión   justicia
   humanos

Composición: *comparación*

Ñ **Un día en la vida de Rigoberta Menchú.** Imagina todas las actividades que Rigoberta Menchú realizaba a tu edad en un día. Compara estas actividades con las que tú realizas en un día de tu vida y en una hoja en blanco escribe una composición señalando las semejanzas y las diferencias.

¡A escuchar!

El Mundo 21

A **Visita a la exhibición teotihuacana.** Escucha con atención lo que discuten dos amigos después de visitar la exhibición titulada *Teotihuacán: La Ciudad de los Dioses,* en el Museo M.H. de Young de San Francisco, California. Luego marca si cada oración que sigue es **cierta (C), falsa (F)** o si no tiene relación con lo que escuchaste **(N/R).** Si la oración es falsa, corrígela.

C   F   N/R   **1.** Lo que más le impresionó de la exhibición a Leo fue el enorme tamaño de la ciudad.

_____

_____

C   F   N/R   **2.** Teotihuacán llegó a tener una población de más de 150.000 habitantes.

_____

_____

C   F   N/R   **3.** A Nelly lo que más le impresionó fueron los colores de los murales teotihuacanos.

_____

_____

C	F	N/R	**4.**	Nelly le explicó a Leo que la ciudad fue destruida por los españoles en el año 1521.

_____

_____

C	F	N/R	**5.**	Leo tuvo la extraña sensación de estar frente a algo conocido y piensa que quizás algunos de sus antepasados hayan vivido en Teotihuacán.

_____

_____

C	F	N/R	**6.**	Esta exhibición sobre Teotihuacán fue visitada por más de cien mil personas en San Francisco.

_____

_____

B **La Piedra del Sol.** Escucha la siguiente narración acerca de la Piedra del Sol y luego contesta las preguntas que aparecen a continuación. Escucha una vez más para verificar tus respuestas.

1. Para ver la Piedra del Sol es necesario ir...
   a. a Tenochtitlán
   b. al Zócalo
   c. al Museo de Antropología

2. La Piedra del Sol fue labrada...
   a. por artistas aztecas
   b. por conquistadores españoles
   c. por orden de Hernán Cortés

3. La Piedra del Sol fue descubierta en...
   a. 1979
   b. 1790
   c. 1269

4. Para labrar la piedra, los artistas tardaron casi...
   a. veinticuatro años
   b. veinte años
   c. doce años

5. La Piedra del Sol representa...
   a. la historia de los aztecas
   b. el saber astronómico del pueblo azteca
   c. la conquista de Tenochtitlán

Pronunciación y ortografía

Los sonidos /g/ y /x/. El deletreo de estos dos sonidos con frecuencia resulta problemático al escribir. Practica ahora cómo reconocer los sonidos.

C **Práctica con los sonidos /g/ y /x/.** Al escuchar las siguientes palabras, indica si el sonido inicial de cada una es **/g/** como en **gordo, ganga** o **/x/** como en **japonés, jurado.** Cada palabra se va a repetir dos veces.

1. /g/ /x/
2. /g/ /x/
3. /g/ /x/
4. /g/ /x/
5. /g/ /x/

6. /g/ /x/
7. /g/ /x/
8. /g/ /x/
9. /g/ /x/
10. /g/ /x/

Deletreo del sonido /g/. Al escuchar las siguientes palabras con el sonido **/g/,** observa cómo se escribe este sonido.

ga	galán	navegación
gue	guerrillero	juguetón
gui	guía	conseguir
go	gobierno	visigodo
gu	gusto	orgullo

Deletreo del sonido /x/. Al escuchar las siguientes palabras con el sonido **/x/,** observa cómo se escribe este sonido.

ja	jardín	festejar	embajador
je o ge	jefe	gente	extranjero
ji o gi	jitomate	gigante	complejidad
jo	joya	espejo	anglosajón
ju	judío	jugador	conjunto

D **Práctica con la escritura de los sonidos /g/ y /x/.** Ahora, escucha a los narradores leer las siguientes palabras y escribe las letras que faltan en cada una.

1. ___ ___ b e r n a n t e
2. e m b a ___ ___ d a
3. ___ ___ l p e
4. s u r ___ ___ r
5. ___ ___ e g o

6. t r a ___ ___ d i a
7. ___ ___ ___ r r a
8. p r e s t i ___ ___ o s o
9. f r i ___ ___ l
10. a ___ ___ n c i a

Dictado. Escucha el siguiente dictado e intenta escribir lo más que puedas. El dictado se repetirá una vez más para que revises tu párrafo.

La destrucción de Teotihuacán

_____
_____
_____
_____
_____
_____
_____
_____
_____
_____
_____
_____
_____
_____
_____
_____
_____
_____
_____
_____
_____
_____
_____

¡A explorar!

Lectura en voz alta: Pausas

Al leer prosa en voz alta en español, hay que utilizar los mismos procesos de enlazamiento que se presentaron en la unidad anterior. Además, es necesario hacer pausas en los siguientes casos.

1. Después de los signos de puntuación de pausa.

2. Al final de ciertas frases para poder respirar y así continuar con la lectura.

3. Para enfatizar ciertas palabras.

4. Para cambiar la intonación de palabras en preguntas y exclamaciones.

En el siguiente fragmento del segundo capítulo de la novela *El señor Presidente* del escritor guatemalteco, Miguel Ángel Asturias (1899–1974), están indicados los enlaces y las pausas. Éstas con dos líneas oblicuas (*//*).

Un‿estudiante‿y‿un sacristán se‿encontraban‿en la misma celda de

la cárcel. //

—Señor; // si no me‿equivoco // era‿usted el que‿estaba

primero‿aquí. // Usted y‿yo, // ¿verdad? //

E   *El señor Presidente*. Marca las posibles pausas con dos líneas oblicuas (*//*) y usa el signo de los enlaces en la continuación del fragmento de esta reconocida novela de Miguel Ángel Asturias, que recibió el Premio Nóbel de Literatura en 1967. Luego lee en voz alta poniendo énfasis en la narración y los diálogos para que el relato tenga vida.

El estudiante habló por decir algo, por despegarse un bocado de angustia que sentía en la garganta.

—Pues creo que sí... —respondió el sacristán, buscando en las tinieblas la cara del que le hablaba.

—Y... bueno, le iba yo a preguntar por qué está preso...

El estudiante se estremeció de la cabeza a los pies y articuló a duras penas:

—Yo también...

Los pordioseros siguieron buscando alrededor de ellos su inseparable costal de provisiones, pero en el despacho del Director de la Policía les habían despojado de todo, hasta de lo que llevaban en los bolsillos, para que no entraran ni un fósforo. Las órdenes eran estrictas...

—¿Y su causa? —siguió el estudiante.

—Si no tengo causa, en lo que está usté; ¡estoy por orden superior! Al decir así el sacristán restregó la espalda en el muro morroñoso para botarse los piojos.

—Era usted...

—¡Nada!... —atajó el sacristán de mal modo. —¡Yo no era nada!

En ese momento chirriaron las bisagras de la puerta, que se abría como rajándose para dar paso a otro mendigo...

—Estoy preso... —continuó el sacristan, —por un delito que cometí por pura equivocación. ¡Figure usté que por quitar un aviso de la Virgen de la O, fui y quité del cancel de la iglesia en que estaba de sacristán, el aviso del jubileo de la madre del señor Presidente!...

Gramática en contexto

3.5 Las preposiciones *para* y *por*

F **Un viaje a Teotihuacán.** ¿Te gustaría viajar algún día a Teotihuacán? Una amiga acaba de regresar de sus vacaciones y está muy ansiosa por contarte de su viaje. Para saber cómo le fue, completa el siguiente párrafo con **por** y **para**.

Recientemente, estuve en Teotihuacán _____ (1) visitar "la Ciudad de

los Dioses". Sólo pude estar allí _____ (2) un día pero me quedé muy

impresionada. _____ (3) llegar a Teotihuacán necesitas viajar unas

treinta millas al norte de la Ciudad de México _____ (4) la carretera.

Teotihuacán fue una gran metrópoli _____ (5) más de quinientos años.

Al caminar _____ (6) sus grandes avenidas, ves grandes templos y

pirámides que _____ (7) siglos fueron centros religiosos de los

teotihuacanos. _____ (8) alguna razón, no sabemos todavía cuál fue, los

teotihuacanos abandonaron su ciudad _____ (9) nunca regresar. Fue un

viaje muy emocionante _____ (10) mí.

Ortografía

G **Deletreo.** Completa los espacios en blanco en las siguientes palabras con las letras **g** o **j**.

1. e s c o ___ e r   **6.** t r a d u ___ o

2. p o r c e n t a ___ e   **7.** m a n e ___ é

3. p r o t e ___ i m o s   **8.** e x a ___ e r a s

4. c o r r i ___ e n   **9.** r e c o ___ i ó

5. c o n t a ___ i o   **10.** t e ___ í a n

H **Guatemala.** Escribe una **g** o **j** en los espacios que han quedado en blanco para completar esta información sobre Guatemala.

1. Los lengua ___ es de ori ___ en maya se si ___ uen hablando en Guatemala.

2. Un porcenta ___ e alto de la población guatemalteca es bilin ___ üe.

3. El aprendiza ___ e de la len ___ ua maya quiché es un proceso que exi ___ e mucha dedicación.

4. Unas mu ___ eres indí ___ enas lle ___ aron a la emba ___ ada a protestar.

5. En el extran ___ ero, Rigoberta Menchú es considerada como emba ___ adora del pueblo maya quiché.

I **Ciudad mesoamericana.** Completa los espacios en blanco en las siguientes oraciones usando las letras **g** o **j**.

1. Durante su período más brillante y presti ___ ioso, Teotihuacán lle ___ ó a ser la ciudad más ___ rande y comple ___ a de Mesoamérica.

2. En su apo ___ eo, la clase ___ obernante de Teotihuacán vivía en edificios ___ randes y comple ___ os.

3. Poco se sabe sobre la ___ ente que vivía en Teotihuacán.

4. Las imá ___ enes de serpientes en las pirámides estaban pintadas de ro ___ o con blanco dentro de los o ___ os.

5. La Diosa de la Naturaleza con frecuencia aparece con una barra deba ___ o de la nariz y con un tocado de plumas del pá ___ aro quetzal.

6. El Dios de la Tormenta ___ eneralmente aparece sentado en una ___ arra con o ___ eras, aretes y un lirio aba ___ o de su labio.

7. El colapso de Teotihuacán refle ___ a la pérdida de control político y económico de la clase alta.

Lengua en uso

"Cognados falsos"

Las palabras afines o los "cognados falsos" son palabras de una lengua que son idénticas o muy similares a vocablos de otra lengua pero cuyos significados son diferentes. Los "cognados falsos" también se llaman "amigos falsos" porque son reconocibles en forma pero tienen diferentes significados.

> actual: presente, contemporáneo
> *actual:* verdadero, real

> El presidente **actual** de México es Ernesto Zedillo.

> En el centro de la ciudad todavía se puede ver el **verdadero** Templo Mayor.

J **"Cognados falsos".** Busca en el diccionario las palabras siguientes y da su significado en español. Luego escribe una oración original con cada palabra.

MODELO   arena: **partículas menuditas de piedra, "tierra" de las playas**
(oración)   **La *arena* de las playas de Acapulco es muy fina.**
arena: **estadio**
(oración)   **¿Has estado en el *Estadio* Azteca?**

1. lectura: _____

   (oración) _____

   lecture: _____

   (oración) _____

2. embarazada: _____

   (oración) _____

   embarrasing: _____

   (oración) _____

3. asistir: _____

(oración) _____

to assist: _____

(oración) _____

4. atender: _____

(oración) _____

to attend: _____

(oración) _____

5. molestar: _____

(oración) _____

to molest: _____

(oración) _____

6. pariente: _____

(oración) _____

parent: _____

(oración) _____

7. soportar: _____

(oración) _____

to support: _____

(oración) _____

8. suceso: _____

(oración) _____

success: _____

(oración) _____

Vocabulario activo

A continuación se encuentra el vocabulario activo de la Lección 3. En los espacios en blanco bajo cada tema, añade otras palabras que has aprendido en esta lección y que crees que te serán útiles.

La Ciudad de los Dioses y *La gran metrópoli mesoamericana*

alrededor _____	fascinante _____
amplio(a) _____	habitante _____
arqueológico(a) _____	magnífico(a) _____
brillante _____	multitud _____
comerciante _____	prestigioso(a) _____
complejo(a) _____	ruinas _____
de repente _____	sagrado(a) _____
desaparecer _____	situado(a) _____
excavación _____	_____

La destrucción

abandonar _____   gobernante _____

ataque _____   incendiar _____

cataclismo social _____   metrópoli _____

élite _____   quemar _____

existencia _____   sangriento(a) _____

facción _____   _____

_____   _____

_____   _____

_____   _____

_____   _____

_____   _____

_____   _____

_____   _____

_____   _____

_____   _____

_____   _____

K **Palabras cruzadas.** Completa este juego de palabras con el vocabulario activo sobre la destrucción de la Ciudad de los Dioses. Para saber qué fue lo que causó la destrucción de Teotihuacán, completa la frase que sigue colocando en los espacios en blanco las letras correspondientes a los números indicados.

ABANDONAR   CICLO   INCENDIAR
ATAQUE   FACCIONES   METROPOLI
CATACLISMO SOCIAL GOBERNANTES   QUEMAR
SANGRIENTO

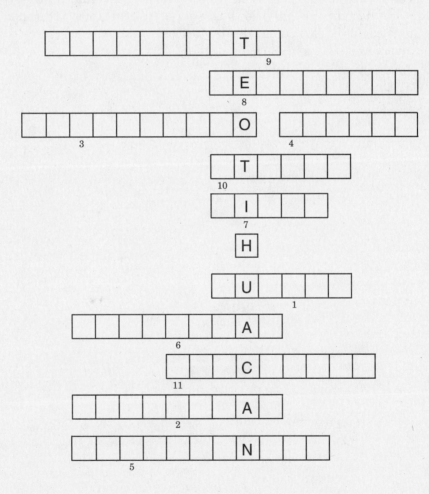

i __ __ __ __ __ __ __ __ __
  6 9   4 10 5   8   1   9   4

        V
__ __ __ __ __ __ __ __ __ __ __ __ __ __ !
2 8 11 7 6 7 3 7   10 1 8 6 3 8

Lógica. En cada grupo de palabras, subraya aquélla que no esté relacionada con el resto.

1. excavaciones   ruinas   arqueológico   élite

2. amplio   incendiar   abandonar   quemar

3. cataclismo social   ciclo   violento   sangriento

4. magnífico   fascinante   situado   brillante

5. metrópoli   facciones   multitud   habitantes

Composición: *Contraste y analogía*

Teotihuacán y Roma. En una hoja en blanco escribe una breve composición en la que compares las diferencias y semejanzas que encuentras entre las ciudades de Teotihuacán y Roma antigua. Ambas fueron capitales de extensos imperios y con el paso de los años pasaron a ser recordadas como centros culturales históricos. ¿Qué piensas acerca del final que tuvieron estos dos imperios antiguos?

¡A escuchar!

El Mundo 21

A   **Reconocido artista cubano.** Escucha con atención lo que dicen dos estudiantes cubanos al visitar un museo de arte de La Habana y luego marca si cada oración que sigue es **cierta (C), falsa (F)** o si no tiene relación con lo que escuchaste **(N/R).** Si la oración es falsa, corrígela.

C   F   N/R   **1.** La única razón por la cual Wifredo Lam es el artista favorito de Antonio es que es originario de la provincia de Las Villas.

_____

_____

C   F   N/R   **2.** Wifredo Lam vivió en Madrid durante trece años.

_____

_____

C   F   N/R   **3.** El artista cubano nunca conoció al artista español Pablo Picasso.

_____

_____

C   F   N/R   **4.** En la década de 1940, Wifredo Lam regresó a Cuba y pintó cuadros que tenían como tema principal las calles de París.

_____

_____

C   F   N/R   **5.** Su cuadro *La selva,* pintado en 1943, tiene inspiración afrocubana.

_____

_____

C   F   N/R   **6.** Desde la década de 1950, este artista cubano vivió el resto de su vida en Cuba, donde murió en 1982.

_____

_____

B **La constitución de Cuba.** Escucha el siguiente texto acerca de la constitución cubana y luego selecciona la opción que complete correctamente cada frase. Escucha una vez más para verificar tus respuestas.

1. La constitución actual de Cuba entró en vigencia en el año...
   a. 1956
   b. 1966
   c. 1976

2. El porcentaje de votantes que aprobó la constitución fue...
   a. 97,7
   b. 95,7
   c. 97,5

3. La constitución creó...
   a. las asambleas estatales
   b. los consejos del estado
   c. las asambleas provinciales

4. La Asamblea Nacional tiene en la actualidad...
   a. 590 miembros
   b. 510 miembros
   c. 593 miembros

5. En Cuba, los partidos políticos de oposición...
   a. son apoyados por el régimen
   b. no tienen libertad para funcionar
   c. participan en todas las elecciones pero siempre pierden

Pronunciación y ortografía

Pronunciación de letras problemáticas: *b* y *v*. La **b** y la **v** se pronuncian de la misma manera. Sin embargo, el sonido de ambas varía en relación al lugar de la palabra en donde ocurra. Por ejemplo, la **b** o la **v** inicial de una palabra tiene un sonido fuerte, como el sonido de la *b* en inglés, si la palabra ocurre después de una pausa. También tienen un sonido fuerte cuando ocurren después de la **m** o la **n**.

Escucha a la narradora leer estas palabras prestando atención a la pronunciación de la **b** o **v** fuerte. Observa que para producir este sonido los labios se cierran para crear una pequeña presión de aire al soltar el sonido.

brillante	**v**irreinato	em**b**ajador	con**v**ocar
bloquear	**v**ictoria	am**b**icioso	sin**v**ergüenza

En los demás casos, la **b** y la **v** tienen un sonido suave. Escucha a la narradora leer estas palabras prestando atención a la pronunciación de la **b** o **v** suave. Observa que al producir este sonido, los labios se juntan, pero no se cierran completamente, por lo tanto no existe la presión de aire y lo que resulta es una **b** o **v** suave.

re**b**elión	resol**v**er	afrocu**b**ano	culti**v**o
po**b**reza	pro**v**incia	exu**b**erante	contro**v**ertido

Deletreo con la *b* y la *v*. Las siguientes reglas te ayudarán a saber cuándo una palabra se escribe con **b** (larga) o con **v** (corta). Memorízalas.

Regla Nº 1: Siempre se escribe la **b** antes de la **l** y la **r**. Las siguientes raíces también contienen la **b**: **bene-, bien-, biblio-, bio-.** Estudia estos ejemplos mientras la narradora los pronuncia.

bloquear	ham**b**re	**bene**ficio	**biblio**grafía
o**b**ligación	**b**ravo	**bien**estar	**bio**logía

C   **Práctica con la letra *b*.** Ahora escucha a los narradores leer las siguientes palabras y escribe las letras que faltan en cada una.

1. ___ ___ i s a

2. a l a m ___ ___ e

3. ___ ___ a n c o

4. ___ ___ o q u e

5. ___ ___ u s a

6. c a ___ ___ e

7. c o ___ ___ e

8. ___ ___ u j a

Regla Nº 2: Después de la **m** siempre se escribe la **b**. Después de la **n** siempre se escribe la **v**. Estudia estos ejemplos mientras la narradora los pronuncia.

em**b**arcarse	em**b**ajador	con**v**ención	en**v**uelto
tam**b**ién	cam**b**iar	en**v**ejecer	con**v**ertir

D   **La letra *b* o *v* después de *m* y *n*.** Ahora escucha a los narradores leer las siguientes palabras y escribe las letras que faltan en cada una.

1. s o ___ ___ r a

2. e ___ ___ i a r

3. t a ___ ___ o r

4. i ___ ___ e n c i b l e

5. i ___ ___ e n t a r

6. e ___ ___ l e m a

7. e ___ ___ e n e n a r

8. r u ___ ___ o

Regla Nº 3: Los siguientes prefijos siempre contienen la **b: ab-, abs-, bi-, bis-, biz-, ob-, obs-** y **sub-** y después del prefijo **ad-,** siempre se escribe la **v.** Estudia estos ejemplos mientras la narradora los pronuncia.

abstracto	**ad**versario	**sub**rayar
abstener	**ad**versidad	**sub**stituir
biblioteca	**ob**ligado	
bisonte	**obs**táculo	

E **Prefijos.** Ahora escucha a los narradores leer las siguientes palabras y escribe las letras que faltan en cada una.

1. ___ ___ t e n e r

2. ___ ___ ___ m a r i n o

3. ___ ___ s o l u t o

4. ___ ___ ___ n i e t o

5. ___ ___ ___ t r a c t o

6. ___ ___ ___ e r t i r

7. ___ ___ ___ e r v a t o r i o

8. ___ ___ ___ e r b i o

Dictado. Escucha el siguiente dictado e intenta escribir lo más que puedas. El dictado se repetirá una vez más para que revises tu párrafo.

El proceso de independencia de Cuba

_____

_____

_____

_____

_____

_____

_____

_____

_____

_____

_____

_____

_____

_____

_____

¡A explorar!

Los usos de *se*

El pronombre **se** tiene diversos usos en español, algunos que ya se han presentado.

- Como **pronombre reflexivo.**

  Los taínos y los ciboneyes **se** dedicaban a la agricultura y a la pesca.

  Por el Tratado de París, España **se** vio obligada a cederle Cuba a EE.UU.

- Como **pronombre recíproco.**

  Muchas familias cubanas en EE.UU. y la isla **se** comunican por teléfono.

  Una fuerza de cubanos en el exilio y el ejército de Castro **se** enfrentaron en la Bahía de Cochinos.

- Como **pronombre (complemento) de objeto indirecto** para reemplazar **le** y **les** cuando hay un pronombre de objeto directo de tercera persona.

  Castro **les** quitó las propiedades a todos los extranjeros.

  Castro **se** las quitó y no ha querido devolvér**se**las.

- Como **pronombre impersonal o indefinido** para expresar acciones o ideas impersonales y objetivas sin ningún sujeto específico. En este caso el verbo se expresa en tercera persona singular.

Con la caída de la Unión Soviética, no **se** sabe cuál será el futuro de Cuba.	*With the fall of the Soviet Union, one doesn't know what Cuba's future will be.*
Se dice que ahora, Castro tendrá que establecer relaciones con EE.UU.	*It is said (They say) that now, Castro will have to establish relations with the U.S.*

 Observa cómo en inglés, el sujeto impersonal se expresa como *it, one* o *they*. Éste último no se refiere a nadie en particular, más bien a "gente" en general.

- En construcciones **impersonales** cuando ni el agente ni el sujeto del verbo se expresa.

Siempre comemos bien en este restaurante cubano.	**Se** come bien en este restaurante cubano.

- En construcciones **pasivas** cuando ni el agente ni el sujeto del verbo se expresa.

Las fuerzas militares en Cuba fueron organizadas según el modelo soviético.	**Se** organizaron según el modelo soviético.

- En construcciones **impersonales pasivas** donde el objeto directo es una persona. En estas construcciones el verbo del **se impersonal** siempre se mantiene en la tercera persona singular y el objeto directo requiere la preposición **a** personal para distinguirlo del **se** recíproco o reflexivo.

  En 1898 **se** envió **a** soldados estadounidenses a Cuba.

  En 1994 **se** concentró **a** los balseros cubanos en la base estadounidense de Guantánamo.

- Para expresar que algo ocurre **accidental** o **involuntariamente**.

  A todos en el barco **se les** salieron las lágrimas al perder de vista la isla.

  Cuando pisé tierra en Miami **se me** escapó un grito de alegría.

- Como **pronombre reflexivo** en construcciones con objeto directo en las cuales se pone énfasis en el beneficio que el sujeto de la oración recibe de la acción.

  Se comieron el picadillo pero no tocaron los plátanos fritos.

  Mamá siempre **se** prepara un congrí cubano, es decir, un guiso con arroz y frijoles negros.

 No confundas la forma **sé** de los verbos **ser** y **saber** con el pronombre **se**. Observa cómo el verbo siempre lleva acento escrito.

ser: sé (mandato familiar)
No llegues tarde. **Sé** el primero en llegar.

saber: sé (primera persona singular, presente indicativo)
No **sé** si mis padres dejarían la isla para irse a EE.UU.

F   **En la cocina.** Rogelio y Leopoldo estudian y trabajan en la Universidad de La Habana. Ellos comparten apartamento y a veces tienen problemas comunicándose. Para saber cuáles son sus problemas, lee el siguiente párrafo. Identifica los diferentes usos de **se: reflexivo, recíproco, impersonal, voz pasiva, objeto indirecto le/les** o **verbo ser** o **verbo saber.** El primero ya está hecho.

Cuando se vieron (1) en la cocina, se
saludaron (2). Sin embargo, Leopoldo
parecía estar enojado pero nada se había
mencionado (3) de qué había causado su
disgusto. Se dice (4) que andaba muy
cansado, tal vez porque no durmió bien esa
noche. En los dos últimos días, Leopoldo
sólo había dormido unas cuatro horas.
Rogelio se disgustó (5) con Leopoldo y le
reclamó:

—Pero, ¿qué te pasa, Leo?

—A mí nada, ¿por qué?

—Leo, sé (6) honesto conmigo por favor.

—Mira Rogelio, yo no sé (7) lo que está
pasando, ni de lo que estás hablando.

Luego se lo admitió (8).

—Me voy a acostar porque hace dos días
que no he podido dormir nada pensando en...
¡Buenas noches!

Y con eso, Leopoldo salió de la cocina hacia
su recámara. Rogelio se hizo (9) una taza de
té de canela para calmar los nervios y
después se acostó (10) también.

1. **recíproco** _____

2. _____

3. _____

4. _____

5. _____

6. _____

7. _____

8. _____

9. _____

10. _____

Oraciones con *se*. Escribe una oración completa utilizando las siguientes expresiones. Al lado del verbo indica qué tipo de **se** empleaste en tu oración.

MODELO *se saludaron*   **recíproco**
Se saludaron y siguieron caminando.

1. se detuvo _____

_____

_____

2. se necesita _____

_____

_____

3. se fundó _____

_____

_____

4. se bañaban _____

_____

_____

5. se miraban _____

_____

_____

6. se buscan _____

_____

_____

7. se acusa _____

_____

_____

8. se tomó _____

_____

_____

Gramática en contexto

4.1 El participio pasado

H **Los balseros cubanos.** Para saber algo de los balseros cubanos, completa el siguiente texto usando el **participio pasado** de los verbos que aparecen entre paréntesis.

Un acuerdo entre los gobiernos de EE.UU. y Cuba ha

_____ (1. resolver) por el momento la crisis que fue

_____ (2. causar) por miles de cubanos que se lanzaron

al mar en embarcaciones _____ (3. improvisar) para

intentar llegar a EE.UU. Este acuerdo binacional fue

_____ (4. firmar) en Nueva York en agosto de 1994.

El régimen cubano se comprometió a impedir que sus ciudadanos

salieran de la isla sin la documentación _____

(5. requerir). Por su parte, el gobierno estadounidense se

comprometió a aceptar a 20.000 inmigrantes cubanos. No se sabe

con exactitud el número de cubanos que han _____

(6. morir) tratando de cruzar el estrecho entre Cuba y la Florida.

Tampoco se sabe si los miles de cubanos _____

(7. ubicar) en la base naval de Guantánamo serán

_____ (8. devolver) a Cuba por las autoridades

estadounidenses.

4.2 La voz pasiva

Un poco de historia. Lee estos datos sobre la historia de Cuba. Luego cambia cada oración de voz activa a voz pasiva usando **ser** + *participio pasado* + **por** + *agente*.

MODELO   *Diego de Velázquez fundó La Habana en 1515.*
La Habana fue fundada por Diego de Velázquez en 1515.

1. Varios bucaneros franceses atacaron este puerto en el siglo XVI.

   _____

   _____

2. Por eso el gobierno colonial español construyó varios fuertes.

   _____

   _____

3. Ricos comerciantes edificaron verdaderos palacios.

   _____

   _____

4. Los ingleses ocuparon la ciudad durante once meses en 1762.

   _____

   _____

5. La UNESCO* ha protegido La Habana Vieja como un tesoro de la humanidad.

   _____

   _____

6. El gobierno comunista ha construido grandes edificios de apartamentos fuera de la ciudad.

   _____

   _____

*United Nations Educational, Scientific, and Cultural Organization

J **Los resultados del embargo.** Expresa los siguientes hechos acerca del embargo contra Cuba en voz pasiva. Primero, usa el verbo **ser** y expresa el **agente**, luego usa el **se pasivo impersonal** sin el agente.

MODELO *EE.UU. impuso un embargo contra Cuba en 1961.*
             a. Un embargo contra Cuba fue impuesto por EE.UU. en 1961.
             b. Se impuso un embargo contra Cuba en 1961.

1. El embargo ha causado problemas económicos.

    a. _____

    b. _____

2. Muchos economistas culpan al gobierno comunista.

    a. _____

    b. _____

3. Muchos políticos cubanoamericanos apoyan las medidas contra Cuba.

    a. _____

    b. _____

4. Los jóvenes cubanos esperan cambios rápidos.

    a. _____

    b. _____

5. Oficiales estadounidenses entrevistarán a los inmigrantes cubanos legales.

    a. _____

    b. _____

6. El gobierno cubano ha recibido a varios dirigentes del exilio.

    a. _____

    b. _____

K **José Martí**. Para repasar lo que aprendiste del héroe nacional de Cuba, traduce las siguientes oraciones al español.

1. José Martí was incarcerated by the Spanish authorities in 1869.

_____

_____

_____

2. His first book was published in New York by a friend of his who owned a printing press (**una imprenta**).

_____

_____

_____

3. Some of his poems are considered the best examples of Latin American lyrical poetry of the nineteenth century.

_____

_____

_____

4. Some of the lyrics (**versos**) of the famous song "Guantanamera" were based on Martí's *Versos sencillos*.

_____

_____

_____

Ortografía

L **Las letras _b_ y _v_.** Escribe las letras que faltan en las siguientes palabras.

1. ___ isemanal
2. ad ___ ertencia
3. o ___ sesión
4. ___ ioquímica
5. o ___ scuro
6. su ___ le ___ ar
7. o ___ ligación
8. tro ___ ador

9. ___ izco
10. ___ eis ___ olista
11. ___ igote
12. o ___ jetivos
13. ad ___ ersario
14. ___ iografía
15. inter ___ ención
16. perse ___ erancia

Correspondencia práctica

Una carta entre amigos

La comunicación escrita entre amigos en español es muy similar a las cartas en inglés. Quizás la única diferencia sea que en español se espera un nivel de cortesía más formal que en inglés. A continuación hay algunas fórmulas de cortesía frecuentemente usadas en cartas entre amigos.

- **La fecha**—Generalmente se sitúa en la parte superior derecha de la hoja de papel y sigue uno de estos dos formatos:

  El 16 de mayo de 1995 o **16 de mayo de 1995**

- **La dirección**—Como en inglés, no se usa en cartas entre amigos. En el sobre se usan los títulos **Sr., Sra., Srta., Sres.** además de **Doc., Lic., Arq., Ing.,** etc.

- **El saludo**—Siempre se cierra con dos puntos.

  Querida Mariela: Querido Fernando:

  Estimada amiga: Estimados amigos:

  Queridísima madre: Queridísimo Antonio:

- **El cuerpo**—Éste contiene la información que uno quiere comunicarle(s) a su(s) amigo(s). A continuación hay algunos modelos que muestran cómo empezar y terminar una carta entre amigos.

  Para contestar una carta

  Al regresar de mi largo viaje me encontré con tu carta de (fecha)...

  Hoy recibí tu carta y quiero decirte que...

  No sabes cuánto agradezco tu carta de (fecha)...

  Para empezar una carta

  Deseo que se encuentren todos bien de salud y...

  Les envío estas líneas para avisarles que...

  Acabamos de enterarnos que...

Para terminar una carta

Atentamente,

Afectuosamente,

Con mucho cariño,

Recibe un abrazo de tu amigo(a),

Te abraza respetuosamente tu amigo(a),

Con afecto y admiración,

- **La firma**—Ésta aparece a la derecha de la hoja de papel debajo de la oración que termina la carta.

- **Posdata**—Si es necesario añadir más información, se agrega debajo de la firma después de las iniciales "**P.D.**" a la izquierda de la página.

MODELO

21 de enero de 1996

Queridísima Marta:

No sabes cuánto agradezco tu carta del 16 de enero. Perdona que no te haya contestado antes pero como has de saber, estoy muy ocupada preparándome para las competencias del mes que entra.

Lo cual me lleva al motivo de esta carta. Me encantaría que me acompañaras a las competencias este año. Sé que te gusta mucho la natación y como van a ser aquí mismo en San Juan, ¿por qué no vienes y te quedas con nosotros una o dos semanas? A mi familia le encantaría verte de nuevo. ¿Qué dices? Espero que me digas que sí.

Recibe un abrazo muy fuerte de tu amiga,

Isabel

M **¡Una carta entre amigos!** En una hoja en blanco, escríbele una carta a un(a) amigo(a) en el Caribe, invitándole a visitarte en EE.UU. Pregúntale sobre su familia y cuéntele lo que harán durante su visita.

Lengua en uso

Variantes coloquiales: El habla caribeña

En la Unidad 1 aprendiste que el habla caribeña se caracteriza por una riqueza de variantes que incluyen consonantes sustituidas por vocales aspiradas, sílabas o letras desaparecidas y unas consonantes sustituidas por otras. En el español hablado en el Caribe con frecuencia también se omite la **s*** y se pierden las últimas letras de una palabra*: están = etán, caos = cao.

N   **Poesía cubana.** Lee primero el siguiente poema del poeta cubano Nicolás Guillén donde aparecen algunas palabras del uso coloquial y luego cambia las palabras indicadas al español formal. Lee el poema una vez más sustituyendo todas las variantes coloquiales con el español formal.

Búcate plata

Búcate plata,
búcate plata
porque no doy un paso má:
etoy a arró con galleta
na má.

Yo bien sé cómo etá to
pero viejo, hay que comer
búcate plata, búcate plata
porque me voy a correr.

Depué dirán que soy mala,
y no me querrán tratar
pero amor con hambre, viejo,
¡qué va!
Con tanto zapato nuevo,
¡qué va!
Con tanto reló, compadre,
¡qué va!
Con tanto lujo, mi negro,
¡qué va!

Palabra coloquial	Palabra formal
1. búcate	_____
2. má	_____
3. etoy	_____
4. arró	_____
5. galleta	_____
6. na	_____
7. etá	_____
8. to	_____
9. depué	_____
10. reló	_____

*Esto también es característico del español hablado en el sur de España.

Vocabulario activo

A continuación se encuentra el vocabulario activo de las secciones **Gente del Mundo 21** y **Del pasado al presente** de la Lección 1. En los espacios en blanco bajo cada tema, añade otras palabras que has aprendido en esta lección y que crees que te serán útiles.

Gente del Mundo 21

aclamado(a)	exuberante
afrocubano(a)	fracasar
amnistiado(a)	intento
antepasados	mezclar
controvertido(a)	reconocido(a)
dictadura	ritmo
dirigente	trópico

Del pasado al presente

Los primeros habitantes y *El período colonial*

caña	isla
colonización	maltrato
cultivo	mina
diverso(a)	pesca
enriquecerse	rostro
esclavo(a)	suicidio
exterminado(a)	tribu
exterminio	

El proceso de independencia y *La Guerra Hispano-estadounidense*

armada _____	inexplicable _____
buque _____	lograr _____
consolidar _____	ocupación _____
estallar _____	pretexto _____
explosión _____	victoria _____
firmado(a) _____	_____
_____	_____

La Revolución Cubana

bloqueo _____	movimiento _____
diplomático(a) _____	nacionalizar _____
escaso(a) _____	provocar _____
experiencia _____	rompimiento _____
guerrillero(a) _____	soviético(a) _____
inversión _____	_____
_____	_____

Cubanos al exilio y *Sociedad en crisis*

acuerdo _____	emigrante _____
clase acomodada _____	leal _____
clase trabajadora _____	misil _____
derrotado(a) _____	primer ministro _____
ejército _____	_____
_____	_____
_____	_____

Relación. Indica qué palabra o expresión de la segunda columna describe correctamente cada palabra de la primera.

_____ 1. estallar   **a.** insuficiente

_____ 2. lograr   **b.** resolución

_____ 3. escaso   **c.** salir mal

_____ 4. rompimiento   **d.** explotar

_____ 5. acuerdo   **e.** liberado

_____ 6. rostro   **f.** director

_____ 7. amnistiado   **g.** combinar

_____ 8. dirigente   **h.** obtener

_____ 9. fracasar   **i.** cara

_____ 10. mezclar   **j.** ruptura

O **Lógica.** En cada grupo de palabras, subraya aquélla que no esté relacionada con el resto.

1. isla	rostro	trópico	caña
2. exterminados	esclavos	colonización	pesca
3. buque	maltrato	exterminio	suicidio
4. ocupación	bloqueo	soviético	lograr
5. ejército	guerrillero	escaso	misil

Composición: *Expresar opiniones*

P **El bloqueo de EE.UU. contra Cuba.** En una hoja en blanco escribe una composición argumentando una posición a favor o en contra del embargo comercial decretado por el gobierno de los EE.UU. contra Cuba desde 1961.

¡A escuchar!

El Mundo 21

A   **Político dominicano.** Escucha con atención lo que dice un profesor de la Universidad de Santo Domingo a un grupo de estudiantes extranjeros que están estudiando en la República Dominicana y luego marca si cada oración que sigue es **cierta (C), falsa (F)** o si no tiene relación con lo que escuchaste **(N/R)**. Si la oración es falsa, corrígela.

C   F   N/R   **1.** Aunque tiene el nombre de República Dominicana, en este país no se celebran regularmente elecciones.

_____

_____

C   F   N/R   **2.** Rafael Leónidas Trujillo duró más de treinta años en el poder.

_____

_____

C   F   N/R   **3.** Joaquín Balaguer fue nombrado presidente por primera vez en 1966.

_____

_____

C F N/R **4.** En la República Dominicana el presidente no se puede reelegir.

_____

_____

C F N/R **5.** Las elecciones presidenciales de 1994 causaron mucha controversia debido a que desapareció casi un tercio de los votos.

_____

_____

B **Xibá.** Escucha lo que dice esta joven dominicana del té de krechí y luego marca si cada oración que sigue es **cierta (C), falsa (F)** o si no tiene relación con lo que escuchaste (**NR**). Si la oración es falsa, corrígela.

C F N/R **1.** La primera Xibá fue la madre de la joven dominicana que narra este relato.

_____

C F N/R **2.** La primera Xibá fue una princesa africana.

_____

C F N/R **3.** El té de krechí es una bebida japonesa muy popular en toda Centroamérica.

_____

C F N/R **4.** El té de krechí ayuda a proteger de los malos espíritus y de las pesadillas.

_____

C F N/R **5.** La magia del té de krechí sólo funciona de noche porque requiere los rayos de la luna.

_____

C **Discurso político.** Usando la lista que aparece a continuación, indica si el candidato que vas a escuchar menciona (**Sí**) o no (**No**) el programa indicado. Escucha una vez más para verificar tus respuestas.

Sí   No   **1.** Acelerar la construcción de edificios.

Sí   No   **2.** Mejorar la educación.

Sí   No   **3.** Eliminar la pobreza.

Sí   No   **4.** Controlar la inflación.

Sí   No   **5.** Disminuir el desempleo.

Sí   No   **6.** Crear nuevos trabajos.

Sí   No   **7.** Acelerar el ritmo de las exportaciones.

Pronunciación y ortografía

Pronunciación y ortografía de las letras *q, k* y *c*. La **q** y la **k**, y la **c** antes de las vocales **a**, **o**, y **u**, se pronuncian de la misma manera. Con la excepción de algunas palabras incorporadas al español como préstamos de otros idiomas *(quáter, quásar, quórum)* este sonido sólo ocurre con la **q** en las combinaciones **que** o **qui.** Con la **k,** el sonido sólo ocurre en palabras prestadas o derivadas de otros idiomas, como *kabuki, karate, kibutz, koala, kilo.* Con la **c,** este sonido sólo ocurre en las combinaciones **ca, co,** y **cu.** Estudia la ortografía de estas palabras mientras la narradora las lee.

complejo	**que**mar	**ka**mi**ka**ze
ex**ca**vaciones	oligar**quí**a	**ka**yak
cultivar	ata**que**	**ki**lómetro

D **Deletreo con las letras *q, k* y *c*.** Ahora escucha a los narradores leer las siguientes palabras y escribe las letras que faltan en cada una.

1. ___ ___ n e x i ó n

2. a r ___ ___ ___ o l ó g i ___ ___

3. ___ ___ m e r c i a n t e

4. m a g n í f i ___ ___

5. ___ ___ ___ c h é

6. b l o ___ ___ ___ a r

7. d e r r o ___ ___ d o

8. ___ ___ ___ t z a l c ó a t l

Dictado. Escucha el siguiente dictado e intenta escribir lo más que puedas. El dictado se repetirá una vez más para que revises tu párrafo.

La cuna de América

_____

_____

_____

_____

_____

_____

_____

_____

_____

_____

_____

_____

_____

_____

_____

_____

_____

_____

_____

_____

_____

¡A explorar!

Variantes coloquiales: Haiga, váyamos, puédamos, sálganos, etc.

En el mundo hispano existen variantes coloquiales de algunas formas verbales en el presente de subjuntivo. Las siguientes son unas de las más comunes.

- En vez de la forma estandarizada **haya**, **hayas**, **haya**, etc., algunos hispanohablantes dicen **haiga**, **haigas**, **haiga**, etc.

Estándar (hablado y escrito)	**Variante coloquial** (hablado, no escrito)
Es probable que **haya** elecciones democráticas.	Es probable que **haiga** elecciones democráticas.
Espero que no la **hayas** visto.	Espero que no la **haigas** visto.

- Igualmente es común en las conjugaciones de la primera persona plural como **tengamos** que el acento se mude de la penúltima sílaba a la antepenúltima y se diga **téngamos**.

Estándar (hablado y escrito)	**Variante coloquial** (hablado, no escrito)
Ojalá (que) **lleguemos** a tiempo.	Ojalá (que) **lléguemos** a tiempo.
Quizás **vayamos** el sábado.	Quizás **váyamos** el sábado.

- Con verbos de cambio en la raíz, la tendencia es también a irregularizar la conjugación de la primera persona plural.

Estándar (hablado y escrito)	**Variante coloquial** (hablado, no escrito)
Tal vez **podamos** hacerlo esta tarde.	Tal vez **puédamos** hacerlo esta tarde.
Es posible que **volvamos** mañana por la noche.	Es posible que **vuélvamos** mañana por la noche.

- Algunos hispanohablantes cambian la terminación de **-mos** a **-nos**; por ejemplo dicen **sálganos** en vez de **salgamos**.

Estándar (hablado y escrito)	**Variante coloquial** (hablado, no escrito)
Quieren que **traigamos** a los niños.	Quieren que **tráiganos** a los niños.
Dudo que **salgamos** a tiempo.	Dudo que **sálganos** a tiempo.

Vamos al concierto. Las hermanas Martínez esperan ir a un concierto de Juan Luis Guerra. Lee lo que dicen y reescribe las oraciones usando las formas estandarizadas donde ellas hayan usado formas verbales coloquiales.

1. Ojalá que puédamos conseguir boletos para el concierto de Juan Luis Guerra.

_____

_____

_____

2. Espero que haiga buenos asientos cerca del escenario.

_____

_____

_____

3. Es fabuloso que ahora váyamos finalmente a conocer a este gran cantante.

_____

_____

_____

4. Es posible que ténganos que hacer cola por horas.

_____

_____

_____

5. Papá quiere que vuélvanos temprano a casa.

_____

_____

_____

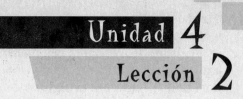
Gramática en contexto

4.3 El presente de subjuntivo

F **Noche de diversión.** Tus amigos quieren ir a un concierto de Charytín mañana. Para enterarte de sus planes y sus ideas para lograrlos, completa el siguiente texto con las formas apropiadas de los verbos que aparecen entre paréntesis.

1. No sé si podré ir con ustedes. Quizás mi jefe me _____ (pedir)

   que _____ (trabajar) tarde mañana.

2. No digas eso Carmela. Ojalá que todavía _____ (haber)

   entradas para el concierto de Charytín, y ojalá que José Diego las

   _____ (conseguir) sin ningún problema.

3. El problema es el transporte, Marina. Ojalá que el padre de José Diego

   le _____ (prestar) el carro.

4. Quizás José Diego no _____ (tener) que pedírselo. Mira, ahí

   viene Silvia. Tal vez ella nos _____ (poder) llevar.

¡Protesta! En su obra *Tres hermanas*, una escritora dominicana presenta a Elena, Patria y Perla, las protagonistas principales. En el primer capítulo, ellas ayudan a organizar una huelga contra una compañía azucarera dominicana. Para conocer un poco de la vida de las tres hermanas, completa el siguiente texto con las formas apropiadas de los verbos que aparecen entre paréntesis.

—Dolores, Elena quiere que mañana tú y yo _____

(1. levantarse) bien temprano. Quiere que tú y yo _____

(2. encabezar) la manifestación y marcha.

—Patria, ojalá que _____ (3. ir) muchos a la protesta. Tal vez

papá también nos _____ (4. ofrecer) su ayuda. Como nosotras,

él quiere que los jefes _____ (5. saber) de la determinación de

los trabajadores. ¿A qué hora debemos estar allí?

—Elena quiere que _____ (6. llegar) a las cuatro de la mañana

para que _____ (7. concluir) la protesta a las nueve, cuando

muchas de las madres llevan a sus niños a la escuela.

—Dolores, ojalá que no nos _____ (8. sentir) muy cansadas

porque papá quiere que después tú y yo le _____ (9. traducir)

la carta de demandas que mandará a la oficina principal de la planta

azucarera.

4.4 Mandatos formales e informales

Charytín aconseja. ¿Qué les aconseja Charytín a sus televidentes sobre cómo mantenerse en forma? Como ella quiere crear una relación personal e informal con su público, siempre les habla de "tú". Pon los verbos entre paréntesis en **mandatos en tú** para aprender los consejos de esta muy conocida artista dominicana.

_____ (1. Elegir) verduras y frutas como la base principal de

tu dieta. Todo el tiempo que sea posible, _____ (2. salir) a

caminar o _____ (3. hacer) otro tipo de ejercicio todos los días, por

lo menos una hora. _____ (4. Mantener) una actitud positiva.

Claro, _____ (5. restringir) los dulces y pastelitos. No

_____ (6. freír) ni _____ (7. usar) mantequilla al cocinar.

Después de tres semanas de este régimen, _____ (8. ponerse) frente

al espejo para que veas cómo se ha transformado tu forma.

I **Consejos.** Pronto vas a empezar tus estudios en la universidad. ¿Qué consejos te da una amiga que ya está asistiendo a clases allí? Usa **mandatos en tú**.

MODELO   *No _____ (tomar) demasiadas clases el primer semestre.*
No tomes demasiadas clases el primer semestre.

1. _____ (Hacer) ejercicio todos los días.

2. _____ (Llegar) temprano a tus clases.

3. No _____ (perder) el tiempo en puras fiestas.

4. _____ (Escoger) un lugar tranquilo donde estudiar.

5. _____ (Hablar) por teléfono con frecuencia con tu familia.

6. _____ (Tomar) apuntes en todas tus clases.

7. _____ (Concentrarse) durante los exámenes.

8. _____ (Divertirse) a veces con tus amistades verdaderas.

J **Para no enojarse.** Estás en el aeropuerto de Santo Domingo pasando el tiempo hasta que tu vuelo salga. Te sientas a leer un artículo en tu revista favorita, *Tú Internacional,* sobre el enojo y cómo controlarlo. ¿Cuáles son algunos consejos que aparecen en el artículo? Usa **mandatos en ustedes**.

MODELO   _____ *(Contar) hasta diez antes de abrir la boca.*

Cuenten hasta diez antes de abrir la boca.

1. _____ (Pensar) en algo positivo al momento.

2. _____ (Imaginarse) que ustedes son locutores de la

   televisión.

3. _____ (Recordar) la última vez que ustedes hicieron lo

   mismo.

4. _____ (Considerar) que todos los humanos somos hermanos.

5. No _____ (decir) malas palabras.

6. _____ (Suponer) que están tomando el sol en una hermosa

   isla del Caribe.

Ortografía

K Las letras *q, k* y *c.* Escribe las letras que faltan en las siguientes palabras.

1. conse ___ uencia
2. tran ___ uilos
3. agua ___ ate
4. es ___ uemático
5. ___ ilograma
6. e ___ uivalente
7. ___ ualidades
8. épo ___ a

9. yan ___ ui
10. es ___ ueleto
11. es ___ uadrón
12. ___ olor
13. puertorri ___ ueña
14. ___ ios ___ o
15. dis ___ uera
16. ___ uinientos

Lengua en uso

La tradición oral

Dentro de la tradición oral hispana, la canción siempre ha servido para comunicar no sólo sentimientos de amor y de tristeza, sino también hazañas de héroes, hechos históricos y hasta chismes del barrio. En el pasado los cantos épicos y algunos líricos sirvieron no sólo para entretener sino también para informar al público de sucesos importantes. De la Edad Media, por ejemplo, nos quedan restos de las jarchas, poemas líricos mozárabes; y los poemas épicos, tal como el "Cantar de Mío Cid". Esta tradición de canciones populares continúa a lo largo de la literatura hispana y sigue hasta el presente con los corridos mexicanos, las rumbas y los mambos cubanos y los merengues dominicanos. Observa ahora cómo la tradición oral continúa en el merengue de Juan Luis Guerra que está a continuación.

L **"Los mangos bajitos"**. Ahora escucha el siguiente merengue y escribe las palabras que faltan. La canción se va a repetir dos veces.*

Los mangos bajitos
de Juan Luis Guerra

Dice don Martín Garata,

persona de alto _____(1),

que le gusta mucho el mango

porque es una fruta _____(2),

pero _____(3) en la mata,

ay, eso no,

y verse en los cogollitos,

ay, eso no,

y en aprietos _____(4),

ay, eso no,

como eso es tan peligroso,

uh, uh,

él encuentra más _____(5)

coger los mangos bajitos,

ay ñeñe,

coger los mangos bajitos,

tú dile,

coger los mangos bajitos.

Dice don Martín también

que le gusta la castaña

pero cuando mano _____(6)

la saca de la _____(7)

y que se la pelen bien,

ay, eso sí,

con todos los _____(8),

ay, eso sí,

pero _____(9) los deditos,

ay, eso no,

metiéndolos en la _____(10),

uh,

eso sí que no se llama

coger los mangos bajitos. *(Se repite.)*

Por eso la suerte _____(11)

de mi vida no _____(12)

porque muchos son ahora

como don Martín Garata,

que quieren meterse en plata,

ay, eso sí,

ganando cuartos mansitos,

ay, eso sí,

con _____(13) bonitos,

ay, eso no,

con chivos y _____(14),

sin dar un golpe y soñando,

coger los mangos bajitos,

ay ñeñe,

coger los mangos bajitos,

tú dile,

coger los mangos bajitos.

(Improvisación.)

*La canción se encuentra después de la sección **¡A escuchar!** en la audiocinta para esta lección.

Definiciones. Para asegurar que sabes el significado de todas las palabras que escribiste en la canción **"Los mangos bajitos"**, selecciona la palabra en la segunda columna que mejor define las palabras de la primera columna.

_____	1. treparse	**a.**	fuego
_____	2. suerte	**b.**	buena
_____	3. grata	**c.**	quemarse
_____	4. arderse	**d.**	venta clandestina de mercancías
_____	5. monopolios	**e.**	subirse
_____	6. flama	**f.**	inmensos
_____	7. rango	**g.**	control exclusivo
_____	8. contrabando	**h.**	infeliz
_____	9. infinitos	**i.**	grado
_____	10. ingrata	**j.**	destino

Vocabulario activo

A continuación se encuentra el vocabulario activo de las secciones **Gente del Mundo 21** y **Del pasado al presente** de la Lección 2. En los espacios en blanco bajo cada tema, añade otras palabras que has aprendido en esta lección y que crees que te serán útiles.

Gente del Mundo 21

adversario(a) _____	lanzador(a) _____
animador(a) _____	mellizo(a) _____
biografía _____	oposición _____
carismático(a) _____	pelotero(a) _____
derecho _____	programa de variedades _____
desempeñar _____	reelegido(a) _____
ejercicio físico _____	Serie Mundial _____
fama _____	yerno _____
jugador(a) más valioso(a) _____	_____
_____	_____
_____	_____

Del pasado al presente

Capital del imperio español en América

bucanero _____	gótico(a) _____
cabildo _____	marítimo(a) _____
explotación _____	monumento _____
forzado(a) _____	pirata _____
fundado(a) _____	restos _____
_____	_____
_____	_____
_____	_____

La independencia

alternar _____	dominar _____
anexión _____	proclamar _____
colaborador(a) _____	quedar _____
corrupto(a) _____	_____
_____	_____
_____	_____
_____	_____
_____	_____
_____	_____

La dictadura de Trujillo y *La realidad actual*

asesinato _____	exportación _____
catastrófico(a) _____	importación _____
consolidación _____	intervención _____
estado caótico _____	ocupación militar _____
_____	_____
_____	_____
_____	_____
_____	_____
_____	_____

N **Dominicanos de gran fama.** Indica cuál de las opciones completa correctamente las siguientes oraciones.

1. Charytín, cantante dominicana de gran fama en la televisión internacional, es madre de dos...

   a. peloteros

   b. mellizos

   c. yernos

2. Joaquín Balaguer estudió ... en la Universidad de Santo Domingo.

   a. derecho

   b. importación y exportación

   c. programas de variedades

3. En 1990, José Rijo fue reconocido como el mejor ... de las dos ligas de béisbol de EE.UU.

   a. marítimo

   b. animador

   c. lanzador

4. Juan Bosch, carismático político y escritor dominicano, escribió cuentos y...

   a. un libro de poesía

   b. una biografía

   c. una historia de bucaneros

5. Charytín es cantante y ... de un programa de variedades internacional.

   a. directora

   b. maquilladora

   c. animadora

Ñ **Relación.** Indica qué palabra o frase de la segunda columna describe correctamente cada palabra de la primera.

_____ **1.** asesinato

_____ **2.** quedar en

_____ **3.** cabildo

_____ **4.** adversario

_____ **5.** marítimo

_____ **6.** gótico

_____ **7.** desempeñar

_____ **8.** mellizo

_____ **9.** animador

_____ **10.** alternar

a. medieval

b. turnar

c. hacer un papel

d. gemelo

e. homicidio

f. presentador

g. ayuntamiento

h. enemigo

i. oceánico

j. decidir

Composición: *Informar*

O **El diario de Cristóbal Colón.** Imagina que tú eres el famoso almirante Cristóbal Colón y en el diario que escribes para la reina Isabel la Católica le informas que el 6 de diciembre de 1492 llegaste a una hermosa isla que los indígenas llaman Quisqueya, pero tú le has dado el nuevo nombre de La Española. En una hoja en blanco dirige esta carta a la Reina y explícale brevemente lo sucedido ese día.

¡A escuchar!

El Mundo 21

Luis Muñoz Marín. En una escuela secundaria de San Juan de Puerto Rico, una maestra de historia les hace preguntas a sus alumnos. Escucha con atención lo que dicen y luego marca si cada oración que sigue es **cierta (C), falsa (F)** o si no tiene relación con lo que escuchaste **(N/R).** Si la oración es falsa, corrígela.

C   F   N/R   **1.** Luis Muñoz Marín fue el primer gobernador de Puerto Rico elegido directamente por los puertorriqueños.

_____

_____

C   F   N/R   **2.** Luis Muñoz Marín fue elegido gobernador por primera vez en 1952.

_____

_____

C   F   N/R   **3.** Su partido político era el Partido Popular Democrático.

_____

_____

C F N/R **4.** El gobierno de Luis Muñoz Marín nunca aprobó que Puerto Rico se tranformara en Estado Libre Asociado de EE.UU.

_____

_____

C F N/R **5.** Luis Muñoz Marín fue elegido gobernador de Puerto Rico cuatro veces.

_____

_____

B **El futuro de Puerto Rico.** Escucha lo que dice una señora puertorriqueña y luego indica si las afirmaciones que siguen reflejan (**Sí**) o no (**No**) la opinión de esta persona. Escucha una vez más para verificar tus respuestas.

Sí **No** **1.** Es bueno que Puerto Rico sea un Estado Libre Asociado.

Sí **No** **2.** Es necesario poder votar en las elecciones presidenciales de EE.UU.

Sí **No** **3.** No es importante que se mantengan la lengua y la herencia hispanas.

Sí **No** **4.** Puerto Rico necesita la ayuda del gobierno federal de EE.UU.

Sí **No** **5.** Las compañías norteamericanas son esenciales para la buena economía de la isla.

Sí **No** **6.** Es mejor pagarle impuestos federales a Puerto Rico.

C **¿Estado número 51?** Escucha la opinión de la persona que habla y luego indica si mencionó (**Sí**) o no (**No**) las afirmaciones que siguen. Escucha una vez más para verificar tus respuestas.

Sí **No** **1.** Los puertorriqueños y los norteamericanos deben tener los mismos derechos.

Sí **No** **2.** Los puertorriqueños necesitan aumentar su representación política en Washington.

Sí **No** **3.** Ninguna empresa norteamericana va a salir de Puerto Rico.

Sí **No** **4.** El desempleo puede aumentar.

Sí **No** **5.** No es bueno que Puerto Rico sea un Estado Libre Asociado.

Sí **No** **6.** Los puertorriqueños deben pagar impuestos federales.

Sí **No** **7.** En el futuro los puertorriqueños deberán hablar solamente inglés.

Pronunciación y ortografía

Guía para el uso de la letra *c*. En la unidad anterior aprendiste que la **c** en combinación con la **e** y la **i** tiene el sonido **/s/*** y que frente a las vocales **a**, **o**, y **u** tiene el sonido **/k/**. Observa esta relación entre los sonidos de la letra **c** y el deletreo al escuchar a la narradora leer estas palabras.

/k/	**/s/**
catastrófi**ca**	**ce**der
constitución	**ci**viliza**ci**ón
cuentos	**ci**vil
electróni**co**	enrique**ce**rse
vo**ca**lista	exporta**ci**ón
gigantes**co**	recono**ci**do

D **Los sonidos /k/ y /s/.** Ahora, escucha a los narradores leer las siguientes palabras. Marca con un círculo el sonido que oyes en cada una.

1. **/k/** **/s/**   6. **/k/** **/s/**

2. **/k/** **/s/**   7. **/k/** **/s/**

3. **/k/** **/s/**   8. **/k/** **/s/**

4. **/k/** **/s/**   9. **/k/** **/s/**

5. **/k/** **/s/**   10. **/k/** **/s/**

E **Deletreo con la letra *c*.** Ahora, escucha a los narradores leer las siguientes palabras y escribe las letras que faltan en cada una.

1. e s ___ ___ n a r i o   6. ___ ___ ñ a

2. a s o ___ ___ a d o   7. p r e s e n ___ ___ a

3. ___ ___ l o n o   8. a ___ ___ l e r a d o

4. d e n o m i n a ___ ___ ó n   9. p e t r o q u í m i ___ ___

5. g i g a n t e s ___ ___   10. f a r m a ___ ___ u t i ___ ___

*En España, la **c** delante de la **e** o la **i** tiene el sonido de la combinación *th* en inglés.

Dictado. Escucha el siguiente dictado e intenta escribir lo más que puedas. El dictado se repetirá una vez más para que revises tu párrafo.

Estado Libre Asociado de EE.UU.

_____

_____

_____

_____

_____

_____

_____

_____

_____

_____

_____

_____

_____

_____

_____

_____

_____

_____

_____

_____

_____

_____

¡A explorar!

Expresiones impersonales y el subjuntivo

- **Expresiones impersonales** son expresiones que no tienen un sujeto específico. Un gran número de estas frases se forman con el verbo **ser** seguido de un adjetivo. Las siguientes son unas de las más comunes.

ser bueno	ser importante	ser preciso
ser cierto	ser imposible	ser probable
ser claro	ser improbable	ser recomendable
ser curioso	ser mejor	ser seguro
ser dudoso	ser necesario	ser terrible
ser evidente	ser obvio	ser triste
ser fantástico	ser posible	

> **¿Es recomendable** ser independiente?
>
> *Is it advisable to be independent?*

> **Es mejor** que no votemos por la independencia.
>
> *It is better that we not vote for independence.*

- Con excepción de las expresiones impersonales que expresan certidumbre: **es cierto, es claro, es evidente, es obvio, es seguro, es verdad** y **no hay duda**, cuando se usa una expresión impersonal en una oración, el verbo conjugado que la sigue siempre está en el subjuntivo. Si un verbo conjugado sigue una expresión de certidumbre, siempre está en el indicativo.

> —**Es dudoso** que los puertorriqueños **voten** por la independencia.

> —Sí, porque la mayoría cree que **es mejor** que **continúen** con el Estado Libre Asociado.

> —¡Claro! **Es obvio** que nadie **quiere** pagar impuestos federales.

La reunión. Unos vecinos puertorriqueños están organizando una reunión para hablar a fondo de la política independentista. Con los elementos dados, completa las siguientes oraciones que señalan la estrategia y planificación para esa reunión.

MODELO *bueno / todos Uds. estar / aquí hoy día*
Es bueno que todos Uds. estén aquí hoy día.

1. preciso / la profesora Muñoz incluir / información sobre el estado económico actual del país

   _____

   _____

2. dudoso / nosotros poder / terminar los preparativos para la reunión en dos horas

   _____

   _____

3. obvio / haber / mucha gente en la reunión esa noche

   _____

   _____

4. necesario / los jóvenes organizar / un programa especial para entretener a los niños

   _____

   _____

5. posible / el invitado especial no llegar / a tiempo por el tráfico

   _____

   _____

6. bueno / nuestra comunidad analizar / estos asuntos de gran importancia

   _____

   _____

7. evidente / este evento ser / de gran significado para todos

   _____

   _____

Gramática en contexto

4.5 El subjuntivo en cláusulas sustantivas

G **Vida de casados.** Los estudiantes expresan su opinión acerca de lo que es importante para las personas casadas.

MODELO   *importante / entenderse bien*
Es importante que se entiendan bien.

1. esencial / respetarse mutuamente

   _____

   _____

2. recomendable / ser francos

   _____

   _____

3. mejor / compartir las responsabilidades

   _____

   _____

4. necesario / tenerse confianza

   _____

   _____

5. preferible / ambos hacer las tareas domésticas

   _____

   _____

6. bueno / ambos poder realizar sus ambiciones profesionales

   _____

   _____

H **El béisbol en el Caribe.** Con los elementos dados, completa las siguientes oraciones acerca de la importancia del béisbol en el Caribe.

MODELO *sorprendente: el béisbol / ser el deporte favorito de los caribeños*
Es sorprendente que el béisbol sea el deporte favorito de los caribeños.

1. dudoso: muchos norteamericanos / saber lo importante que es el béisbol en el Caribe

   _____

   _____

2. evidente: a los caribeños / gustarles mucho el béisbol

   _____

   _____

3. curioso: haber tantos beisbolistas caribeños talentosos

   _____

   _____

4. fantástico: muchos jugadores profesionales de EE.UU. / venir del Caribe

   _____

   _____

5. cierto: muchos jugadores caribeños / triunfar en las grandes ligas

   _____

   _____

6. increíble: los equipos de las grandes ligas / mantener academias de béisbol en la República Dominicana

   _____

   _____

7. natural: muchos jugadores caribeños / preferir jugar en EE.UU.

   _____

   _____

I **Reacciones**. Indica tu reacción cuando te comunican estas noticias tus amigos.

Vocabulario útil		
alegrarse	lamentar	sorprenderse
enojarse	sentir	temer

MODELO   *Manolo es miembro del Club de Español.*
Me alegro que Manolo sea miembro del Club de Español.

1. Enrique no sabe bailar salsa.

_____

2. Yo pago las entradas al concierto de Chayanne.

_____

_____

3. Javier miente de vez en cuando.

_____

4. Yolanda influye en todas nuestras decisiones.

_____

_____

5. Lorena va a conocer a la escritora Rosario Ferré después de su conferencia.

_____

_____

6. Gonzalo juega al fútbol con nuestro equipo.

_____

7. Carmela comienza clases de piano este verano.

_____

_____

Viaje a Puerto Rico. Walter Camacho de la Ciudad de Nueva York les explica a sus amigos lo que piensa hacer durante el mes de vacaciones que tomará en Puerto Rico.

Es posible que me _____ (1. quedar) en San Juan por una

semana y después _____ (2. ir) a Ponce para pasar unos días con

mis abuelos. Espero _____ (3. poder) también visitar la montaña

de El Yunque. Es probable que _____ (4. invitar) a mis primos y

primas a bailar en una discoteca. Dudo que durante esos días

_____ (5. querer) comer hamburguesas. Ojalá mis tías

_____ (6. cocinar) mis platillos puertorriqueños favoritos, pero

espero no _____ (7. engordar) demasiado. Quizás no

_____ (8. regresar) a Nueva York hasta que termine el verano.

Ortografía

K **Deletreo con las letras _q, k, s_ y _c._** La **q, k,** y **c** con frecuencia representan un solo sonido. Lo mismo ocurre con la **s** y la **c.** Escribe las letras que faltan en las siguientes palabras.

1. i n m e n ___ o

2. b a ___ t i ó n

3. v o ___ a l i s t a

4. r o ___ u e r o

5. a ___ e l e r a d o

6. p e r m a n e ___ e r

7. ___ i l ó m e t r o

8. f a r m a ___ é u t i ___ o

9. e ___ ___ u e l a

10. d e p r e ___ i ó n

Lengua en uso

Variantes coloquiales: Interferencia en la lengua escrita

A veces la lengua escrita refleja algunas de las variantes coloquiales de la lengua hablada: la omisión de ciertas consonantes y letras, la sustitución de unas consonantes por otras y el uso de palabras regionales. Además de estas variantes, es común ver errores ortográficos que hispanohablantes de todo el mundo tienden a hacer: 1) la confusión de la **b** y la **v**; de la **s**, la **z** y la **c**; de la **y** y la **ll**; 2) la omisión de la **h** y, claro, 3) la acentuación.

L **"La carta"**. En un cuento del escritor puertorriqueño José Luis González aparece una carta escrita por un joven que se ha mudado del campo a la capital, San Juan. Escribe de nuevo la carta cambiando la lengua campesina a una más formal y corrigiendo los errores de acentuación y deletreo.

> San Juan, Puerto Rico
> 8 de marso de 1947
>
> Qerida bieja:
>
> Como yo le desia antes de venirme, aqui las cosas me van vién. Desde que llegué enseguida incontré trabajo. Me pagan 8 pesos la semana y con eso bivo igual que el administrador de la central allá.
>
> La ropa aquella que quedé de mandale, no la he podido comprar pues qiero buscarla en una de las tiendas mejores. Dígale a Petra que cuando valla por casa le boy a llevar un regalito al nene de ella.
>
> Boy a ver si me saco un retrato un dia de estos para mandalselo a uste, mamá.
>
> El otro día vi a Felo el ijo de la comai María. El también esta travajando pero gana menos que yo. Es que yo e tenido suerte.
>
> bueno, recueldese de escrivirme y contarme todo lo que pasa por alla.
>
> Su ijo que la quiere y le pide la bendicion.
>
> Juan

Vocabulario activo

A continuación se encuentra el vocabulario activo de las secciones **Gente del Mundo 21** y **Del pasado al presente** de la Lección 3. En los espacios en blanco bajo cada tema, añade otras palabras que has aprendido en esta lección y que crees que te serán útiles.

Gente del Mundo 21

entrar en vigor	saltar
escenario	sociedad contemporánea
Estado Libre Asociado	transformar
lema	vocalista
roquero(a)	

Del pasado al presente

La colonia española y *Los taínos y los esclavos africanos*

bastión militar	fortaleza
Borinquen	fortificado(a)
colono(a)	gigantesco(a)
convertir	invertir
denominación	muralla
despoblar	posesión
estratégico(a)	tomar por asalto
exterminar	

La Guerra Hispano-estadounidense de 1898 y *La caña de azúcar*

autonomía _____	minoría _____
caña de azúcar _____	permanecer _____
depresión _____	presencia _____
fuerza laboral _____	resistencia _____
intacto(a) _____	_____
_____	_____
_____	_____
_____	_____
_____	_____

Estado Libre Asociado de EE.UU. y *La industrialización de la isla*

acelerado(a) _____	impuesto _____
congreso federal _____	inmenso(a) _____
constitución _____	petroquímico(a) _____
electrónico(a) _____	proceso _____
farmacéutico(a) _____	textil _____
garantizar _____	_____
_____	_____
_____	_____
_____	_____
_____	_____

M **Lógica.** En cada grupo de palabras, subraya aquélla que no esté relacionada con el resto.

1. fortaleza   denominación   bastión   fortificado

2. autonomía   muralla   Estado Libre   sociedad
                           Asociado   contemporánea

3. permanecer   convertir   transformar   invertir

4. roquero   saltar   vocalista   impuesto

5. exterminar   despoblar   tomar por asalto   presencia

N **Relación.** Indica qué palabra o frase de la segunda columna está relacionada con cada palabra de la primera.

_____ 1. invertir   **a.** nombre

_____ 2. inmenso   **b.** Puerto Rico

_____ 3. impuesto   **c.** castillo

_____ 4. lema   **d.** relacionado con drogas

_____ 5. denominación   **e.** tributo

_____ 6. muralla   **f.** cambiar simétricamente

_____ 7. fortaleza   **g.** expresión

_____ 8. permanecer   **h.** gigantesco

_____ 9. Borinquen   **i.** continuar

_____ 10. farmacéutico   **j.** pared

Composición: *Argumentos*

Ñ **Tres alternativas.** En una hoja en blanco escribe una composición en la que das los argumentos a favor y en contra de cada una de las tres alternativas que tiene Puerto Rico para su futuro político: 1) continuar como Estado Libre Asociado de EE.UU., 2) convertirse en otro estado de EE.UU. o 3) lograr la independencia.

¡A escuchar!

El Mundo 21

A   **Arzobispo asesinado.** Escucha con atención lo que dice la madre de un estudiante "desaparecido", en un acto en homenaje al arzobispo asesinado de San Salvador. Luego marca si cada oración que sigue es **cierta (C), falsa (F)** o si no tiene relación con lo que escuchaste **(N/R)**. Si la oración es falsa, corrígela.

C   F   N/R   **1.** La oradora habla en un acto para conmemorar otro aniversario del nacimiento de monseñor Óscar Arnulfo Romero.

_____

_____

C   F   N/R   **2.** Monseñor Romero fue arzobispo de San Salvador durante tres años.

_____

_____

C   F   N/R   **3.** Durante ese tiempo, monseñor Romero decidió quedarse callado y no criticar al gobierno.

_____

_____

C   F   N/R   **4.** Monseñor Romero escribió un libro muy influyente sobre la teología de la liberación.

C   F   N/R   **5.** Fue asesinado cuando salía de su casa, el 24 de marzo de 1990.

C   F   N/R   **6.** Al final del acto la madre del estudiante "desaparecido" le pide al público un minuto de silencio en memoria de monseñor Romero.

B   **Farabundo Martí.** Escucha el siguiente texto acerca de Farabundo Martí y el movimiento revolucionario que lleva su nombre. Luego selecciona la opción correcta para completar las oraciones que aparecen a continuación. Escucha una vez más para verificar tus respuestas.

1. La abreviación del movimiento Frente Farabundo Martí para la Liberación Nacional es...
   a. FSLN
   b. FLN
   c. FMLN

2. En 1992, el presidente de El Salvador era...
   a. un miembro del Frente Farabundo Martí para la Liberación Nacional
   b. Alfredo Cristiani
   c. José Napoléon Duarte

3. En la guerra civil que terminó en 1992 el número de muertos llegó a...
   a. ochenta mil
   b. ciento ochenta mil
   c. ochocientos ochenta mil

4. Farabundo Martí era un revolucionario salvadoreño que...
   a. fundó el Partido Comunista
   b. luchó contra los comunistas
   c. creó el Frente Farabundo Martí para la Liberación Nacional

5. Farabundo Martí murió en...
   a. 1992
   b. 1952
   c. 1932

C   **Salvadoreños en EE.UU.** Escucha lo que esta reportera de una estación de radio hispana en EE.UU. dice sobre la comunidad salvadoreña de Los Ángeles y luego determina si cada afirmación que sigue es **cierta (C)** o **falsa (F)**. Si la oración es falsa, corrígela. Escucha una vez más para verificar tus respuestas.

C   F   **1.** A Los Ángeles han llegado miles de salvadoreños.

_____

_____

C   F   **2.** La mayoría de estos salvadoreños son turistas que han venido a pasear por EE.UU.

_____

_____

C   F   **3.** Algunos salvadoreños han salido de su país debido al desempleo y la pobreza.

_____

_____

C   F   **4.** En la actualidad, hay más salvadoreños que mexicanos en Los Ángeles.

_____

_____

C   F   **5.** Las pupusas son unos trajes típicos salvadoreños.

_____

_____

C   F   **6.** El dinero que manda EE.UU. al gobierno salvadoreño es la principal fuente de dólares de ese país.

_____

_____

Pronunciación y ortografía

Guía para el uso de la letra z. La **z** tiene sólo un sonido /s/*, que es idéntico al sonido de la **s** y al de la **c** en las combinaciones **ce** y **ci.** Observa el deletreo de este sonido al escuchar a la narradora leer las siguientes palabras.

/s/	/s/	/s/
za**p**ote	**c**entro	saltar
za**c**ate	**c**erámica	ase**s**inado
zona	**c**iclo	so**c**iedad
arzobispo	pro**c**eso	subde**s**arrollo
izquierdista	violen**c**ia	tra**s**ladarse
die**z**	apre**c**iado	di**s**uelto

D   **La letra z.** Ahora, escucha a los narradores leer las siguientes palabras y escribe las letras que faltan en cada una.

1. ___ ___ r r o

2. v e n g a n ___ ___

3. f o r t a l e ___ ___

4. a ___ ___ c a r

5. f u e r ___ ___

6. g a r a n t i ___ ___ r

7. l a n ___ ___ d o r

8. f o r ___ ___ d o

9. m ___ ___ c l a r

10. n a c i o n a l i ___ ___ r

Deletreo con la letra z. La **z** siempre se escribe en ciertos sufijos, patronímicos y terminaciones.

- Con el sufijo **-azo** (indicando una acción realizada con un objeto determinado):

  latig**azo**   puñet**azo**   botell**azo**   manot**azo**

- Con los patronímicos (apellidos derivados de nombres propios españoles) **-az, -ez, -iz, -oz, -uz:**

  Alcar**az**   Domíngu**ez**   Ru**iz**   Muñ**oz**

- Con las terminaciones **-ez, -eza** de sustantivos abstractos:

  timid**ez**   honrad**ez**   nobl**eza**   trist**eza**

E   **Práctica con la letra z.** Ahora, escucha a los narradores leer las siguientes palabras y escribe las letras que faltan en cada una.

1. g o l p ___ ___ ___

2. e s c a s ___ ___

3. Á l v a r ___ ___

4. G o n z á l ___ ___

5. g o l ___ ___ ___

6. p e r ___ ___ ___

7. g a r r o t ___ ___ ___

8. L ó p ___ ___

9. e s p a d ___ ___ ___

10. r i g i d ___ ___

* En España, la **z** tiene el sonido de la combinación *th* en inglés.

Nombre _____

Fecha _____

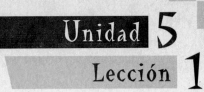

Dictado. Escucha el siguiente dictado e intenta escribir lo más que puedas. El dictado se repetirá una segunda vez para que revises tu párrafo.

El proceso de la paz

_____

_____

_____

_____

_____

_____

_____

_____

_____

_____

_____

_____

_____

_____

_____

_____

_____

_____

_____

_____

_____

_____

¡A explorar!

"Cognados falsos"

Recuerda que los "cognados falsos" son palabras de una lengua que son similares o a veces hasta idénticas a palabras de otra lengua. Se les llama "amigos falsos" porque a pesar de su forma reconocible, su significado siempre es diferente.

F   **Una segunda vista.** A continuación hay otro grupo de "cognados falsos". Busca en el diccionario las siguientes palabras y da su significado en español. Luego escribe una oración con la palabra en español. El primero ya está hecho.

1. realizar: **hacer real o efectiva una cosa, cumplir**

     Yo todavía no he realizado muchos de mis sueños.

     to realize: **darse cuenta de**

2. sentencia: _____

   _____

     sentence: _____

3. largo: _____

   _____

     large: _____

4. faltar: _____

   _____

     to fault: _____

5. suceso: _____

   _____

     success: _____

6. estimar: _____

   _____

     to estimate _____

7. marco: _____

   _____

     mark: _____

8. sano: _____

   _____

     sane: _____

G **El Salvador.** Traduce las siguientes oraciones poniendo atención especial a la traducción de los "cognados falsos" que se presentaron anteriormente.

1. We hope to attend the lecture by Claribel Alegría next week.

   _____

   _____

2. The most important event of 1932 was the massacre of more than thirty thousand peasants by the Salvadoran army.

   _____

   _____

3. Archbishop Óscar Arnulfo Romero did not support the violence against the poor of El Salvador and he faulted the military.

   _____

   _____

4. No one realized that the archbishop's success would result in his assassination.

   _____

   _____

5. The FMLN representative estimated that the road to peace would be very long and difficult.

   _____

   _____

6. I realized that the Salvadoran situation was more complex than a struggle between leftists and rightists.

   _____

   _____

Gramática en contexto

5.1 Pronombres relativos

H

Explicaciones. Una estudiante de El Salvador acaba de matricularse en tu escuela. Ahora ella está contando algo sobre los lugares, la gente y la cultura de su país. Para saber lo qué dice, completa cada oración con el **pronombre relativo** apropiado.

1. Sonsonate es una pintoresca ciudad _____ ocupa el centro de la zona ganadera del país.

2. El Pital es una montaña _____ se eleva a casi tres mil metros de altura; es el punto más alto del país.

3. Las pupuserías son lugares en _____ puedes comer pupusas.

4. Las pupusas son tortillas de harina de maíz _____ se rellenan con carne o queso.

5. Los pipiles son indígenas _____ antepasados vivían en el país desde antes de la época de los españoles.

6. Manlio Argueta es un escritor salvadoreño _____ ha escrito muchas novelas importantes.

7. Óscar Arnulfo Romero fue un arzobispo a _____ asesinaron en 1980.

I

Juguetes. Tu sobrino te muestra los diferentes juguetes que tiene. Para saber lo que dice, combina las dos oraciones en una sola usando un **pronombre relativo** apropiado.

MODELO   *Éste es el tractor. Llevo este tractor al patio todas las tardes.*
          Éste es el tractor que llevo al patio todas las tardes.

1. Éstos son los soldaditos de plomo. Mi tío Rubén me compró estos soldaditos en México.

_____

_____

_____

_____

2. Éste es el balón. Uso este balón para jugar al básquetbol.

_____

_____

_____

_____

3. Éstos son los títeres. Juego a menudo con estos títeres.

_____

_____

_____

_____

4. Éste es un coche eléctrico. Mi papá me regaló este coche el año pasado.

_____

_____

_____

_____

5. Éstos son los jefes del ejército. Mis soldaditos de plomo desfilan delante de estos jefes.

_____

_____

_____

_____

5.2 El presente de subjuntivo en cláusulas adjetivas

J

Fiesta de disfraces. Tú y tus amigos hablan de una fiesta de disfraces que va a tener lugar el 31 de octubre. Para saber qué disfraces piensa llevar cada uno, completa las siguientes oraciones con el **presente de indicativo o de subjuntivo,** según convenga.

1. Quiero un disfraz que _____ (ser) divertido.

2. Pues, yo tengo un disfraz que _____ (ser)

   muy divertido.

3. Yo voy a llevar una máscara con la cual nadie me

   _____ (ir) a reconocer.

4. Necesito un disfraz que le _____ (dar) miedo a la gente.

5. Quiero un traje que no _____ (parecer) muy ridículo.

6. Busco un disfraz que _____ (tener) originalidad.

K

Los desaparecidos. En un campamento de refugiados en los años 80, una de las madres de los desaparecidos de El Salvador da su testimonio a un periodista. Llena los espacios en blanco para entender la situación preocupante de esta mujer.

No hay una sola mujer de familia humilde aquí que no _____

(1. haber) sufrido durante este conflicto. Yo, como madre de un

desaparecido, busco una persona de autoridad que _____ (2. oír)

mi súplica. Busco a alguien que me _____ (3. dar) alguna

información sobre mi hijo Mario. Todos los días voy a las prisiones y hablo

con diferentes oficiales pero hasta hoy no hay nadie que _____

(4. tener) información. Cuando hablo con otras madres de desaparecidos

me doy cuenta de cuanto necesitamos un funcionario del gobierno que

_____ (5. encargarse) de investigar nuestros casos. Todas

queremos una respuesta que nos _____ (6. satisfacer). Nosotras

mantenemos nuestra esperanza siempre viva.

Ortografía

L   **Las letras *z*, *c* y *s*.** Completa el deletreo de las palabras en la primera columna con la **z**, la **c** o la **s** según sea apropiado. Luego escribe el plural de cada palabra en la segunda columna.

MODELO   *Fran ___ és*   _____

         Francés   <u>   **Franceses**   </u>

1. farma ___ ia   _____

2. raí ___   _____

3. cru ___   _____

4. descono ___ ido   _____

5. gimna ___ io   _____

6. lu ___   _____

7. rique ___ a   _____

8. inglé ___   _____

9. gra ___ ioso   _____

10. andalu ___   _____

Correspondencia práctica

Una carta comercial

La comunicación escrita en los negocios es un poco más formal en español que en inglés. En el mundo de negocios se espera que el escritor se exprese no sólo con claridad y exactitud, sino también con cortesía. Desde el punto de vista norteamericano esa cortesía puede parecer exagerada, sin embargo es la norma en el mundo comercial hispano. A continuación se explica el estándar de una carta comercial y se presentan algunas fórmulas de cortesía frecuentemente usadas.

- La **fecha** generalmente se sitúa en la parte superior derecha de la hoja de papel y sigue uno de estos dos modelos:

  el 16 de mayo de 1995 o **16 de mayo de 1995**

- El **destinario** incluye el nombre y apellido de la persona, su título o cargo, el nombre de la empresa y domicilio, ciudad, provincia, estado y país, si es en el extranjero. Si un sobre se dirige a un matrimonio con el mismo apellido, se escribe:

  Sr. Tomás Chacón Moreno y Sra. o **Sres. Chacón Moreno**

- El **saludo** siempre se cierra con dos puntos.

Muy señor(es) mío(s):	Distinguida señorita + *apellido:*
Muy señor(es) nuestro(s):	Distinguido Sr. + *apellido:*
Muy distinguido(a) señor(a) + *apellido:*	Sr. Director:
Muy estimado(a) señor(a) + *apellido:*	Srta. Administradora:
Muy estimada señorita + *apellido:*	Sr. Secretario:
Muy estimada Sra. + *apellido:*	Srta. Ingeniera + *apellido:*
Muy apreciable señor(a) + *apellido:*	Sr. Arquitecto + *apellido:*

  Si no se sabe a quién se envía la carta, se puede encabezar con:

  A quien corresponda:

  A quien pueda interesar:

  Muy señores míos (nuestros):

- El **cuerpo** es el texto principal de la carta. Debe ser claramente redactado y cortés. A continuación hay algunas maneras de empezar y terminar.

  Para empezar una carta comercial

  Tenemos el gusto de comunicar a Ud(s). que...

  Tengo el gusto de avisar a Ud(s). que...

  Nos tomamos la libertad de escribir a Ud(s). para...

  Sentimos mucho tener que informarle(s) a Ud(s). que...

Para contestar una carta comercial

En respuesta (contestación) a su amable carta de (fecha)...

Acusamos recibo de su muy atenta de (fecha)...

Les agradecemos su estimable carta del (fecha)...

Tengo el gusto de acusar recibo de su atenta de (fecha)...

- La **despedida** y la **antefirma** es la última cortesía. Generalmente consiste de una oración de despedida muy cortés seguida por la firma.

  Muy atentamente le saludamos y quedamos suyos afmos. y Ss. Ss.

  Quedo de Ud. su más atto(a). S.S.

  Esperando su grata respuesta me reitero de Ud. S.S.

  Sin otro particular por el momento me reitero su afmo(a)., atto(a). y S.S.

- La **firma** aparece a la derecha de la hoja de papel debajo de la oración que termina la carta.

- Cuando **anexo,** cualquier documento, folleto o material se incluye con una carta, se escribe debajo de la firma al margen izquierdo una de las siguientes palabras:

  Adjunto(s)

  Anexo(s)

  Incluso(s)

- **Abreviaturas comunes**

S.S. o **Ss.Ss.**	seguro servidor *o* seguros servidores
afmo. o **afmos.**	afectísimo *o* afectísimos
atto. o **attos.**	atento *o* atentos
S.A.	Sociedad Anónima
Apdo.	apartado postal
Cía.	compañía
Hnos.	hermanos
No. o **Núm.**	número

MODELO

```
                                    5 de julio de 1995

Sr. Gerardo Cruz
KISKA, S.A.
Apdo. 2019
Tegucigalpa, D.C.
Honduras
América Central

Muy distinguido señor Cruz:

    Me dirijo a Ud. para que me dé el nombre
del dueño de los derechos de publicación de
su hermosísimo cuento El hombre de mármol.
Mi editorial en EE.UU. se interesa en sacar
un video del cuento para utilizar con
propósito pedagógico en clases de lengua a
nivel de escuelas primarias y secundarias.

    Podría hacerme el favor de enviarme el
nombre e indicaciones de cómo comunicarme
con el dueño de tales derechos. Adjunto un
sobre con mi dirección y estampillas.

    Esperando su grata respuesta me reitero
de Ud. su S.S.

                                    Bartolomé Calvo

Adjunto
```

M ¡A redactar! En un hoja en blanco escribe una carta a la escritora salvadoreña Claribel Alegría, pidíendole permiso para usar unas de las narraciones de su último libro *Luisa en el país de la realidad,* en un proyecto de publicación que tienen tú y unos amigos. Explícale qué proyecto tienen ustedes.

Lengua en uso

Variantes coloquiales: El voseo

El español hablado en El Salvador incluye una gran riqueza de variantes de vocabulario, como por ejemplo: **cipote** (niño), **chancho** (cerdo), **chucho** (perro) y **encachimbearse** (enojarse). Tal vez la variante que más sobresale es el extenso uso del pronombre **vos** y sus formas verbales en vez del pronombre **tú** y sus distintas formas. Al escuchar a un salvadoreño hablar con amigos o conocidos es probable que oigas expresiones como:

> ¿Qué **querés** hacer, **vos**?

> **Vení** conmigo al cine esta noche.

> ¿Qué **pensás**, **vos**?

Los salvadoreños no son los únicos que usan el **voseo**. El **vos** se emplea extensamente en Guatemala, Costa Rica, Argentina, Paraguay y Uruguay. También se oye hablar en ciertas regiones de Nicaragua, Colombia, Chile, Bolivia y Ecuador. Las formas verbales más afectadas por el **vos** son el presente de indicativo y de subjuntivo y el imperativo. Verbos en **-ar**, **-er**, **-ir** utilizan las terminaciones* **-ás**, **-és**, **-ís** (**comprás**, **querés**, **venís**) en el presente de indicativo y **-és**, **-ás** (**comprés**, **vendás**, **vivás**) en el presente de subjuntivo. En el imperativo se acentúa la vocal de las terminaciones **-ar**, **-er**, **-ir** y se elimina la **r** (**comprá**, **queré**, **vení**). Otros tiempos verbales emplean el pronombre **vos** con las terminaciones de segunda persona informal **tú** (¿Cuándo llegaste **vos**? ¿Has salido con él, **vos**?).

En algunas regiones ocurre una variación con las terminaciones del pretérito, donde se añade una **-s** a las terminaciones de **tú** (**comprastes**, **quisistes**, **vinistes**). Esto hace que las formas de **tú** aparenten el voseo, aunque no lo es.

*Las terminaciones no son uniformes. Varían en distintos países.

N **El habla salvadoreña.** Las siguientes oraciones, sacadas de diálogos de la novela *Cuzcatlán donde bate la mar del Sur* del autor salvadoreño Manlio Argueta, contienen varios usos del voseo. Cámbialas a formas verbales de **tú** y cambia el vocablo salvadoreño a uno más general.

MODELO   *Venís de muy lejos.*
         Vienes de muy lejos.

1. Si te sentís mal, llamás a Lastenia.

   _____

   _____

2. Tenés razón, pero necesitás por lo menos diez confesiones si querés ganarte el Reino de Dios.

   _____

   _____

3. Vos siempre decís cosas, Ticha, a veces no te entiendo.

   _____

   _____

4. ¿Cómo lo sabés vos, cipota?

   _____

   _____

5. ¿Por qué le tenés miedo si tu conciencia está tranquila?

   _____

   _____

6. Y como vos sabés, la única manera de detener la rabia es matando al chucho.

   _____

   _____

7. Así, no te hagás el loco y andá apuntando todo en un papel.

   _____

   _____

Vocabulario activo

A continuación se encuentra el vocabulario activo de las secciones **Gente del Mundo 21** y **Del pasado al presente** de la Lección 1. En los espacios en blanco bajo cada tema, añade otras palabras que has aprendido en esta lección y que crees que te serán útiles.

Gente del Mundo 21

arzobispo _____   fraudulento(a) _____

asesinado(a) _____   infantil _____

distinguido(a) _____   _____

_____   _____

Del pasado al presente

El Salvador

subdesarrollo _____   violencia _____

temblor de tierra _____   volcán _____

_____   _____

Los primeros habitantes y *La colonia*

apreciado(a) _____   incorporado(a) _____

cacao _____   obligar _____

_____   _____

La independencia y *La república salvadoreña*

derechista   ejecutado(a) ____   izquierdista   ruptura ____

disuelto(a)   floreciente ____   paz   trasladarse ____

_____   _____

_____   _____

_____   _____

La guerra civil

incrementar _____   terremoto _____

_____   _____

Ñ **Definiciones.** Indica qué palabra se asocia con la primera palabra de cada lista.

1. **ejecutado:**   fraudulento   asesinado   apreciado

2. **incorporado:** incrementar   distinguido   asociado

3. **obligar:**   exigir   paz   niñez

4. **floreciente:**   terremoto   brillante   temblor

5. **disuelto:**   subdesarrollado dispersо   floreciente

O **Relación.** Indica qué palabra o frase de la segunda columna está relacionada con cada palabra de la primera.

_____	1. arzobispo	**a.** montaña
_____	2. derechista	**b.** viajar
_____	3. izquierdista	**c.** separación
_____	4. terremoto	**d.** colgado
_____	5. volcán	**e.** tradicionalista
_____	6. asesinado	**f.** patriarca de la Iglesia
_____	7. ruptura	**g.** radical
_____	8. trasladarse	**h.** deshecho
_____	9. ejecutado	**i.** víctima
_____	10. disuelto	**j.** temblor de tierra

Composición: *Opiniones personales*

P **Editorial.** Imagina que trabajas para un diario salvadoreño y tu jefe te ha pedido que escribas un breve editorial sobre el próximo aniversario de la muerte de monseñor Óscar Arnulfo Romero. En una hoja en blanco desarrolla por lo menos tres puntos sobre los que quieres que reflexionen tus lectores.

¡A escuchar!

El Mundo 21

A   **Lempira.** Escucha con atención lo que dicen dos estudiantes y luego marca si cada oración que sigue es **cierta (C), falsa (F)** o si no tiene relación con lo que escuchaste **(N/R).** Si la oración es falsa, corrígela.

C   F   N/R   **1.** La moneda nacional de Honduras se llama colón.

_____

_____

C   F   N/R   **2.** El lempira tiene el mismo valor monetario que el dólar.

_____

_____

C   F   N/R   **3.** Lempira fue el nombre que le dieron los indígenas a un conquistador español.

_____

_____

C   F   N/R   **4.** Lempira significa "señor de la sierra".

_____

_____

C   F   N/R   **5.** Lempira organizó la lucha de los indígenas contra los españoles en el siglo XIX.

_____

_____

C   F   N/R   **6.** Según la leyenda, Lempira murió asesinado por un soldado español cuando negociaba la paz.

_____

_____

B   **La Ceiba.** Escucha lo que te dice un amigo hondureño acerca de una ciudad caribeña de Honduras que vas a visitar en estas vacaciones. Luego indica si la información que sigue es mencionada (**Sí**) o no (**No**) por tu amigo. Escucha una vez más para verificar tus respuestas.

Sí   No   **1.** La Ceiba es la capital del departamento de Atlántida.

Sí   No   **2.** La Ceiba es un puerto que hoy en día no tiene la importancia que tuvo en el pasado.

Sí   No   **3.** Las islas de la Bahía son solamente dos islas.

Sí   No   **4.** En la plaza principal se ven cocodrilos.

Sí   No   **5.** En la plaza principal hay una estatua del cacique Lempira.

Sí   No   **6.** San Isidro es un pueblito cerca de La Ceiba.

Sí   No   **7.** El festival de San Isidro tiene lugar en el mes de mayo.

Sí   No   **8.** La gente baila durante el festival.

C **León.** Escucha el siguiente texto acerca de la ciudad de León y luego selecciona la opción correcta para completar las oraciones que aparecen a continuación. Escucha una vez más para verificar tus respuestas.

1. León es una ciudad...

   a. salvadoreña

   b. hondureña

   c. nicaragüense

2. León se caracteriza por ser una ciudad...

   a. capital

   b. colonial

   c. ultramoderna

3. En León se pueden ver...

   a. techos de color rojo

   b. amplias avenidas

   c. edificios muy modernos

4. El poeta Rubén Darío murió en León en...

   a. 1816

   b. 1906

   c. 1916

5. El Museo-Archivo Rubén Darío contiene...

   a. posesiones personales del poeta

   b. la más completa biblioteca sobre la obra del poeta

   c. una colección de todas las cartas escritas por el poeta

Pronunciación y ortografía

Guía para el uso de la letra *s*. En lecciones previas aprendiste que la **s** tiene sólo un sonido /s/, que es idéntico al sonido de la **z** y al de la letra **c** en las combinaciones **ce** y **ci**. Observa el deletreo de este sonido cuando la narradora lea las siguientes palabras.

/s/	/s/	/s/
desafío	zambo	censo
sentimiento	zacate	descendiente
sindicato	zona	cilantro
colapso	mestizo	cineasta
superar	raza	vecino
musulmán	actriz	conciencia

D   **La letra *s*.** Ahora escribe las letras que faltan mientras escuchas a los narradores leer las siguientes palabras.

1. a ___ ___ m i r
2. a c u ___ ___ r
3. v i c t o r i o ___ ___
4. ___ ___ g l o
5. ___ ___ n d i n i s t a
6. a b u ___ ___
7. ___ ___ r i e
8. a ___ ___ l t o
9. d e p r e ___ ___ ó n
10. ___ ___ c i e d a d

Deletreo con la letra *s*. Las siguientes terminaciones se escriben siempre con la **s**.

- Las terminaciones **-sivo** y **-siva**:

  deci**sivo**   pa**sivo**   expre**siva**   defen**siva**

- La terminación **-sión** añadida a sustantivos que se derivan de adjetivos que terminan en **-so, -sor, -sible, -sivo**:

  confe**sión**   transmi**sión**   compren**sión**   vi**sión**

- Las terminaciones **-és** y **-ense** para indicar nacionalidad o localidad:

  holand**és**   leon**és**   costarric**ense**   chihuahu**ense**

- Las terminaciones **-oso** y **-osa**:

  contagi**oso**   estudi**oso**   graci**osa**   bondad**osa**

- La terminación **-ismo:**

  capital**ismo**   comun**ismo**   islam**ismo**   barbar**ismo**

- La terminación **-ista:**

  guitarr**ista**   art**ista**   dent**ista**   futbol**ista**

E   **Práctica con la letra s.** Ahora escucha a los narradores leer las siguientes palabras y escribe las letras que faltan en cada una.

1. p i a n __ __ __ __

2. c o r d o b __ __

3. e x p l o __ __ __ __

4. p e r e z __ __ __

5. p a r i s i __ __ __ __

6. g a s e __ __ __

7. l e n i n __ __ __ __

8. c o n f u __ __ __ __

9. p o s e __ __ __ __

10. p e r i o d __ __ __ __

Dictado. Escucha el siguiente dictado e intenta escribir lo más que puedas. El dictado se repetirá una vez más para que revises tu párrafo.

La independencia de Honduras

_____

_____

_____

_____

_____

_____

_____

_____

_____

_____

_____

_____

_____

_____

_____

_____

_____

_____

_____

¡A explorar!

Conjunciones adverbiales

En la Lección preliminar se presentó una extensa lista de conjunciones compuestas que consisten en preposiciones o adverbios seguidos por **que**. Refiérete a esa sección si necesitas ayuda al hacer el ejercicio que sigue.

F **¡A Managua!** Traduce al español las conjunciones adverbiales para saber algo del viaje a Nicaragua de esta jovencita. Pon atención al hecho que estas conjunciones introducen cláusulas adverbiales que requieren el subjuntivo.

MODELO *Mañana saldremos para Managua _____ (unless) cancelen el viaje.*
Mañana saldremos para Managua a menos que cancelen el viaje.

1. Mis padres esperan que vaya con ellos _____ *(so that)* pueda

    conocer a mis parientes nicaragüenses.

2. Iré _____ *(provided that)* ellos paguen mi billete de avión.

3. Mis primos quieren que los llame _____ *(before)* lleguemos.

4. Nuestros parientes vendrán a recibirnos en el aeropuerto

    _____ *(when)* sepan que vamos a visitarlos.

5. Mandaré una tarjeta postal _____ *(as soon as)* llegue a

    Nicaragua.

6. Yo no pienso regresar a EE.UU. hasta _____ *(after)* visitemos

    el Lago de Nicaragua.

Gramática en contexto

5.3 El presente de subjuntivo en cláusulas adverbiales: Primera vista

G **Interesado.** Tu sobrino es un muchachito muy interesado. Para descubrir bajo qué condiciones él hace lo que tú le pides, forma oraciones con los elementos dados.

MODELO *no hacerte la cama / a menos que / comprarme (tú) chocolates*
No te hago la cama a menos que me compres chocolates.

1. no lavarte el coche / a menos que / darme (tú) cinco dólares

_____

_____

_____

2. comprarte el periódico / con tal que / poder (yo) comprarme un helado

_____

_____

_____

3. no llevarte la ropa a la tintorería / a menos que / llevarme (tú) al cine

_____

_____

_____

4. darte los mensajes telefónicos / con tal que / traerme (tú) chocolates

_____

_____

_____

5. echarte las cartas al correo / con tal que / llevarme (tú) a los juegos de video

_____

_____

_____

H **Reformas.** Los estudiantes expresan opiniones acerca de por qué una reforma agraria que redistribuyera la tierra podría ser útil en muchos países centroamericanos. Completa las oraciones con la forma apropiada del **presente de indicativo** o **de subjuntivo** de los verbos entre paréntesis para saber sus opiniones.

1. Muchos quieren una reforma agraria para que los campesinos

    _____ (ser) dueños de la tierra que trabajan.

2. Se necesita una reforma agraria porque la tierra

    _____ (estar) en manos de unos pocos.

3. Es necesaria una reforma agraria con el fin de que muchas fincas

    pequeñas _____ (conseguir) más tierras.

4. La gente quiere una reforma agraria sin que _____

    (sufrir) la producción agrícola.

5. Desean una reforma agraria puesto que _____

    (ayudar) a disminuir el desempleo.

I **Entrevista.** Tú y tus amigos hablan de una entrevista de trabajo que tendrán en el curso de la semana. Completa las oraciones con la forma apropiada del **presente de indicativo** o **de subjuntivo** de los verbos entre paréntesis para saber las opiniones y esperanzas expresadas.

1. Creo que me va a ir bien a menos que me _____

    (poner) muy nervioso.

2. A mí me es difícil responder en las entrevistas sin que el entrevistador

    me _____ (permitir) suficiente tiempo para pensar.

3. Espero hacer un buen papel porque no _____ (tener)

    experiencia previa en entrevistas de trabajo.

4. Ojalá al entrevistador le gusten mis respuestas para que me

    _____ (ofrecer) el trabajo.

5. Puesto que ésta _____ (ser) mi primera entrevista, la

    considero como una oportunidad para aprender.

Ortografía

J **Honduras y Nicaragua.** Aplica tus conocimientos sobre las letras **s, c** y **z** a las siguientes oraciones para completar los datos sobre estos dos países centroamericanos.

1. Los antropólogos que exploraron las ruinas de Copán ob ___ ervaron que los templos de los primeros pobladores hondureños son un expre ___ ivo testamento a su rique ___ a cultural.

2. La vi ___ ión de los mayas se refleja en su impre ___ ionante arquitectura.

3. Al llegar a territorio nicaragüen ___ e, los españoles encontraron di ___ tintos y muy de ___ arrollados grupos étnicos.

4. Las trabajadoras informaron por televi ___ ión que su situa ___ ión era opre ___ iva y que sus jefes habían abu ___ ado de su muy bondado ___ a personalidad.

5. Es muy sabido por el pueblo nicaragüen ___ e que su héroe ___ ésar Augusto Sandino luchó contra el imperiali ___ mo de EE.UU.

6. Anasta ___ io Somo ___ a Gar ___ ía después acusó a Sandino de ser comuni ___ ta y ordenó su muerte.

7. La dictadura somo ___ ista permane ___ ió en el poder hasta 1979, cuando los sandini ___ tas entraron victorio ___ os a Managua, la capital.

Lengua en uso

Variantes coloquiales: Nombres de frutas y legumbres

En el mundo de habla hispana existe una gran variedad de términos para las frutas y las legumbres. Muchas de estas palabras se derivan de lenguas americanas ya que estas frutas o legumbres no existían originalmente en Europa.

K **Frutas y verduras**. Para ver cuántos nombres de estas frutas y verduras ya conoces, llena los espacios en blanco con las palabras corrrespondientes.

ananás

maní

ají

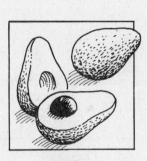

palta

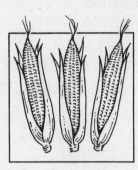

choclo

patatas

judías/porotos

1. El cacahuate, que es originalmente de Mesoamérica, en el Cono Sur se conoce como _____.

2. Los frijoles, legumbres muy comunes en México y Centroamérica, en España se conocen como _____ y en Argentina como _____.

3. En México y España lo llaman maíz y en Chile lo llaman _____.

4. Hay algunos muy picantes; en México y Centroamérica se conoce como chile. En partes de Sudamérica lo nombran _____.

5. Las papas son originarias de la región de los Andes; en España les dicen _____.

6. Mi amiga Cecilia que es de Argentina me dice que el _____ es su fruta preferida y yo le digo que a esta fruta le dicen piña en México.

7. El ingrediente principal del guacamole es el aguacate que en partes de Sudamérica se conoce como _____.

Vocabulario activo

A continuación se encuentra el vocabulario activo de las secciones **Gente del Mundo 21** y **Del pasado al presente** de la Lección 2. En los espacios en blanco bajo cada tema, añade otras palabras que has aprendido en esta lección y que crees que te serán útiles.

Gente del Mundo 21

asumir _____

austeridad _____

cacique _____

disparar _____

economía agrícola _____

_____

_____

_____

estabilizar _____

junta _____

moneda _____

planificación _____

triunfar _____

_____

_____

_____

Del pasado al presente

Honduras: Los orígenes y *La independencia*

canoa _____

independizarse _____

_____

_____

_____

_____

_____

restaurar _____

rivalizar _____

_____

_____

_____

_____

_____

Siglo XX

beneficiar _____

desgraciadamente _____

_____

_____

_____

_____

ganadero(a) _____

riqueza comercial _____

_____

_____

_____

_____

Nicaragua: Los orígenes, La colonia y La independencia

abuso _____   mulato(a) _____

aniquilado(a) _____   zambo(a) _____

aventurero(a) _____

_____   _____

_____   _____

_____   _____

_____   _____

La intervención estadounidense y los Somoza y Revolución Sandinista

deponer _____   renuncia _____

destrozar _____   retirar _____

propiedad _____   unir _____

proteger _____   victorioso(a) _____

_____   _____

_____   _____

_____   _____

Difícil proceso de reconciliación

acusar _____   gravemente _____

deteriorar _____

_____   _____

_____   _____

_____   _____

_____   _____

_____   _____

Relación. Indica qué palabra se asocia con la primera palabra de cada lista.

1. **victorioso:**   aventurero   triunfar   proteger
2. **austeridad:**   severidad   propiedad   facilidad
3. **rivalizar:**   renuncia   restaurar   pelear
4. **deponer:**   retirar   renunciar   disparar
5. **junta:**   ganadero   moneda   comité

Desarrollo y armonía. Encuentra las siguientes palabras en la sopa de letras que figura más abajo y táchalas. Ten en cuenta que las palabras pueden aparecer en forma horizontal o vertical, y pueden cruzarse con otras. Luego, para encontrar la respuesta a la pregunta que sigue, pon en los espacios en blanco las letras que no tachaste, empezando de izquierda a derecha y de arriba hacia abajo.

ABUSO	ACUSAR	CACIQUE	RESTAURAR	UNIR
HONDURAS	MONEDA	MULATO	RETIRAR	ZAMBO
NICARAGUA	OBLIGAR	PAZ	TERREMOTO	

DESARROLLO Y ARMONÍA

```
U  C  M  O  N  E  D  A  T
N  C  A  C  I  Q  U  E  E
I  N  M  A  C  U  S  A  R
R  E  S  T  A  U  R  A  R
R  E  T  I  R  A  R  A  E
C  M  U  L  A  T  O  B  M
O  B  L  I  G  A  R  U  O
H  O  N  D  U  R  A  S  T
P  A  Z  Z  A  M  B  O  O
```

¿Qué es esencial para garantizar la paz en Honduras y en Nicaragua?

L A   E S T A B I L I D A D

E __ O __ Ó __ I __ A

Composición: *Descripción*

Mi fruta favorita. En una hoja en blanco escribe una breve composición sobre tu fruta favorita. Consulta una enciclopedia para identificar de qué región del mundo es originaria esa fruta y describe sus características principales. ¿Qué es lo que más te gusta de ella? ¿Por qué a algunas personas no les gusta?

¡A escuchar!

El Mundo 21

A   **Político costarricense.** Escucha con atención lo que les pregunta un maestro de historia a sus estudiantes de una escuela secundaria de San José de Costa Rica. Luego marca si cada oración que sigue es **cierta (C), falsa (F)** o si no tiene relación con lo que escuchaste **(N/R).** Si la oración es falsa, corrígela.

C   F   N/R   **1.** Óscar Arias Sánchez era presidente de Costa Rica cuando recibió el Premio Nóbel de la Paz.

_____

_____

C   F   N/R   **2.** Óscar Arias Sánchez recibió un doctorado honorario de la Universidad de Harvard en el año 1993.

_____

_____

C   F   N/R   **3.** Óscar Arias Sánchez recibió el Premio Nóbel de la Paz en 1990.

_____

_____

C   F   N/R   **4.** Recibió este premio por su participación en negociaciones por la paz en Centroamérica.

_____

_____

C   F   N/R   **5.** Estas negociaciones llevaron a un acuerdo de paz que los países de la región firmaron en Washington, D.C.

_____

_____

B **Costa Rica.** Escucha el siguiente texto acerca de Costa Rica y luego selecciona la opción correcta para completar las oraciones que aparecen a continuación. Escucha una vez más para verificar tus respuestas.

1. Costa Rica, sin ser un país rico, tiene...

    a. el mayor índice de analfabetismo de la zona

    b. el mayor ingreso nacional *per cápita* de la zona

    c. el mayor índice de exportaciones de la zona

2. En Costa Rica se eliminó el ejército...

    a. en 1949

    b. en 1989

    c. hace cien años

3. El dinero dedicado antes al ejército se dedicó luego a...

    a. la agricultura

    b. la educación

    c. la creación de una guardia civil

4. En la historia de Costa Rica predominan...

    a. los gobiernos monárquicos

    b. los gobiernos dictatoriales

    c. los gobiernos democráticos

5. En 1989 Costa Rica celebró...

    a. cien años de democracia

    b. veinte años sin ejército

    c. cien años de su independencia de España

C **Tareas domésticas.** A continuación, escucharás a Alfredo decir cuándo va a hacer las tareas domésticas que le han pedido que haga. Completa cada oración al escuchar lo que dice. Escucha una vez más para verificar tus respuestas.

1. Voy a hacer la cama _____

_____

2. Voy a arreglar mi cuarto _____

_____

3. Voy a pasar la aspiradora a las diez _____

_____

4. Voy a cortar el césped _____

_____

5. Voy a poner los platos en la lavadora _____

_____

Pronunciación y ortografía

Guía para el uso de la letra *x*. La **x** representa varios sonidos según en qué lugar de la palabra ocurra. Normalmente representa el sonido **/ks/** como en **exigir**. Frente a ciertas consonantes se pierde la **/k/** y se pronuncia simplemente **/s/** (aspirada) como en **explorar**. En otras palabras se pronuncia como la **j:** es el sonido fricativo **/x/** como en **México** o **Oaxaca**. Observa el deletreo de este sonido al escuchar a la narradora leer las siguientes palabras.

/ks/	/s/	/x/
exilio	explosión	Texas
existencia	experiencia	mexicana
éxodo	exterminar	oaxaqueño
máximo	exclusivo	Mexicali
anexión	pretexto	texano
saxofón	excavación	Xavier

La letra _x_. Ahora indica si las palabras que dicen los narradores tienen el sonido **/ks/** o **/s/**.

    1. /ks/   /s/

    2. /ks/   /s/

    3. /ks/   /s/

    4. /ks/   /s/

    5. /ks/   /s/

    6. /ks/   /s/

    7. /ks/   /s/

    8. /ks/   /s/

    9. /ks/   /s/

   10. /ks/   /s/

Deletreo con la letra _x_. La **x** siempre se escribe en ciertos prefijos y terminaciones.

- Con el prefijo **ex-**:

    exponer   **ex**presiva   **ex**ceso   **ex**presión

- Con el prefijo **extra-**:

    extraordinario   **extra**terrestre   **extra**legal   **extra**sensible

- Con la terminación **-xión** en palabras derivadas de sustantivos o adjetivos terminados en **-je, -jo** o **-xo**:

    refle**xión** (de refle**jo**)   cone**xión** (de cone**xo**)

    comple**xión** (de comple**jo**)   ane**xión** (de ane**xo**)

Práctica con la letra _x_. Ahora, escucha a los narradores leer las siguientes palabras y escribe las letras que faltan en cada una.

    1. ___ ___ p u l s a r

    2. ___ ___ a g e r a r

    3. ___ ___ p l o s i ó n

    4. c r u c i f i ___ ___ ___ ___

    5. ___ ___ ___ ___ ___ ñ o

    6. r e f l ___ ___ i ó n

    7. ___ ___ a m i n a r

    8. ___ ___ ___ ___ ___ n j e r o

    9. ___ ___ t e r i o r

   10. ___ ___ i l i a d o

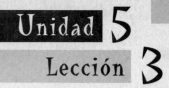
Dictado. Escucha el siguiente dictado e intenta escribir lo más que puedas. El dictado se repetirá una vez más para que revises tu párrafo.

Costa Rica: País ecologista

_____

_____

_____

_____

_____

_____

_____

_____

_____

_____

_____

_____

_____

_____

_____

_____

_____

_____

_____

_____

_____

_____

¡A explorar!

El uso excesivo de la palabra "cosa"

Al escribir ensayos u otros escritos es muy importante ser preciso y escoger las palabras o vocablos que indican con exactitud lo que quieres decir. Para muchos hispanohablantes en EE.UU. es muy común el uso excesivo o abuso de la palabra "cosa". Este abuso puede indicar una falta de vocabulario o una tendencia del escritor o escritora de escribir tal como habla. A veces el empleo excesivo se debe simplemente a una interferencia del inglés, ya que para los hispanohablantes en EE.UU. es muy común el uso de *things* en la jerga inglesa y tiene como resultado la imposición de la palabra "cosa" en español.

Iban un poco mejor **las cosas** en la escuela.

Things were going a little better at school.

Para evitar el abuso de esta palabra, considera bien de qué estás hablando y trata de describir más concretamente a lo que se refiere "cosa" o "cosas". En el ejemplo anterior, "cosas" se puede interpretar de diferentes maneras. Sólo el escritor o escritora de esta oración sabe el significado exacto de la palabra. Algunas posibilidades para mejorar y clarificar lo que el escritor o escritora quería comunicar serían:

Iban un poco mejor **mis estudios** en la escuela.

Iban un poco mejor **las clases** en la escuela.

Iban un poco mejor **mis amistades** en la escuela.

F   **Costa Rica.** Ayuda a este joven estudiante a modificar el uso excesivo de "cosa(s)" en las siguientes oraciones tomadas de una composición que había escrito. A veces podrás reemplazar "cosa" con una sola palabra; a veces necesitarás más de una palabra.

1. Mis padres son españoles que inmigraron a Costa Rica y han trabajado duro para conseguir todas las *cosas* que tienen.

   _____

   _____

2. Mis hermanos siempre me apoyan en mi educación y *cosas* personales.

   _____

   _____

3. Con el tiempo, aprendí que la familia es una *cosa* valiosa.

   _____

   _____

4. En una excursión a las reservas biológicas costarricenses mis amigos y
yo estuvimos expuestos a muchas *cosas* nuevas.

_____

_____

5. Una *cosa* que yo no sabía era el ambiente ecológico de esa especie de
pájaro lapa.

_____

_____

6. Aunque era nuestra primera visita a un bosque, nuestra investigación
en el parque nacional fue una *cosa* de mucho éxito.

_____

_____

Gramática en contexto

5.4 El presente de subjuntivo en cláusulas adverbiales:
Segunda vista

G **Situación socio-económica.** La reconocida maestra de economía,
Angelita Gámez Sánchez, habla con un colega sobre la situación socio-
económica en Costa Rica. Completa sus comentarios con la forma correcta
de los verbos entre paréntesis.

La sociedad costarricense va a permanecer estable mientras

_____ (1. haber) una relativa prosperidad. Aunque no

_____ (2. querer) creerlo el pueblo, sí ha bajado el nivel de vida.

Recientemente el porcentaje del presupuesto educacional ha bajado un

20%, y aunque muchos no lo _____ (3. aceptar), esta situación

no cambiará hasta que _____ (4. crecer) significativamente el

ingreso nacional. Si vamos a ser realistas, tenemos que aceptar que eso no

va a ocurrir hasta que Costa Rica _____ (5. cambiar) de

gobierno.

H **Mariposas.** Dos jóvenes biólogas de San José de Costa Rica están en camino al campamento donde van a estudiar una especie rara de mariposas en la reserva nacional. Completa los comentarios de una de las jóvenes con la forma correcta de los verbos entre paréntesis para saber qué planes tienen.

Estela, en cuanto _____ (1. necesitar) ayuda con esa carga, me

dices. A menos que _____ (2. perdernos), seguiremos a nuestros

guías hasta el refugio. Sé que el viaje va a ser largo pero recuerda, tan

pronto como _____ (3. cruzar) aquel puente, sólo tendremos

media hora más de camino. En cuanto _____ (4. llegar) al

refugio tendremos que revisar el equipo porque no podremos empezar

nuestro trabajo hasta que _____ (5. estar) seguras de que no se

haya dañado nada en el viaje.

I **Alternativas.** Como repetiste demasiado la palabra **pero** en un ensayo que escribiste sobre Costa Rica, tu profesora te pide que escribas de nuevo las siguientes oraciones, esta vez usando la palabra **aunque**.

MODELO *Costa Rica es un país pequeño, pero es grande en progreso social.*
Aunque Costa Rica es un país pequeño, es grande en progreso social.

1. Costa Rica sufre desforestación, pero existe también un programa de conservación de los recursos naturales.

   _____

   _____

   _____

2. Costa Rica es más grande que El Salvador, pero tiene menos habitantes.

   _____

   _____

   _____

3. Costa Rica no tiene ejército, pero tiene una guardia civil.

   _____

   _____

   _____

4. La pequeña población indígena costarricense goza de medidas de protección del gobierno, pero no vive en condiciones de vida muy buenas.

_____

_____

_____

5. Costa Rica posee vastos depósitos de bauxita, pero no han sido explotados.

_____

_____

_____

6. Los parques nacionales son una gran atracción turística, pero muchos están localizados en lugares remotos.

_____

_____

_____

J **Mañana ocupada.** El sábado que viene, Fernando tendrá una mañana muy ocupada. Para saber qué debe hacer, completa los verbos que aparecen entre paréntesis con el **presente de indicativo** o **de subjuntivo,** según convenga.

El próximo sábado, en cuanto _____ (1. levantarse), debo

llevar a mi hermano al aeropuerto. Cuando _____

(2. regresar), apenas voy a tener tiempo de tomar un desayuno rápido.

Siempre me pongo de mal humor cuando no _____

(3. tomar) un buen desayuno. Tan pronto como _____

(4. terminar) de desayunar, voy a llevar a mi hermanita a su partido de

fútbol. Mientras ella _____ (5. jugar) al fútbol,

generalmente aprovecho para hacer compras. Cuando

_____ (6. completar) las compras, va a ser la hora de

pasar a recoger a mi hermanita. Cuando _____ (7. llegar)

a casa, debo comenzar a pintar mi habitación. En días como éstos, estoy

contentísimo cuando _____ (8. llegar) la noche.

Ortografía

K **Zonas protegidas en Costa Rica.** Para saber algo de los parques nacionales y las zonas protegidas de Costa Rica, completa los espacios en blanco en estas palabras con las letras **x** o **s.**

1. ¿Has vi ___to la e ___traordinaria e ___po ___ición de libros sobre la ecología en San José?

2. En los territorios protegidos han e ___plorado los bo ___ques siempre verdes y e ___aminado la e ___terminación de la llamada "ranita salpicada".

3. Después de mucha refle ___ión, el gobierno costarricen ___e por fin decidió detener la acelerada de ___fore ___tación de las selvas.

4. ¿Qué cone ___ión hay entre la acelerada de ___fore ___tación de las selvas y el hecho de que en Costa Rica actualmente e ___isten zonas protegidas en el 26% del país?

5. En comparación, EE.UU. ha e ___puesto que menos del 3,2% de su ___uperficie está dedicado a parques nacionales.

6. La familia del político Ó ___car Arias Sánchez ha apoyado el establecimiento de zonas protegidas a pe ___ar de dedicarse a la e ___portación del café.

Lengua en uso

Vocabulario para hablar del medio ambiente

La preocupación sobre el medio ambiente ha llegado a ser uno de los temas más discutidos por todo el mundo. La contaminación del aire y el agua por intereses agrícolas e industriales sigue amenazando no únicamente la salud de la población humana sino también la supervivencia de muchas especies de animales y de plantas. Al leer el siguiente párrafo, subraya las palabras y expresiones nuevas que no conozcas que se utilizan para hablar de la ecología.

La ecología del mundo en peligro

Por todo el mundo han surgido grupos de ecólogos que hoy se preocupan por proteger el medio ambiente. La preservación de los recursos naturales del mundo se ha convertido en un importante asunto que involucra a toda la humanidad. Por ejemplo, las selvas tropicales con su rica flora y fauna están en peligro de desaparecer por completo. Cada año se acelera el proceso de destrucción de bosques vírgenes que se convierten en terrenos de cultivo o en pastos para la ganadería. Como resultado, muchas especies de animales y plantas se han extinguido o están en proceso de extinción. Además, según muchos científicos, la destrucción del medio ambiente afectará las condiciones climáticas del mundo. Por ejemplo, la contaminación del aire ha afectado negativamente la capa de ozono que protege al hombre de los rayos ultravioleta del sol. Por eso es importante que las naciones del mundo establezcan normas ecólogos que puedan ser aceptadas globalmente y que ayuden a la humanidad controlar la explotación de los recursos naturales y preservar la ecología del mundo natural.

L **El medio ambiente.** Después de leer la lectura, define brevemente las palabras que siguen. Si necesitas ayuda búscalas en un diccionario.

MODELO *ecología*
La preservación del medio ambiente

1. flora y fauna

_____

2. medio ambiente

_____

3. especie

_____

4. contaminación

_____

5. extinción

_____

6. recursos naturales

_____

7. ozono

_____

Vocabulario activo

A continuación se encuentra el vocabulario activo de las secciones **Gente del Mundo 21** y **Del pasado al presente** de la Lección 3. En los espacios en blanco bajo cada tema, añade otras palabras que has aprendido en esta lección y que crees que te serán útiles.

Gente del Mundo 21

acomodado(a) _____   encabezar _____

acuerdo de paz _____   irreverente _____

anulación _____   negociación _____

culminar _____   ocultar _____

disolver _____   posteriormente _____

_____   _____

_____   _____

_____   _____

_____   _____

_____   _____

Del pasado al presente

Costa Rica: Los orígenes y *La independencia*

abundancia _____   explotar _____

aumentar _____   meseta _____

desigualdad _____   plantación bananera _____

enterrado(a) _____   subsistencia _____

erupción _____   _____

_____   _____

_____   _____

_____   _____

_____   _____

_____   _____

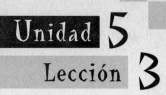

Siglo XX

anular _____   marginación _____

autoritario(a) _____   monopolio _____

beneficioso(a) _____   presupuesto _____

_____   _____

_____   _____

_____   _____

_____   _____

_____   _____

_____   _____

_____   _____

_____   _____

_____   _____

_____   _____

_____   _____

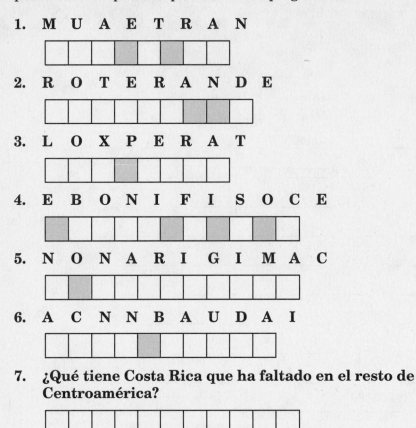

M **Costa Rica.** Pon las letras en orden para formar algunas palabras que aprendiste en esta lección. Luego usa las letras en los cuadros oscuros para formar la palabra que contesta la pregunta final.

1. M U A E T R A N

2. R O T E R A N D E

3. L O X P E R A T

4. E B O N I F I S O C E

5. N O N A R I G I M A C

6. A C N N B A U D A I

7. ¿Qué tiene Costa Rica que ha faltado en el resto de Centroamérica?

N **Lógica.** En cada grupo de palabras, subraya aquélla que no esté relacionada con el resto.

1. anular   disolver   aumentar   eliminar

2. negociación   acuerdo   pacto   plantación

3. desigualdad   enterrado   marginación   diferencia

4. autoritario   encabezar   dictador   acomodado

5. presupuesto   explosión   erupción   explotar

Composición: *Argumentos y propuestas*

Ñ **Proteger las últimas selvas tropicales.** En una hoja en blanco escribe una composición en la que das los argumentos a favor de la protección de las últimas selvas tropicales que todavía quedan en el mundo. ¿Por qué es importante salvar estas regiones de su eminente destrucción? ¿Qué beneficios traería a la humanidad? ¿Qué podemos hacer para proteger estas regiones?

¡A escuchar!

El Mundo 21

Premio Nóbel de Literatura. Escucha lo que un profesor de literatura latinoamericana les pregunta a sus alumnos sobre uno de los escritores latinoamericanos más importantes del siglo XX. Luego marca si cada oración que sigue es **cierta (C), falsa (F)** o si no tiene relación con lo que escuchaste **(N/R).** Si la oración es falsa, corrígela.

C   F   N/R   **1.** Gabriel García Márquez fue galardonado con el Premio Nóbel de Literatura en 1982.

_____

_____

C   F   N/R   **2.** Nació en 1928 en Bogotá, la capital de Colombia.

_____

_____

C   F   N/R   **3.** Estudió medicina en las universidades de Bogotá y Cartagena de Indias.

_____

_____

C F N/R   **4.** Macondo es un pueblo imaginario inventado por García Márquez.

_____

_____

C F N/R   **5.** García Márquez ha vivido más de veinte años en México.

_____

_____

C F N/R   **6.** La novela que lo consagró como novelista es *Cien años de soledad,* que se publicó en 1967.

_____

_____

B **La Catedral de Sal.** Escucha el siguiente texto acerca de la Catedral de Sal de Zipaquirá y luego selecciona la opción que complete correctamente las oraciones que siguen. Escucha una vez más para verificar tus respuestas.

1. La persona que habla viajará por...
   a. tren
   b. autobús
   c. automóvil

2. Si las minas de Zipaquirá se explotaran continuamente, la sal se acabaría en...
   a. cien años
   b. cincuenta años
   c. veinticinco años

3. La catedral está dedicada a...
   a. Jesús
   b. la Virgen del Rosario
   c. los mineros

4. El altar de la catedral es un bloque de sal de...
   a. treinta y tres toneladas de peso
   b. veintitrés toneladas de peso
   c. dieciocho toneladas de peso

5. En la catedral de sal hay capacidad para...
   a. quince mil personas
   b. diez mil personas
   c. tres mil personas

Pronunciación y ortografía

Guía para el uso de la letra _g_. El sonido de la **g** varía según dónde ocurra en la palabra, la frase o la oración. Al principio de una frase u oración y después de la **n** tiene el sonido **/g/** (excepto en las combinaciones **ge** y **gi**) como en **grabadora** o **tengo.** Este sonido es muy parecido al sonido de la _g_ en inglés. En cualquier otro caso, tiene un sonido más suave, **/g̶/,** como en **la grabadora**, **segunda** o **llegada** (excepto en las combinaciones **ge** y **gi**).

Observa la diferencia entre los dos sonidos cuando la narradora lea las siguientes palabras.

/g/	**/g̶/**
po**ng**o	al**g**unos
te**ng**o	lo**g**rar
gótico	pro**g**rama
grande	la **g**rande
ganadero	el **g**anadero

Pronunciación de _ge_ y _gi_. El sonido de la **g** antes de las vocales **e** o **i** es idéntico al sonido **/x/** de la **j** como en **José** o **justo.** Escucha la pronunciación de **ge** y **gi** en las siguientes palabras.

/x/

gente

inteli**g**ente

sumer**g**irse

fu**g**itivo

gigante

C **Práctica con la letra _g_.** Ahora, escucha a los narradores leer las siguientes palabras con los tres sonidos de la letra **g** y escribe las letras que faltan en cada una.

1. o b l i ___ ___ r

2. ___ ___ b i e r n o

3. ___ ___ e r r a

4. p r o t e ___ ___ r

5. s a ___ ___ a d o

6. n e ___ ___ c i a r

7. ___ ___ ___ ___ n t e s c o

8. p r e s t i ___ ___ o s o

9. ___ ___ a v e m e n t e

10. e x a ___ ___ r a r

Deletreo con la letra *g*. La **g** siempre se escribe en ciertas raíces y terminaciones y antes de la **u** con diéresis (**ü**).

- En las raíces **geo-, legi-** y **ges-:**

geográfico	**legi**slatura	**ges**tación
apo**geo**	**legi**ble	con**ges**tión

- En la raíz **gen-:**

generación	**gen**erar	**gen**te

- En los verbos terminados en **-ger, -gir, -gerar** y **-gerir:**

reco**ger**	diri**gir**	exa**gerar**	su**gerir**
prote**ger**	corre**gir**	ali**gerar**	in**gerir**

- En palabras que se escriben con **güe** o **güi:**

bilin**güe**	ver**güe**nza	ar**güi**r
averi**güe**	**güe**ro	pin**güi**no

D **Práctica con *ge* y *gi*.** Ahora, escucha a los narradores leer las siguientes palabras y escribe las letras que faltan en cada una.

1. ___ ___ ___ l o g í a

2. e n c o ___ ___ ___

3. s u r ___ ___ ___

4. ___ ___ ___ é t i c a

5. e l e ___ ___ ___

6. ___ ___ ___ ___ t i m o

7. ___ ___ ___ r a

8. e x i ___ ___ ___

9. ___ ___ ___ g r a f í a

10. ___ ___ ___ ___ s l a d o r

Dictado. Escucha el siguiente dictado e intenta escribir lo más que puedas. El dictado se repetirá una vez más para que revises tu párrafo.

Luchas entre conservadores y liberales

_____

_____

_____

_____

_____

_____

_____

_____

_____

_____

_____

_____

_____

_____

_____

_____

_____

_____

_____

_____

¡A explorar!

Los sobrenombres

En el mundo hispano es muy común el uso de sobrenombres o nombres informales con amigos y parientes. En general, los sobrenombres se derivan de los nombres de pila, como "Lupe" de "Guadalupe" y "Toño" de "Antonio". Otros sobrenombres se alejan bastante de los nombres de pila, como "Yoya" por "Elodia" y "Fito" por "Adolfo".

E **Sobrenombres masculinos y femeninos.** De la segunda columna selecciona los nombres de pila que corresponden a los sobrenombres de la primera columna.

Sobrenombres masculinos	Nombres de pila
_____ 1. Pepe	a. Francisco
_____ 2. Beto	b. Guillermo
_____ 3. Chuy	c. Salvador
_____ 4. Nacho	d. Rafael
_____ 5. Memo	e. José
_____ 6. Pancho	f. Manuel
_____ 7. Quico	g. Roberto
_____ 8. Rafa	h. Ignacio
_____ 9. Chava	i. Jesús
_____ 10. Manolo	j. Enrique

Sobrenombres femeninos	Nombres de pila
_____ 1. Chelo	a. Rosario
_____ 2. Chavela	b. Concepción
_____ 3. Pepa	c. Mercedes
_____ 4. Lola	d. María Luisa
_____ 5. Concha	e. Cristina
_____ 6. Tere	f. Consuelo
_____ 7. Meche	g. Dolores
_____ 8. Chayo	h. Isabel
_____ 9. Marilú	i. Josefa
_____ 10. Tina	j. Teresa

Gramática en contexto

6.1 El futuro: Verbos regulares e irregulares

F **Deportes.** ¿Qué dicen tus amigos, amantes de los deportes, que harán la tarde del miércoles?

MODELO

Eva

Jugaré al básquetbol. o
Practicaré básquetbol.

> *Vocabulario útil*
>
> correr en el parque
> levantar pesas
> escalar montañas
> mirar un partido de béisbol
> hacer ejercicios aeróbicos
> montar a caballo
> jugar al tenis
> pasear en bicicleta
> jugar al fútbol
> nadar en la piscina municipal

Carlos

José Antonio

Roberta

1. _____

_____

_____

2. _____

_____

_____

3. _____

_____

_____

Jorge

Beatriz

4. _____

_____

_____

5. _____

_____

_____

G **Predicciones.** Por curiosidad, vas a ver a una adivina quien te habla de tu futuro. ¿Qué te dice?

MODELO _____ *(casarse) en dos años.*

Te casarás en dos años.

1. _____ (Estar) contento con el resultado de tus estudios.

2. _____ (Obtener) un puesto en una gran compañía.

3. _____ (Hacer) muchos viajes.

4. _____ (Conocer) a tu futuro cónyuge durante uno de esos viajes.

5. _____ (proponerle) matrimonio después de unos meses.

6. _____ (Tener) tres hijos.

7. _____ (Deber) prestarle atención a tu salud.

8. _____ (Ser) feliz.

H **Veinte años en el futuro.** Imagina lo que tu mejor amiga hará en veinte años y llena los espacios en blanco con las formas verbales en el futuro.

En veinte años mi mejor amiga _____ (1. tener) cuarenta años.

_____ (2. Ser) ejecutiva de una gran empresa multinacional y

por lo tanto _____ (3. viajar) a muchos países cada año.

_____ (4. Estar) casada y _____ (5. vivir) con su

esposo y tres hijos en una gran mansión. A pesar de estar muy ocupada,

mi buena amiga _____ (6. acordarse) de mi cumpleaños y me

_____ (7. llamar) para felicitarme. Me _____ (8. decir)

que _____ (9. venir) a visitarme pero, como siempre, no lo

_____ (10. poder) hacer.

Ortografía

I **Colombia hasta la independencia.** Repasa algunos hechos en la historia de Colombia al completar el deletreo de las siguientes palabras con la letra **g** y varias combinaciones de vocales y consonates.

1. Los indí___ ___nas que dejaron ídolos ___ ___gantes de piedra fueron la ___ ___nte de la re___ ___ ___n de San A___ ___stín.

2. Los pueblos chibchas fueron a___ ___ ___cultores que eli___ ___ ___ron trabajar las tierras altas de la re___ ___ ___n central.

3. Aquí fue donde la leyenda de El Dorado sur___ ___ ___ y llegó a su apo___ ___o.

4. Los españoles sumer___ ___ ___ron a los indí___ ___nas en la reli___ ___ ___n católica y la len___ ___ ___ castellana.

5. El Virreinato de Nueva ___ ___ ___nada ___ ___bernó y prote___ ___ ___ las re___ ___ ___nes que hoy son Venezuela, Colombia, Ecuador y Panamá.

6. Colombia ___ ___nó su independencia el 20 de julio de 1810 cuando el último virrey español fue obli___ ___do a dejar su car___ ___a y re___ ___ ___sar a España.

Correspondencia práctica

Carta de solicitud de empleo

Las cartas de solicitud de empleo tienden a ser breves y formales. En ellas generalmente se menciona cómo se dio cuenta el o la solicitante del puesto vacante, se indica que en un adjunto están todos los datos personales y se agradece de antemano una rápida respuesta. A continuación se presentan algunas fórmulas de cortesía usadas en cartas de solicitud de empleo.

Para explicar por qué escribe

En respuesta a su anuncio del día 9 de agosto en *El Mercurio*, solicito el puesto de...

Según solicitan en su aviso de fecha 22 de febrero en *El País*,...

La presente responde a su anuncio en *Excélsior* del día 2 de mayo, donde solicitan jefe de...

Para indicar lo anexo

Les adjunto mis datos personales que hacen constar que estoy muy capacitado(a) para...

Adjunto tengo el gusto de enviarles mi expediente y unas cartas de recomendación, por las cuales podrán ver que estoy capacitado(a) para...

Adjunto les envío mi expediente y una foto...

Para agradecer una rápida respuesta

En espera de su pronta respuesta, les saluda su S. S.

Les agradezco su atención a esta carta y quedo de Uds. muy atto(a). su afmo(a). S. S.

En espera de su grata respuesta a la mayor brevedad posible, quedo siempre su afmo(a). S. S.

MODELO

```
                                 15 de julio de 1996

Sr. Miguel Otero Rodríguez
Gerente de Ventas
Computadoras JNC
Edificio JNC
Avenida Jiménez No. 123
Bogotá, Colombia

Muy estimado señor:

La presente responde a su anuncio en
El Diario de fecha 13 de julio, donde
solicitan jefe de personal. Adjunto
tengo el gusto de enviarle mi expediente
y unas cartas de recomendación por las
cuales podrá ver que estoy capacitada
para tal cargo. Si llegará a necesitar
cualquier otra información, no deje de
comunicarse con su S. S., al teléfono
256 66 46.

Le agradezco su atención a esta carta y
quedo de Ud. muy atta.

                       Cristina Castillo Leyva

Adjuntos
```

J **Solicito empleo.** Vas a necesitar trabajar este verano y, por eso, empiezas a revisar los anuncios comerciales del periódico local. Encuentra un puesto que te atraiga y para el cual te sientes capacitado(a). En una hoja en blanco escribe una carta de solicitud a la empresa.

Lengua en uso

Variantes coloquiales: Expresiones derivadas del inglés

En el español actual existe un gran número de palabras derivadas de otras lenguas con las que ha estado en contacto el español: el árabe, el náhuatl, el quechua, el francés, entre otras. La asimilación de palabras de otras lenguas es un proceso lingüístico natural y debido al contacto diario con el inglés, muchos hispanohablantes residentes en EE.UU. usan expresiones coloquiales que reflejan esta influencia. Por eso, es importante estar consciente del uso de estas palabras y expresiones que, en ocasiones, pueden ser un obstáculo en la comunicación con hablantes de otras regiones del mundo de habla hispana.

K **Expresiones coloquiales.** Lee las siguientes oraciones y cámbialas usando la norma más común del español.

MODELO *Mi profesor quiere que yo **aplique** a la universidad.*
Mi profesor quiere que yo *solicite ingreso* a la universidad.

Vocabulario útil		
campo	devolver	ensayo
cuenta	solicitar	volver

1. Nuestra maestra nos *dio para atrás* la tarea corregida.

_____

2. No tenemos dinero para pagar *el bil* del teléfono.

_____

3. Llámame por teléfono, que yo te *llamo para atrás*.

_____

4. Por muchos años mis tíos trabajaron en *el fil*.

_____

5. Tengo que escribir *un papel* sobre el gran libertador Simón Bolívar.

_____

Vocabulario activo

A continuación se encuentra el vocabulario activo de las secciones **Gente del Mundo 21** y **Del pasado al presente** de la Lección 1. En los espacios en blanco bajo cada tema, añade otras palabras que has aprendido en esta lección y que crees que te serán útiles.

Gente del Mundo 21

aprobación _____

bronce _____

creciente _____

elaborar _____

enorme _____

escultor(a) _____

exagerar _____

_____

_____

_____

_____

grabador(a) _____

imaginario(a) _____

muebles _____

residir _____

sátira _____

superficie _____

volumen _____

_____

_____

_____

_____

Del pasado al presente

Desde *Culturas precolombinas* hasta *El proceso de independencia*

audiencia _____

barco _____

depender _____

desacuerdo _____

disminuir _____

mestizaje _____

_____

_____

_____

_____

motivar _____

renunciar _____

sumergirse _____

vencido(a) _____

virrey _____

_____

_____

_____

_____

Luchas entre conservadores y liberales y La violencia

efectuarse _____

exhausto(a) _____

istmo _____

_____

_____

_____

_____

_____

_____

_____

ola _____

prosperidad _____

_____

_____

_____

_____

_____

_____

_____

La década de 1990

aliado(a) _____

atacado(a) _____

fugitivo(a) _____

_____

_____

_____

_____

_____

_____

_____

mostrar _____

narcotraficante _____

narcotráfico _____

_____

_____

_____

_____

_____

_____

_____

L **Opciones.** Selecciona la opción correcta para completar las siguientes oraciones.

1. Cuando dos personas tienen opiniones opuestas y no pueden llegar a una resolución, se puede decir que...
   a. están exhaustas
   b. están en desacuerdo
   c. tienen razón

2. Reducir la cantidad de algo es...
   a. disminuirla
   b. exagerarla
   c. renunciarla

3. Una persona que ha sufrido una derrota es un...
   a. fugitivo
   b. atacado
   c. vencido

4. Una persona que compra y vende drogas ilegalmente es un...
   a. narcotraficante
   b. farmacéutico
   c. boticario

5. Una persona unida a ti por un pacto o una promesa es tu...
   a. audiencia
   b. aliado
   c. enemigo

M **Lógica.** En cada grupo de palabras, subraya aquélla que no esté relacionada con el resto.

1. efectuarse	ocurrir	realizarse	mestizaje
2. virrey	escultor	autoridad	gobernante
3. disminuir	enorme	creciente	inmenso
4. residir	vivir	establecerse	sumergirse
5. vencido	aliado	dominado	deshecho

Composición: *Resumen de ideas*

N **Lucha contra el narcotráfico.** En una hoja en blanco escribe una breve composición en la que das los argumentos para que el gobierno colombiano continúe la lucha contra los traficantes de drogas en Colombia. ¿Por qué es importante que el gobierno de EE.UU. apoye esta lucha? ¿Por qué podemos decir que el tráfico de drogas (por ejemplo, la cocaína) es un problema internacional? ¿Quiénes son los más afectados?

¡A escuchar!

El Mundo 21

A **Líder panameño.** Escucha lo que un profesor de historia latinoamericana les dice a sus alumnos acerca de un importante líder político panameño. Luego marca si cada oración que sigue es **cierta (C), falsa (F)** o si no tiene relación con lo que escuchaste **(N/R)**. Si la oración es falsa, corrígela.

C   F   N/R   **1.** Omar Torrijos tuvo una carrera militar en Panamá.

_____

_____

C   F   N/R   **2.** En 1968 participó en el golpe de estado que derrocó al presidente Arnulfo Arias.

_____

_____

C   F   N/R   **3.** Omar Torrijos fue un político muy popular y ganó varias elecciones presidenciales con grandes porcentajes.

_____

_____

C   F   N/R   **4.** Durante su gobierno, Torrijos logró su objetivo de renegociar con EE.UU. el control nacional del Canal de Panamá.

C   F   N/R   **5.** En 1977 Torrijos y el presidente estadounidense Ronald Reagan firmaron dos tratados sobre el Canal de Panamá.

C   F   N/R   **6.** De acuerdo con estos tratados, EE.UU. devolvería el canal a Panamá en el año 2000.

B   **Los cunas.** Escucha el siguiente texto acerca de los cunas y luego selecciona la respuesta que complete correctamente las oraciones que siguen. Escucha una vez más para verificar tus respuestas.

1. Las islas San Blas se encuentran...
   a. al oeste de Colón
   b. el este de Colón
   c. al norte de Colón

2. El número total de islas es...
   a. trescientos sesenta y cinco
   b. ciento cincuenta
   c. desconocido

3. Entre los grupos indígenas, los cunas sobresalen por...
   a. sus orígenes muy antiguos
   b. su modo de trabajar el oro
   c. su independencia política

4. Las mujeres cunas permanecen la mayor parte del tiempo...
   a. en la ciudad de Colón
   b. en la ciudad de Panamá
   c. en las islas

5. Una parte importante del arte cuna es...
   a. la vestimenta de las mujeres
   b. la religión
   c. el diseño de las casas

Daniel y Salchicha. Escucha lo que una vecina le cuenta a otra vecina acerca de lo que le ocurrió a Daniel, hijo de doña Emerita. Luego marca si cada oración que sigue es **cierta (C)**, **falsa (F)** o si no tiene relación con lo que escuchaste **(N/R)**. Si la oración es falsa, corrígela. Escucha una vez más para verificar tus respuestas.

C   F   N/R   **1.** Daniel estaba jugando béisbol cuando lo mordió el perro.

_____

C   F   N/R   **2.** Salchicha es normalmente amistoso.

_____

C   F   N/R   **3.** Daniel le pegó a Salchicha con la escoba.

_____

C   F   N/R   **4.** Cuando fue con el doctor, le hicieron un análisis de sangre a Daniel.

_____

C   F   N/R   **5.** Después del incidente, doña Emerita habló con el dueño de Salchicha.

_____

Pronunciación y ortografía

Guía para el uso de la letra _j_. En lecciones previas aprendiste que la **j** tiene sólo un sonido **/x/**, que es idéntico al sonido de la **g** en las combinaciones **ge** y **gi.** Observa el deletreo de este sonido al escuchar a la narradora leer las siguientes palabras.

/x/

jardines   ojo

mestizaje   judíos

dijiste

La letra *j*. Ahora, escucha a los narradores leer las siguientes palabras y escribe las letras que faltan en cada una.

1. ___ ___ n t a

2. f r a n ___ ___

3. e x t r a n ___ ___ r o

4. l e n g u a ___ ___

5. v i a ___ ___ r o

6. h o m e n a ___ ___

7. p o r c e n t a ___ ___

8. ___ ___ b ó n

9. t r a ___ ___

10. ___ ___ l i s c o

Deletreo con la letra *j*. La **j** siempre se escribe en ciertas terminaciones y formas del verbo.

- En las terminaciones **-aje, -jero** y **-jería:**

  mestiz**aje**   extran**jero**   reloj**ería**

  aprendiz**aje**   ca**jero**   bruj**ería**

- En el pretérito de los verbos irregulares terminados en **-cir** y de verbos regulares cuyo radical termina en **j:**

  redu**je** (de reducir)   di**je** (de decir)   fi**jé** (de fijar)

  produ**je** (de producir)   tra**je** (de traer)   traba**jé** (de trabajar)

E

Práctica con la letra *j*. Ahora, escucha a los narradores leer las siguientes palabras y escribe las letras que faltan en cada una.

1. c o n s e ___ ___ ___ ___

2. r e d u ___ ___ ___ ___ ___

3. d i ___ ___

4. r e l o ___ ___ ___ ___ ___

5. m e n s ___ ___ ___

6. c o n d u ___ ___ ___ ___ ___

7. p a i s a ___ ___

8. r e l o ___ ___ ___ ___

9. t r a ___ ___ ___ ___ ___

10. m a n e ___ ___ ___ ___ ___

F

Deletreo del sonido /x/. Este sonido presenta dificultad al escribirlo cuando precede a las vocales **e** o **i.** Al escuchar a los narradores leer las siguientes palabras, complétalas con **g** o **j,** según corresponda.

1. o r i ___ e n

2. j u ___ a d o r

3. t r a d u ___ e r o n

4. r e c o ___ i m o s

5. l e ___ í t i m o

6. t r a b a ___ a d o r a

7. e ___ é r c i t o

8. e x i ___ e n

9. c o n ___ e s t i ó n

10. e n c r u c i ___ a d a

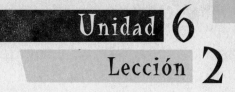
Dictado. Escucha el siguiente dictado e intenta escribir lo más que puedas. El dictado se repetirá una vez más para que revises tu párrafo.

La independencia y la vinculación con Colombia

_____

_____

_____

_____

_____

_____

_____

_____

_____

_____

_____

_____

_____

_____

_____

_____

_____

_____

_____

_____

¡A explorar!

Repaso de acentuación y los tiempos verbales

En los apéndices de tu texto aparecen las conjugaciones de todos los tiempos verbales. Usa esos apéndices cuando tengas alguna duda acerca de la conjugación o acentuación de cualquier tiempo verbal.

G **Tiempos verbales regulares.** ¿Qué tal conoces tus reglas verbales? Contesta las siguientes preguntas para saber.

1. ¿Cuáles son los dos tiempos verbales que llevan acento escrito en todas las terminaciones de verbos en **-er** e **-ir**?

   _____

   _____

2. ¿Cuáles son dos tiempos verbales que sólo llevan acento escrito en las terminaciones de **vosotros** y nada más?

   _____

   _____

3. ¿Qué tiempo verbal lleva acento escrito en todas las terminaciones menos **nosotros**?

   _____

   _____

4. ¿Qué tiempo verbal sólo lleva acento escrito en las terminaciones de **nosotros** y nada más?

   _____

   _____

5. ¿Qué tiempo verbal siempre lleva acento escrito sólo en la primera persona singular y la tercera persona singular?

   _____

   _____

H **Político panameño**. A continuación está el primer borrador de una carta que un político panameño ha escrito a sus compatriotas panameños explicándoles lo que más le gustaría que tomara lugar en Panamá. Como no ha tenido tiempo de escribir los acentos escritos, te pide que les pongas acento escrito a las palabras que lo necesiten.

Estimados compatriotas:

Les envio esta carta con mis mejores deseos. Quiero explicarles lo que mas me gustaria ver en Panama en el futuro cercano. Me encantaria ante todo ver un pais democratico con oportunidades economicas para todos. Me alegraria mucho tener elecciones pacificas regularmente en nuestro pais.

En el año 2000, la devolucion del canal a Panama me alegrara de sobremanera. Yo hare una gran fiesta dondequiera que este y los invitare a todos ustedes, mis mejores amigos, a que me acompañen.

Todos los panameños deberiamos unirnos para que esto suceda sin ningun obstaculo.

Reciban un afectuoso saludo de su amigo,

Andres Rodriguez

Gramática en contexto

6.2 El condicional: Verbos regulares e irregulares

I **Soluciones.** Un candidato a la presidencia menciona los cambios que introduciría para arreglar los problemas del país.

MODELO _____ (Reducir) los impuestos.
        Reduciría los impuestos.

1. _____ (Defender) los derechos del ciudadano

   común.

2. _____ (Evitar) los gastos

   innecesarios.

3. _____ (Proponer) castigos más drásticos

   para los criminales.

4. _____ (Dar) comida gratuita en las escuelas.

5. _____ (Saber) convencer a los políticos de la

   oposición.

6. _____ (Desarrollar) la industria

   nacional.

7. _____ (Ofrecer) incentivos para los pequeños

   industriales.

8. _____ (Hacer) cambios en la distribución de

   las riquezas.

J **Próxima visita.** Un amigo te está contando acerca de una carta que les envió a sus amigos panameños. Para saber lo que dice, completa este párrafo con la forma apropiada del **condicional** de los verbos entre paréntesis.

La semana pasada les escribí a unos amigos que viven en la Ciudad de

Panamá. Les comuniqué que _____ (1. ir) a visitarlos el

mes próximo. Les dije que más adelante les _____

(2. enviar) todos los detalles de mi llegada. Les aseguré que en esta visita

_____ (3. tener) dos semanas, y no dos días, para

recorrer el país. Les expliqué que _____ (4. salir) de la

Ciudad de Panamá por unos días porque _____

(5. visitar) las islas San Blas.

K **Cliente descontento.** Completa el siguiente diálogo en el que un cliente regresa a la tienda para devolver un pantalón. Emplea el **condicional** de los verbos entre paréntesis para indicar cortesía.

CLIENTE: Este pantalón no me queda bien. _____

(1. Querer) devolverlo.

EMPLEADO: ¿_____ (2. Preferir) Ud. cambiarlo por otro?

CLIENTE: No, gracias; no me gusta ninguno. _____

(3. Desear) recuperar mi dinero. Aquí tiene el recibo.

EMPLEADO: Me _____ (4. gustar) mucho devolverle su

dinero, señor, pero desgraciadamente este recibo es de la

tienda de al lado.

CLIENTE: Ah, perdone Ud., no me di cuenta. _____

(5. Deber) ponerme los lentes cuando leo.

Ortografía

L **Manuel Antonio Noriega.** Repasa los más importantes hechos en la vida de Noriega al completar las siguientes palabras con la letra **g** o **j**.

1. Manuel Antonio Noriega tomó la ___efatura de la ___uardia Nacional en 1983 y si___uió diri___iendo el país.

2. Cuando el ___eneral Omar Torri___os murió en un avión, se su___irió que el ___efe de la ___uardia Nacional, Manuel Antonio Noriega, fue el responsable.

3. Esto produ___o mucho descontento ___eneral entre la ___ente de Panamá.

4. A la vez, en EE.UU. se di___o que Noriega prote___ía a traficantes de dro___as.

5. En 1989, cuando la oposición ___anó las elecciones nacionales, Noriega las anuló con el apoyo del e___ército.

6. En diciembre de 1989, EE.UU. tra___o a su e___ército y marina a Panamá y capturó a Noriega.

Lengua en uso

La tradición oral

El amor y la muerte han sido temas favoritos en la poesía y en la canción desde tiempos inmemorables. La canción que vas a escuchar aquí, "Canto a la Muerte", es del cantante Rubén Blades. La compuso después de la muerte de su madre y refleja la actitud de desafío que muchos artistas latinoamericanos tienen frente a la muerte.

M   **"Canto a la Muerte"**. Ahora escucha la siguiente canción y escribe las
palabras que faltan. La canción se va a repetir dos veces.*

Canto a la Muerte
de Rubén Blades

No te alegres, Muerte, hoy con tu

_____ (1),

pues mi madre vive toda en mi

_____ (2).

No te enorgullezcas si me ves

llorando,

yo no me _____ (3)

de estarla _____ (4).

Me ha enseñado, Muerte,

a no tenerte miedo.

Mi querida vieja se fue _____ (5).

No te enorgullezcas, Muerte,

tu triunfo es _____ (6),

yo su amor _____ (7)

y ella cuida el mío.

Decir "adiós" es difícil, _____ (8),

pero aún lo es mucho más

cuando se le da a una madre.

Deja un vacío imposible de llenar,

por toda la _____ (9);

_____ (10) es el amor mío.

Madre sólo hay una en la vida.

Madre sólo hay una en la vida.

En cualquier _____ (11)

del mundo

no habrá voz que no te diga.

Cuando una madre se va,

qué _____ (12) despedirla.

Me _____ (13) lo que no

llegué a decirte,

de que te fueras, mi Má...

que me puso de rodillas.

Sólo hay una en este mundo,

y su amor nunca _____ (14).

De las flores del pasado,

eres tú la preferida.

Gracias por darme _____ (15)

y amor.

Gracias por tu _____ (16)

y dolor.

Mamita, Dios te _____ (17).

No te enorgullezcas, Muerte,

ella en mi alma sigue viva.

Me ha enseñado, Muerte,

a no tenerte miedo.

Mi _____ (18) vieja se fue

combatiendo.

No te _____ (19), Muerte,

tu triunfo es vacío.

Yo su amor _____ (20)

y ella _____ (21) el mío.

*La canción se encuentra después de la sección **¡A escuchar!** en la audiocinta
  para esta lección.

Definiciones. Para asegurar que sabes el significado de todas las palabras que escribiste en la canción **"Canto a la Muerte"**, selecciona la palabra de la segunda columna que es sinónimo de cada palabra de la primera columna.

_____ 1. proteger   **a.** acabarse, perder

_____ 2. avergonzarse   **b.** amor

_____ 3. memoria   **c.** triunfo

_____ 4. combatir   **d.** echar de menos

_____ 5. enorgullecer   **e.** cuidar, preservar

_____ 6. arruinarse   **f.** decir "adiós"

_____ 7. victoria   **g.** sentir pena o timidez

_____ 8. despedir   **h.** luchar

_____ 9. extrañar   **i.** recuerdo

_____ 10. cariño   **j.** tener orgullo

Vocabulario activo

A continuación se encuentra el vocabulario activo de las secciones **Gente del Mundo 21** y **Del pasado al presente** de la Lección 2. En los espacios en blanco bajo cada tema, añade otras palabras que has aprendido en esta lección y que crees que te serán útiles.

Gente del Mundo 21

candidatura _____	llaves de la ciudad _____
derecho internacional _____	maestría _____
derrocamiento _____	presidencia _____
enfrentamiento _____	profesorado _____
exitoso(a) _____	teniente coronel _____
ingresar _____	trayectoria _____
literatura infantil _____	
_____	_____
_____	_____

Del pasado al presente

Los primeros exploradores y *La colonia*

atraer _____	océano _____
atravesar _____	opulento(a) _____
construcción _____	pez / peces _____
decaer _____	puerto _____
denominado(a) _____	restablecer _____
intensificar _____	saquear _____
mar _____	suprimir _____
mercancía _____	tocar _____
_____	_____
_____	_____

La independencia y *El istmo en el siglo XIX*

aislado(a) _____

conmemorar _____

contrario(a) _____

convocar _____

descubrimiento _____

desintegración _____

encargado(a) _____

_____

_____

_____

fallido(a) _____

fracaso _____

interoceánico(a) _____

obligado(a) _____

ratificar _____

revitalizar _____

_____

_____

La República de Panamá

conceder _____

desorden _____

franja _____

impedir _____

_____

_____

_____

perpetuidad _____

protectorado _____

resentimiento _____

separatista _____

_____

_____

_____

La época contemporánea

cesión _____

corte _____

culpable _____

descontento(a) _____

_____

_____

_____

_____

molesto(a) _____

traficante de drogas _____

transferencia _____

_____

_____

_____

_____

Ñ **¿Parecidas u opuestas?** Indica si en cada par de palabras hay parecidas (**P**) u opuestas (**O**).

P	**O**	**1.**	impedir / ratificar
P	**O**	**2.**	fallido / exitoso
P	**O**	**3.**	cese / continuación
P	**O**	**4.**	convocar / conmemorar
P	**O**	**5.**	denominado / nombrado
P	**O**	**6.**	mar / océano

O **Crucigrama.** De acuerdo con las claves que siguen, completa este crucigrama con palabras del vocabulario activo de la lección sobre Panamá que viste en este capítulo.

Claves verticales

1. Recordar algo o a alguien en una ceremonia
2. Estar en contacto físico con algo
3. Llamar a varias personas para una reunión
4. Tribunal de justicia
5. Lugar en los ríos o en el mar para guardar los barcos
6. Persona responsable de un negocio
7. Apartado, separado
11. Océano

Claves horizontales

5. Grupo de académicos de una universidad
8. Falta de éxito
9. Grupo de personas que cantan
10. Cautivar, tener mucha atracción
12. Período de 24 horas
13. País que permite el ingreso de fuerzas extranjeras en caso de desórdenes públicos.

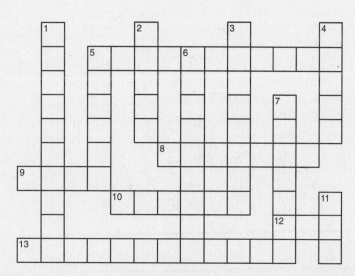

Composición: *Opiniones*

P **Tratados sobre el Canal de Panamá.** En una hoja en blanco escribe una breve composición en la que usas los argumentos que crees que convencieron al presidente estadounidense Jimmy Carter de firmar en 1977 dos tratados con el gobierno de Panamá. Según estos tratados, el canal será devuelto a Panamá el 31 de diciembre de 1999. ¿Por qué piensas que fue posible hacer esto?

¡A escuchar!

El Mundo 21

A **Líder venezolano.** Escucha lo que dice esta señora acerca de un importante líder político venezolano. Luego marca si cada oración que sigue es **cierta (C), falsa (F)** o si no tiene relación con lo que escuchaste **(N/R)**. Si la oración es falsa, corrígela.

C F N/R **1.** Rafael Caldera Rodríguez es ingeniero.

_____

_____

C F N/R **2.** Caldera fue secretario general de la Juventud Católica venezolana de 1932 a 1934.

_____

_____

C F N/R **3.** Caldera fue postulado para la presidencia cuatro veces por el Comité de Organización Política Electoral Independiente (COPEI) y ganó las elecciones en cada ocasión.

_____

_____

C F N/R 4. Fue elegido por primera vez en 1968 y su gobierno impulsó la agricultura, convirtiendo a Venezuela en un país principalmente agrícola.

_____

_____

C F N/R 5. En 1993 fue elegido presidente, esta vez como candidato de una coalición de diecisiete pequeños partidos políticos.

_____

_____

C F N/R 6. Cuando el presidente Carlos Andrés Pérez fue acusado de corrupción, Caldera, por tener fama de honesto, llegó a la presidencia.

_____

_____

B **Colonia Tovar.** Escucha el siguiente texto acerca de un pueblo cercano a Caracas y luego indica si la información que sigue es mencionada (**Sí**) o no (**No**) por la persona que habla. Escucha una vez más para verificar tus respuestas.

Sí No 1. La Colonia Tovar está situada a cincuenta kilómetros de Caracas.

Sí No 2. Hay una iglesia alemana en el pueblo.

Sí No 3. Una excursión a este pueblo es el paseo favorito de los caraqueños.

Sí No 4. Una de las especialidades del pueblo son las salchichas.

Sí No 5. Los colonos originales llegaron allí en el año 1843.

Sí No 6. El gobierno les prometió a los colonos originales que les daría tierras y autonomía.

Sí No 7. Los colonos hablaban un dialecto alemán.

Sí No 8. El nombre del pueblo proviene de la persona que les donó las tierras a los colonos.

C   **Boleto del metro.** Vas a escuchar instrucciones para comprar un boleto del metro caraqueño usando una máquina expendedora. Mientras escuchas las instrucciones ordena numéricamente los dibujos correspondientes. Escucha una vez más para verificar tus respuestas.

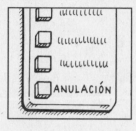

A. _____

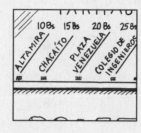

B. _____

C. _____

D. _____

E. _____

F. _____

G. _____

H. _____

Pronunciación y ortografía

Guía para el uso de la letra *h*. La **h** es muda, no tiene sonido. Sólo tiene valor ortográfico. Observa el deletreo de las siguientes palabras con la **h** mientras la narradora las lee.

hospital   **h**abitar

humano   ex**h**austo

a**h**ora

D **La letra *h*.** Ahora, escucha a los narradores leer las siguientes palabras y escribe las letras que faltan en cada una.

1. ___ ___ r e d a r   **6.** ___ ___ s t i l i d a d

2. p r o ___ ___ b i r   **7.** v e ___ ___ m e n t e

3. r e ___ ___ s a r   **8.** ___ ___ r o e

4. ___ ___ ___ r r o   **9.** e x ___ ___ l a r

5. ___ ___ ___ l g a   **10.** ___ ___ r m i g a

Deletreo con la letra *h*. La **h** siempre se escribe en una variedad de prefijos griegos.

- Con los prefijos **hema-** y **hemo-**, que significan **sangre:**

  hematología   **hema**tólogo   **hemo**globina

  hematosis   **hemo**filia   **hemo**rragia

- Con el prefijo **hecto-**, que significa **cien**, y **hexa-**, que significa **seis:**

  hectómetro   **hect**área   **hexa**cordo

  hectolitro   **hexá**gono   **hexa**sílabo

- Con el prefijo **hosp-**, que significa **huésped**, y **host-**, que significa **extranjero:**

  hospital   **hosp**icio   **host**ilizar

  hospedar   **host**il   **host**ilidad

- Con el prefijo **hiper-**, que significa **exceso**, e **hidro-**, que significa **agua:**

  hipercrítico   **hiper**termia   **hidro**metría

  hipersensible   **hidro**plano   **hidro**terapia

- Con el prefijo **helio-,** que significa **sol,** e **hipo-,** que significa **inferioridad:**

  heliofísica   **helio**scopio   **hipó**crita

  heliografía   **hipo**condrio   **hipo**pótamo

E **Práctica con la letra _h._** Ahora, escucha a los narradores leer las siguientes palabras y escribe las letras que faltan en cada una.

1. __ __ __ __ __ g r a m o

2. __ __ __ __ __ t e r a p i a

3. __ __ __ __ __ s o l u b l e

4. __ __ __ __ e d a r

5. __ __ __ __ __ s t á t i c a

6. __ __ __ __ t e n s i ó n

7. __ __ __ __ __ g r a f o

8. __ __ __ __ i t a l i z a r

9. __ __ __ __ g o n a l

10. __ __ __ __ t e c a

Dictado. Escucha el siguiente dictado e intenta escribir lo más que puedas. El dictado se repetirá una vez más para que revises tu párrafo.

El desarrollo industrial

_____
_____
_____
_____
_____
_____
_____
_____
_____
_____
_____
_____
_____
_____
_____
_____
_____
_____
_____
_____

¡A explorar!

El imperfecto de subjuntivo de verbos en *-cir*

Algunos hispanohablantes tienen la tendencia a regularizar las terminaciones en el imperfecto de subjuntivo de verbos cuyo infinitivo termina en **-cir**. Esto los lleva a decir, por ejemplo, *traduciera* por **tradujera** y *produciera* por **produjera**. Es importante recordar que en el imperfecto de subjuntivo los verbos en **-cir** cambian la **c** a **j** y añaden **-era** en vez de **-iera**; por ejemplo, la forma normativa del imperfecto de subjuntivo del verbo **decir** es **dijera** y no *dijiera*.

F **Sueños de conductor.** Tu amigo Alfonso te cuenta sobre los sueños que tiene de trabajar un día como conductor de trenes en el metro de Caracas. Completa sus comentarios con el imperfecto de subjuntivo de los verbos entre paréntesis.

Yo sería la persona más feliz del mundo si yo _____ (1. conducir)

un tren del metro de Caracas. Sería fabuloso que todo el día

_____ (2. andar) por las vías del metro. Qué gusto le daría a todo

el mundo cuando yo _____ (3. decir): "¡Todos al tren!" Sin duda

yo sabría qué hacer en caso de que se _____ (4. producir) una

emergencia en mi recorrido. Tendría mucha suerte que mi trabajo me

_____ (5. satisfacer) tanto.

Gramática en contexto

6.3 El imperfecto del subjuntivo: Terminaciones y cláusulas con *si*

G **Votantes descontentos**. Unos comentaristas políticos analizaron por televisión los resultados de las últimas elecciones del congreso de Venezuela y dieron las siguientes conclusiones sobre lo que los votantes venezolanos querían de los políticos.

MODELO *Les pidieron que _____ (ayudar) a los más pobres.*
Les pidieron que ayudaran a los más pobres.

1. Les pidieron que _____ (ser) más honestos.

2. Les demandaron que _____ (investigar) las acusaciones contra políticos corruptos.

3. Les reclamaron que _____ (ofrecer) soluciones concretas para el desempleo.

4. Les mandaron que _____ (resolver) los problemas económicos.

5. Les ordenaron que _____ (pensar) menos en sus intereses personales y más en el bienestar económico de Venezuela.

H **Vida poco activa.** ¿Qué consejos le das a un buen amigo tuyo que lleva una vida poco activa?

MODELO   *tener más energía / participar en más deportes*
Tendrías más energía si participaras en más deportes.

1. conocer a más gente / salir a correr todos los días

_____

_____

2. sentirte mejor / no almorzar en la oficina

_____

_____

3. divertirte mucho / ir a fiestas conmigo de vez en cuando

_____

_____

4. hacer más ejercicio / no sentarte a ver televisión todos los días

_____

_____

5. no preocuparte tanto / pensar menos en el trabajo

_____

_____

Ortografía

I **Caracas y Maracaibo.** Para saber algo más de estos dos sitios venezolanos, completa el deletreo de las siguientes palabras con una **h** sólo donde sea necesario.

1. En el ___ orizonte vemos Caracas, ___ una ciudad ___ istórica de mucha ___ ospitalidad.

2. Los indígenas venezolanos creen que las ___ uellas de sus antepasados son ___ el ___ ilo al pasado.

3. Antes de construir ___ el metro de Caracas, ___ ubo una planificación extensa con situaciones reales ___ e ___ ipotéticas.

4. En Maracaibo, el petróleo ___ a sido el mayor ___ allazgo y ___ el producto principal de Venezuela.

5. La determinación de los políticos de Maracaibo de sacar más y más petróleo del lago frecuentemente ___ a agotado la paciencia ___ umana del ___ ombre que trata de preservar el medio ___ ambiente.

6. Por eso, los ___ uelguistas, ___ umilde y pacíficamente, varias veces ___ an tenido que confrontar la ___ ostilidad de los administradores petroleros.

Lengua en uso

Variantes coloquiales: Los nombres de animales

Debido a su enorme extensión que cubre las más variadas regiones climáticas, el mundo hispano tiene una gran variedad de nombres para muchas especies de animales. Muchos animales tienen varios nombres según la región. Por ejemplo, en México y Centroamérica el "buitre" se conoce como "zopilote" y en Sudamérica como "urubú". Lo mismo ocurre con la enorme serpiente, que vive a orilla de los ríos americanos, llamada "boa" en unas regiones, "anaconda" en otras y "tragavenado" en otras.

J **Animales.** Selecciona de la segunda columna el nombre que corresponde a cada animal nombrado en la primera columna.

_____ 1. serpiente   **a.** cochino

_____ 2. jaguar   **b.** caimán

_____ 3. tecolote   **c.** pavo

_____ 4. colibrí   **d.** mofeta

_____ 5. venado   **e.** cabra

_____ 6. guajolote   **f.** asno

_____ 7. perico   **g.** culebra

_____ 8. cocodrilo   **h.** búho

_____ 9. cerdo   **i.** ciervo

_____ 10. burro   **j.** tigre

_____ 11. chiva   **k.** chupaflor

_____ 12. zorrillo   **l.** loro

Vocabulario activo

A continuación se encuentra el vocabulario activo de las secciones **Gente del Mundo 21** y **Del pasado al presente** de la Lección 3. En los espacios en blanco bajo cada tema, añade otras palabras que has aprendido en esta lección y que crees que te serán útiles.

Gente del Mundo 21

aplicar _____

atentado _____

coalición _____

democratización _____

distanciarse _____

dúo _____

finalizar _____

_____

_____

_____

_____

industrialización _____

interpretar _____

perspectiva _____

postular _____

romper _____

únicamente _____

_____

_____

_____

_____

Del pasado al presente

Los primeros exploradores

apoderarse _____

habitar _____

orilla _____

perla _____

pilotes _____

_____

_____

_____

_____

pisar _____

retirarse _____

riqueza _____

tierra firme _____

_____

_____

_____

_____

La colonia y *La independencia*

declarar _____

desilusionado(a) _____

establecerse _____

flotas _____

lejano(a) _____

llanero(a) _____

nacionalismo _____

_____

_____

proveer _____

reafirmar _____

rendirse _____

resentir _____

seguridad _____

semilla _____

_____

_____

Un siglo de caudillismo

aristocracia _____

caudillo _____

ejercer _____

reprimido(a) _____

_____

_____

sanguinario(a) _____

sucesión _____

terrateniente _____

urbano(a) _____

_____

_____

La consolidación y *El desarrollo industrial*

alianza _____

corrupción _____

cuadruplicar _____

ingreso _____

_____

_____

partido político _____

propuesto(a) _____

socio(a) _____

transición _____

_____

_____

K **Lógica.** En cada grupo de palabras, subraya aquélla que no esté relacionada con el resto.

1. pilotes   terrateniente   establecerse   habitar
2. declarar   resentir   insistir   reafirmar
3. riqueza   llanero   aristocracia   opulencia
4. alianza   coalición   socio   corrupción
5. apoderarse   retirarse   distanciarse   abandonar

L **Opciones.** Selecciona la opción que complete correctamente las siguientes oraciones.

1. Pedir un puesto nuevo es...
   a. ejercer
   b. reafirmar
   c. postularse

2. El sueldo que se gana es...
   a. el ingreso
   b. la semilla
   c. el socio

3. Dejar de poner resistencia es...
   a. rendirse
   b. pisar
   c. finalizar

4. Hacerse dueño de una cosa es...
   a. proveer
   b. aplicar
   c. apoderarse

5. El encargado, el jefe o el capitán es...
   a. el terrateniente
   b. el caudillo
   c. el socio

6. El borde de una cosa es...
   a. la orilla
   b. los pilotes
   c. las flotas

Composición: *Descripción*

M **Transporte colectivo.** En una hoja en blanco escribe una breve composición en la que mencionas las ventajas que tiene construir un sistema de transporte colectivo, como el metro, en vez de seguir construyendo grandes autopistas en ciudades populosas como Caracas. ¿Qué debe ofrecer un sistema de transporte colectivo para que la gente de la localidad donde tú vives lo utilice como el medio de transporte principal?

¡A escuchar!

El Mundo 21

Político peruano. Escucha lo que discute una pareja de peruanos sobre la labor realizada en el Perú por el presidente Alberto Fujimori. Luego marca si cada oración que sigue es **cierta (C), falsa (F)** o si no tiene relación con lo que escuchaste **(N/R).** Si la oración es falsa, corrígela.

C   F   N/R   **1.** El presidente Alberto Fujimori es ingeniero.

_____

_____

C   F   N/R   **2.** La agrupación que lo postuló como candidato para las elecciones presidenciales de 1990 se llamaba "Cambio 90".

_____

_____

C   F   N/R   **3.** María está convencida de que el gobierno de Fujimori necesitaba disolver el congreso en 1991.

_____

_____

C   F   N/R   4. "Sendero Luminoso" es un grupo terrorista que tiene más de 5.000 guerrilleros izquierdistas.

_____

_____

C   F   N/R   5. El gobierno de Fujimori no ha podido capturar al líder de "Sendero Luminoso".

_____

_____

C   F   N/R   6. Antonio piensa que el gobierno de Fujimori está haciendo un buen papel.

_____

_____

B **El Perú precolombino.** Escucha el siguiente texto acerca de la dificultad de conocer las culturas precolombinas del Perú. Luego indica si la información que aparece a continuación se menciona (**Sí**) o no (**No**) en el texto. Escucha una vez más para verificar tus respuestas.

Sí   No   1. El Perú tiene una larga historia desde mucho antes de la llegada de los españoles.

Sí   No   2. Los incas no dejaron documentos escritos.

Sí   No   3. La historia de la cultura chimú es fascinante.

Sí   No   4. Los huaqueros saquean excavaciones arqueológicas.

Sí   No   5. Tal como los terremotos destruyen ciudades en la actualidad, también pueden haber destruido ciudades en tiempos antiguos.

Sí   No   6. El aporte de la cultura africana no es importante en el Perú.

C   **Abuelos tolerantes.** Escucha lo que dice Claudio acerca de lo que sus abuelos les permitían hacer a él y a sus hermanos cuando, de niños, iban a visitarlos. Mientras escuchas, ordena numéricamente los dibujos. Ten en cuenta que algunos dibujos quedarán sin numerar. Escucha una vez más para verificar tus respuestas.

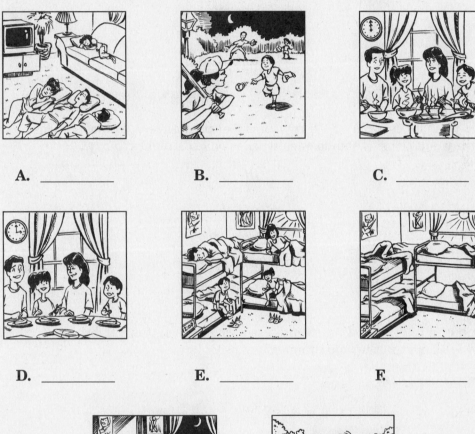

A. _____   B. _____   C. _____

D. _____   E. _____   F. _____

G. _____   H. _____

Pronunciación y ortografía

Guía para el uso de la letra y. La **y** tiene dos sonidos. Cuando ocurre sola o al final de una palabra tiene el sonido **/i/**, como en **fray** y **estoy**. Este sonido es idéntico al sonido de la vocal **i.** En todos los otros casos tiene el sonido **/y/**, como en **ayudante** y **yo.** (Este sonido puede variar, acercándose en algunas regiones al sonido *sh* del inglés.) Observa el deletreo de estos sonidos al escuchar a la narradora leer las siguientes palabras.*

/i/	/y/
y	ensayo
soy	apoyar
virrey	yerno
Uruguay	ayuda
muy	leyes

D **La letra y.** Ahora escucha a los narradores leer palabras con los dos sonidos de la letra **y** e indica si el sonido que escuchas en cada una es **/i/** o **/y/**.

1. /i/   /y/   6. /i/   /y/
2. /i/   /y/   7. /i/   /y/
3. /i/   /y/   8. /i/   /y/
4. /i/   /y/   9. /i/   /y/
5. /i/   /y/   10. /i/   /y/

Deletreo con la letra y. La **y** siempre se escribe en ciertas palabras y formas verbales y en ciertas combinaciones.

- En ciertas palabras que empiezan con **a:**

  ayer   **ay**uda   **ay**uno

  ayunar   **ay**untar   **ay**udante

- En formas verbales cuando la letra **i** ocurriría entre dos vocales y no se acentuaría:

  leyendo (de leer)   **oye**n (de oír)

  haya (de haber)   **cay**ó (de caer)

---

*Se llama **yeísmo** a la pronunciación del sonido **/y/** cuando es idéntica en palabras que se escriben con **y** o con **ll,** por ejemplo **haya=halla;** se le llama **lleísmo** cuando esta pronunciación varía.

- Cuando el sonido /i/ ocurre al final de una palabra y no se acentúa. El plural de sustantivos en esta categoría también se escribe con **y**.

estoy   rey   ley   virrey

voy   reyes   leyes   virreyes

E **Práctica con la letra y.** Ahora, escucha a los narradores leer las siguientes palabras y escribe las letras que faltan en cada una.

1. ___ ___ u n a s

2. h ___ ___

3. c a ___ ___ ___ ___ ___

4. b u e ___ ___ ___

5. h u ___ ___ ___

6. P a r a g u ___ ___

7. r e ___ ___ ___

8. ___ ___ a c u c h a n o

9. v a ___ ___ ___

10. ___ ___ u d a n t e

Dictado. Escucha el siguiente dictado e intenta escribir lo más que puedas. El dictado se repetirá una vez más para que revises tu párrafo.

Las grandes civilizaciones antiguas

_____

_____

_____

_____

_____

_____

_____

_____

_____

_____

_____

_____

_____

_____

_____

_____

_____

_____

_____

_____

¡A explorar!

Deletreo de palabras parecidas en español e inglés

Muchas palabras que se derivan del latín tienen un deletreo parecido en inglés y en español. Algunos estudiantes hispanohablantes no se dan cuenta de estas diferencias en deletreo por estar acostumbrados a leer o escribir estas palabras en inglés. Por ejemplo, en la Unidad 3, Lección 2, se presentó una lista de palabras que se escriben con doble consonante en inglés pero en español sólo llevan una consonante o se escriben con diferencias sutiles. Muchas de esas diferencias se entienden a base de las siguientes reglas de ortografía.

- Con excepción de la **c** y la **n**, palabras en español no se escriben con doble consonante. Hay que recordar que la **ll** y la **rr** representan una consonante y, por lo tanto, no se consideran doble consonante.

atractivo	*attractive*
clásico	*classic*

- Las terminaciones *-tion* y *-sion* en inglés generalmente se escriben **-ción** o **-sión** en español.

apropriado	*appropriate*
comprensión	*comprehension*

- Las terminaciones *-ent* y *-ant* en inglés generalmente se escriben **-ente** o **-ante** en español.

inteligente	*intelligent*
restaurante	*restaurant*

- La combinación de las letras *ph* en inglés se escribe **f** en español.

foto	*photo*
filósofo	*philosopher*

- La combinación de las letras *mm* en inglés con frecuencia se escribe **m** o **nm** en español.

común	*common*
comercio	*commerce*
inmediatamente	*immediately*
inmenso	*immense*

- La combinación de las letras *qua* o *que* en inglés con frecuencia se escribe **ca** o **cue** en español.

calificación	*qualification*
cuestión	*question*

- La combinación de las letras *the* en inglés con frecuencia se escribe **te** en español.

teología	*theology*
tesis	*thesis*

- La letra *s* + *consonante* al principio de una palabra en inglés frecuentemente se escribe **es** en español.

especial	*special*
esquema	*scheme*

Estudia cómo estas reglas de ortografía se aplican a las siguientes palabras.

Español	**Inglés**
comunicación	*communication*
efecto	*effect*
elocuencia	*eloquence*
exceso	*excess*
expresivo	*expressive*
filosofía	*philosophy*
ilegal	*illegal*
ilusión	*illusion*
inmigración	*immigration*
inmortal	*immortal*
inteligente	*intelligent*
mensaje	*message*
ocurrir	*occur*
oficial	*official*
técnica	*technique*
tipografía	*typography*

Las siguientes palabras también son similares aunque no siguen ninguna de las reglas aquí mencionadas. Tal vez puedas tú pensar en algunas reglas de ortografía que se apliquen a estas palabras y en dos o tres otras palabras que ejemplifiquen cada regla nueva.

Español	**Inglés**
arquitectura	*architecture*
adjetivo	*adjective*
ejercicio	*exercise*
mayoría	*majority*
proyector	*projector*
sistema	*system*

F **Composición sobre Cuzco**. Tu mejor amigo te pide que le revises una composición que ha escrito sobre sus experiencias en Cuzco, Perú, donde pasó unas semanas durante el verano pasado. Subraya las palabras que están mal deletreadas en español y al lado escribe el deletreo correcto.

Un viaje a Cuzco

La ciudad de Cuzco está situada junto a los

Andes que son montañas immensas. Ésta fue la   1. _____

capital official del imperio inca. Me encantó la   2. _____

architectura de muchos de sus edificios coloniales.   3. _____

La ciudad fue construida por los incas, los reyes

indígenas que se consideraban immortales. La   4. _____

mayoría de sus habitantes son indígenas quechuas

y mestizos que continúan un modo de vida ancestral.

Al principio tuve problemas de comprehensión pero   5. _____

con el tiempo me di cuenta que los cuzqueños   6. _____

tienen una eloquencia muy special que refleja la   7. _____

philosophía de sus antepassados. Aprendí varias   8. _____

palabras de origen quechua como *huahua* que   9. _____

significa "niño" y *soroche* que es el mal que occure   10. _____

después de hacer mucho exercisio debido a la   11. _____

altura de los Andes.

Gramática en contexto

7.1 El imperfecto del subjuntivo: Cláusulas sustantivas y adjetivas

G

Tarea. El profesor les pidió a los estudiantes que hicieran algunas tareas. Completa los espacios en blanco para saber qué les dijo.

MODELO   *El profesor les pidió que _____ (preparar) el capítulo 7.*
              El profesor les pidió que prepararan el capítulo 7.

1. El profesor les pidió que _____ (repasar) la lección

   anterior.

2. El profesor les pidió que _____ (escribir) las

   respuestas a los ejercicios A y B.

3. El profesor les pidió que _____ (leer) el texto de la

   página 322.

4. El profesor les pidió que _____ (hacer) un trabajo

   escrito.

5. El profesor les pidió que _____ (traer) el diccionario

   a la próxima clase.

6. El profesor les pidió que _____ (estar) preparados

   para una breve prueba.

H

Temores. Tú y tus amigos hablan de las dudas y temores que tuvieron antes de un viaje que hicieron en grupo.

MODELO   *pensar / el viaje no realizarse*
              Pensábamos que el viaje no se realizaría.

1. pensar / alguien poder enfermarse

_____

_____

2. temer / el vuelo ser cancelado

_____

_____

3. dudar / todos llegar al aeropuerto a la hora correcta

_____

_____

4. estar seguros / alguien olvidar el pasaporte

_____

_____

5. temer / un amigo cambiar de opinión a última hora y decidir no viajar

_____

_____

I **Auto.** El auto de tu mejor amiga ya no funciona muy bien. Completa el texto que sigue con el **imperfecto de indicativo** o **de subjuntivo** de los verbos entre paréntesis, según convenga, para saber qué decide hacer.

Tenía un auto que me _____ (1. dar) muchos problemas.

Algunas mañanas no _____ (2. partir). Otras veces el

motor _____ (3. hacer) unos ruidos horribles. Decidí

buscar un auto que no _____ (4. ser) tan viejo como el

mío; uno que _____ (5. estar) en buenas condiciones, que

no _____ (6. gastar) mucha gasolina y por el cual su

dueño no _____ (7. pedir) mucho dinero.

Ortografía

J **Arqueólogo.** Para saber algo de las aventuras de este arqueólogo, completa el deletreo de las siguientes palabras con la letra **i** o **y**.

1. Antea ___ er regresó mi ___ erno de su v ___ aje al Perú.

2. Él es un arqueólogo que estuvo en A__acucho y otras regiones and ___ nas cu ___ as civil ___ zaciones han dejado una r ___ queza cultural.

3. Allá conoció a unos estudiantes paragua ___ os quienes contr ___ bu ___ eron con án ___ mo a su pro ___ ecto.

4. Durante su estad ___ a, en muchas ocasiones, todos se reun ___ eron, le ___ eron poesía y contaron le ___ endas.

5. Su gran hallazgo fue la excavación de un ho ___ o con una cueva ad ___ acente, cu ___ o conten ___ do inclu ___ ó no sólo artefactos de oro, s ___ no también ev ___ dencia de unas ___ erbas med ___ c ___ nales.

6. En su ma ___ oría, todos se llevaban bien aunque en una ocas ___ ón, Gu ___ llermo o ___ ó a unos de los jóvenes argu ___ endo.

7. Cuando esto ocurrió, Gu ___ llermo les d ___ jo: "Es mejor que no ha ___ a d ___ scordia. Resolvamos esto antes de que se conv ___ erta en un problema ma ___ or."

8. Indudablemente, el pro ___ ecto su ___ o contr ___ bu ___ ó al entend ___ miento de la rica tra ___ ectoria histór ___ ca de nuestros antepasados.

Correspondencia práctica

Declaración de propósitos personales al solicitar ingreso a una universidad

Generalmente cuando se solicita ingreso a una universidad, ya sea para empezar el bachillerato o para iniciar los estudios graduados, se requiere que los candidatos escriban una declaración personal explicando por qué quieren asistir a la universidad, qué los motiva y qué piensan lograr. Esta declaración es muy importante ya que muchas universidades deciden a quiénes van a aceptar basándose no sólo en el promedio de notas de los solicitantes, sino también en la declaración personal. A continuación aparece una breve descripción de las partes principales de una declaración de solicitud a una universidad.

- **Introducción:** Una o dos oraciones explicando en qué piensa especializarse el candidato y por qué cree que esta universidad en particular le va a ayudar a alcanzar esa meta.

- **Biografía:** Un párrafo con información personal acerca del candidato. Aquí es bueno hacer resaltar no sólo que uno tiene la determinación para completar una carrera de estudios, sino que también tiene ciertas cualidades humanísticas e interés en ayudar a otros y/o a contribuir a la comunidad.

- **Motivación:** Uno o dos párrafos explicando cómo llegó a interesarse el candidato en el tema de su especialización. Aquí deben mencionarse los pasatiempos y las actividades del candidato directamente relacionados con la especialización, los premios y los reconocimientos académicos, los intereses, las habilidades y los sueños para el futuro.

- **Despedida:** Una o dos oraciones expresando agradecimiento a los lectores de la declaración personal y recordándoles la razón o la meta por la cual quiere asistir a esta universidad.

MODELO

Declaración de propósitos personales

Al escribir esta solicitud a la Universidad de (nombre) siento un tremendo orgullo saber que dentro de cuatro años yo me podría graduar de tal institución. Mi intención es especializarme en lenguas, específicamente en español, la lengua de mi niñez, para enseñar en secundaria o tal vez en una universidad. Sería un verdadero honor tener un título de esta universidad dada la fama que tiene el Departamento de Español no sólo en el estado sino por todo el país.

Yo soy de una familia humilde. Mi padre tuvo que dejar la escuela en el sexto grado para ayudar a mis abuelos en el rancho donde vivían. Mi madre completó la escuela secundaria antes de casarse y dedicarse a ser ama de casa. Yo soy el menor de tres hijos y soy el primero en interesarse en asistir a la universidad. Mis padres siempre nos han enseñado a establecer metas realistas y luego a seguirlas hasta alcanzarlas. Mi meta personal siempre ha sido el profundizar en y saber más de mi propia cultura. Me fascina todo lo que he aprendido de mis padres y mis

---

abuelos relacionado con nuestras raíces hispanas.
Siento un verdadero deseo de saber mucho más de
nuestras tradiciones, nuestra historia y de la
literatura hispana. El pensar que algún día yo
podría no sólo compartir esta sabiduría con jóvenes
hispanos, sino también motivarlos a que se interesen
en su propia herencia es mi verdadero sueño.

Desde niño siempre me han encantado todas las
tradiciones de nuestra cultura: las posadas, los
bautizos y los entierros, la comida, los festivales
religiosos, etc. En la escuela secundaria tuve la
suerte de tener una profesora que me abrió los ojos
a la rica herencia que está viva en la cultura
hispana: empezando con lo griego, lo romano, lo
árabe y lo judío, y siguiendo con las grandes
figuras históricas peninsulares y del Nuevo Mundo,
tanto como los grandes artistas, escritores y
músicos. Aprendimos tanto con esa profesora que,
aunque no sé definitivamente en que campo quiero
concentrarme, sí sé que no hay límites a lo que
puedo aprender.

Por dos años en la escuela secundaria fui presidente
del Club de Español. Bajo mi dirección, organizamos
muchas actividades fascinantes como cenas con temas
culturales, lecciones de bailes tradicionales y un
viaje a ver una obra de teatro de Federico García
Lorca. En mi último año en secundaria gané un
concurso académico patrocinado por "League of United
Latin American Citizens" (L.U.L.A.C.). El premio fue
un viaje gratis de dos semanas a México. Ese viaje
ha sido el hecho más impresionante de mi vida
entera. Después de escalar las pirámides
mesoamericanas, caminar por pueblos coloniales,
visitar catedrales majestuosas y saborear las
comidas y bebidas de distintas partes del país,
quedé aun más convencido en seguir la meta que
siempre he tenido, el profundizar en y saber más de
mi propia cultura.

Quedo muy agradecido a quienes lean esta declaración
y espero que puedan ayudarme a lograr mi sueño de
algún día poder ser profesor de jóvenes hispanos.

K   **Declaración.** En una hoja en blanco, escribe una declaración de solicitud
a la universidad a la que piensas asistir o al programa graduado en que te
gustaría ingresar. Ten muy presente que el ser o no ser aceptado podría
depender de lo que dices en tu declaración.

Lengua en uso

La tradición oral

Ciertas canciones reflejan el pensamiento de todo un pueblo. Los corridos mexicanos, por ejemplo, con frecuencia cuentan las hazañas de personajes populares desde el punto de vista de las masas. Lo mismo ocurre con las canciones de protesta que casi siempre tratan de injusticias hacia el pueblo, ya sea ejemplificadas por un individuo o un grupo minoritario. La siguiente canción, compuesta por Marcial Alejandro e interpretada por la popular cantante peruana Tania Libertad, es una muestra de lo que se ha llamado el "canto nuevo" desarrollado en Latinoamérica y que tiene contenido de protesta.

L **"Basta y sobra".** Ahora escucha la siguiente canción y escribe las palabras que faltan. La canción se va a repetir dos veces.*

Basta y Sobra
de Marcial Alejandro
(interpretada por Tania Libertad)

Se necesita algo de _____ (1)

y _____ (2) un dulce _____ (3)

para sentirse _____ (4)

de _____ (5) por la paz

que necesitamos tanto.

Basta y _____ (6) con recordar

lo que nos hizo llorar

la Madre _____(7),

para no pensar jamás

qué son la _____ (8) y la paz

Un simple juego de mesa.

La sonrisa de la _____ (9)

y la calma de la _____(10)

son _____ (11) para decir

otra vez yo pido paz.

Yo pido paz.

Yo pido paz.

Se necesita mucha _____ (12),

el amor y la terneza,

ganas de _____ (13)

y nunca más _____ (14)

que perdamos la cabeza.

Basta y sobra con recordar

lo que nos hizo llorar

la Madre Naturaleza,

para no pensar _____ (15)

que son la guerra y la paz

un simple juego de _____ (16).

La _____ (17) de la niñez

y la _____ (18) de la vejez

son motivos para _____ (19)

otra vez yo pido paz

por el _____ (20) de vivir.

*La canción se encuentra después de la sección **¡A escuchar!** en la audiocinta para esta lección.

M **Definiciones**. Para asegurar que sabes el significado de todas las palabras en la canción **"Basta y sobra"**, selecciona la palabra o expresión de la segunda columna que es un sinónimo de cada palabra o expresión de la primera columna.

_____ 1. reclamar   **a.** ancianidad

_____ 2. milagro   **b.** tranquilidad

_____ 3. entonar   **c.** razones

_____ 4. entereza   **d.** es más que suficiente

_____ 5. permitir   **e.** exigir

_____ 6. vejez   **f.** infancia

_____ 7. jamás   **g.** dejar

_____ 8. calma   **h.** empezar a cantar

_____ 9. perder la cabeza   **i.** integridad

_____ 10. motivos   **j.** hecho sobrenatural

_____ 11. basta y sobra   **k.** nunca

_____ 12. niñez   **l.** volverse loco

Vocabulario activo

A continuación se encuentra el vocabulario activo de las secciones **Gente del Mundo 21** y **Del pasado al presente** de la Lección 1. En los espacios en blanco bajo cada tema, añade otras palabras que has aprendido en esta lección y que crees que te serán útiles.

Gente del Mundo 21

bailable _____	etiqueta _____
ciudad natal _____	Naciones Unidas _____
_____	_____
_____	_____

Del pasado al presente

Las grandes civilizaciones antiguas y *La conquista*

a finales de _____	condenar _____
altiplano _____	desembarcar _____
andino(a) _____	florecer _____
anterior _____	precolombino(a) _____
cerámica _____	seguidor(a) _____
_____	_____
_____	_____

La colonia y *La independencia*

aristócrata _____	entrevistarse _____
autoridad _____	extracción _____
batalla _____	iniciativa _____
desembocadura _____	revuelta _____
embarque _____	Reyes Magos _____
_____	_____
_____	_____

La joven república y La Guerra del Pacífico

asunto _____

depósito _____

desierto _____

fertilizante _____

fronterizo(a) _____

gozar _____

_____

_____

_____

_____

_____

_____

guano _____

independiente _____

mediación _____

mutuo(a) _____

nitrato _____

_____

_____

_____

_____

_____

_____

La época contemporánea

agobiar _____

aprobarse _____

confianza _____

_____

_____

_____

_____

_____

penetración _____

terrorismo _____

_____

_____

_____

_____

_____

_____

N **Lógica.** En cada grupo de palabras, subraya aquélla que no esté relacionada con el resto.

1. guano   confianza   fertilizante   depósito
2. etiqueta   terrorismo   revuelta   batalla
3. desembarcar   desembocadura   desierto   embarque
4. precolombino   cerámica   andino   nitrato
5. seguidor   iniciativa   independiente   confianza

Ñ **Opciones.** Selecciona la opción correcta para completar las siguientes oraciones.

1. Causar gran molestia o fatiga es...
   a. aprobar
   b. agobiar
   c. gozar

2. El tema o materia de que se habla es...
   a. un asunto
   b. una extracción
   c. una iniciativa

3. Algo que está al límite de un estado es...
   a. una desembocadura
   b. un punto fronterizo
   c. una penetración

4. La llanura alta o meseta es el...
   a. desierto
   b. embarque
   c. altiplano

5. Aceptar o consentir es...
   a. entrevistar
   b. aprobar
   c. gozar

6. Pronunciar el juez una sentencia contra alguien es...
   a. condenar
   b. florecer
   c. confiar

Composición: *Detalles y emociones*

O **Tumba real de Sipán.** Imagina que eres el arqueólogo peruano Walter Alva. Estás excavando en Sipán donde acabas de descubrir una tumba real mochica llena de tesoros. En una hoja en blanco escribe una carta en la que les informas a tus amigos arqueólogos de la Universidad de California, en Los Ángeles, tus primeras emociones al descubrir una de las tumbas más ricas que se hayan encontrado jamás en América. Describe en detalle las actividades que hiciste el día de este gran descubrimento.

¡A escuchar!

El Mundo 21

A **Político ecuatoriano.** Escucha lo que una profesora de ciencias políticas de la Universidad de Guayaquil les dice a sus alumnos sobre un político ecuatoriano. Luego marca si cada oración que sigue es **cierta (C)**, **falsa (F)** o si no tiene relación con lo que escuchaste **(N/R).** Si la oración es falsa, corrígela.

C   F   N/R   1.   Cuando Sixto Durán Ballén nació en Boston, EE.UU., su papá era cónsul de Ecuador en esa ciudad.

_____

_____

C   F   N/R   2.   Sixto Durán Ballén estudió medicina en la Universidad de Columbia en Nueva York.

_____

_____

C   F   N/R   3.   Se graduó con muchos honores académicos de la Universidad de Columbia.

_____

_____

C   F   **N/R**   **4.** Fue Ministro de Obras Públicas a los 35 años.

_____

_____

C   F   **N/R**   **5.** También fue alcalde de la ciudad de Guayaquil.

_____

_____

C   F   **N/R**   **6.** Ganó las elecciones presidenciales de 1992 con el 58 por ciento de los votos.

_____

_____

B **Otavalo.** Escucha el texto sobre Otavalo y luego marca si cada oración que sigue es **cierta (C)** o **falsa (F).** Si la oración es falsa, corrígela. Escucha una vez más para verificar tus respuestas.

C   F   **1.** Hay aproximadamente cuarenta mil personas en Otavalo.

_____

C   F   **2.** Rumiñahui era amigo de los incas.

_____

C   F   **3.** Otavalo queda al nivel del mar.

_____

C   F   **4.** El mercado de artesanías tiene lugar los sábados.

_____

C   F   **5.** Los otavalos llevan pantalones blancos.

_____

C   F   **6.** La persona que habla compró un poncho.

_____

C   F   **7.** La persona que habla regateó mucho antes de pagar.

_____

C **Excursión.** Tus amigos te dejaron mensajes telefónicos diciéndote cuándo saldrían de casa para una excursión que preparan. Mientras escuchas sus mensajes, ordena numéricamente los dibujos. Ten en cuenta que algunos dibujos quedarán sin numerar. Escucha una vez más para verificar tus respuestas.

A. _____

B. _____

C. _____

D. _____

E. _____

F. _____

G. _____

H. _____

Pronunciación y ortografía

Guía para el uso de la letra *ll*. La **ll** tiene el mismo sonido que la **y** en palabras como **yo** y **ayuda**. Observa el uso de la **ll** al escuchar a la narradora leer las siguientes palabras.

/y/

llaneros

llaves

llegada

bata**ll**a

caudi**ll**o

Deletreo con la letra *ll*. La **ll** siempre se escribe con ciertos sufijos y terminaciones.

- Con las terminaciones **-ella** y **-ello:**

  b**ella**　　　　　estr**ella**　　　　　cu**ello**

  donc**ella**　　　　cab**ello**　　　　　s**ello**

- Con los diminutivos **-illo, -illa, -cillo,** y **-cilla:**

  Juan**illo**　　　　chiqu**illa**　　　　raton**cillo**

  picad**illo**　　　　calzon**cillo**　　　rincon**cillo**

D **Práctica con la letra *ll*.** Ahora, escucha a los narradores leer las siguientes palabras y escribe las letras que faltan en cada una.

1. r a b ___ ___ ___ ___
2. t o r r e ___ ___ ___ ___ ___
3. p i l o n ___ ___ ___ ___ ___
4. t o r t ___ ___ ___ ___
5. r a s t r ___ ___ ___ ___
6. c o n e j ___ ___ ___ ___
7. m a r t ___ ___ ___ ___
8. l a d r ___ ___ ___ ___
9. p a j a r ___ ___ ___ ___
10. p i e c e ___ ___ ___ ___ ___

E

Práctica con las letras *y* y *ll*. Debido a que tienen el mismo sonido, la **y** y la **ll** con frecuencia presentan dificultades ortográficas. Escucha a los narradores leer las siguientes palabras con el sonido /y/ y complétalas con **y** o con **ll,** según corresponda.

1. o r i _____ a

2. _____ e r n o

3. m a _____ o r í a

4. b a t a _____ a

5. l e _____ e s

6. c a u d i _____ o

7. s e m i _____ a

8. e n s a _____ o

9. p e s a d i _____ a

10. g u a _____ a b e r a

Dictado. Escucha el siguiente dictado e intenta escribir lo más que puedas. El dictado se repetirá una vez más para que revises tu párrafo.

Época más reciente

_____

_____

_____

_____

_____

_____

_____

_____

_____

_____

_____

_____

_____

¡A explorar!

Traducción de tiempos verbales

F   **Las islas Galápagos.** Tu maestra te ha pedido que traduzcas unas notas de la conferencia que presentó una científica inglesa sobre las islas Galápagos. Ten cuidado de traducir correctamente los diferentes tiempos verbales que se presentan aquí.

1. In 1535, a Spanish bishop, who was traveling from Panama, discovered a group of nineteen islands in the Pacific Ocean about 600 miles from Ecuador.

   _____

   _____

   _____

2. For centuries no one would recognize that there were many rare species of birds, plants, and animals on these islands that could not be found anywhere else in the world.

   _____

   _____

   _____

3. Charles Darwin was a famous British naturalist who visited the islands in 1835.

   _____

   _____

   _____

4. Darwin conducted research on the adaptation process of plants and animals on the Galápagos Islands, and his studies greatly contributed to our understanding of evolution.

   _____

   _____

   _____

5. For example, the iguanas, that now live on both land and sea had to adapt themselves to a new diet in order to survive.

_____

_____

_____

6. We now know that the Galápagos, giant turtles that inhabit the islands, can live an average of 250 years.

_____

_____

_____

7. The Ecuadoran government realized that this rich habitat needed its protection and established a law in 1971 that prohibited anyone from visiting the islands without a trained guide.

_____

_____

_____

8. It is important that this unique environment be protected so that future generations may continue to study it.

_____

_____

_____

Gramática en contexto

7.2 El imperfecto de subjuntivo: Cláusulas adverbiales

G **Invitación rechazada.** Tienes dos entradas para una obra de teatro. Invitas a varios amigos pero ninguno puede asegurarte que irá contigo. ¿Por qué no?

MODELO *Benito acompañarme / en caso de que el concierto ser / otro día*
Benito dijo que me acompañaría en caso de que el concierto fuera otro día.

1. Ernestina ir / con tal de que no tener / que salir con una amiga

_____

_____

_____

2. Sergio ver / la obra en caso de que el patrón no llamarlo / para trabajar esa noche

_____

_____

_____

3. Pilar salir / conmigo con tal de que yo invitar / a su novio también

_____

_____

_____

4. Pablo no salir / de su cuarto sin que el trabajo de investigación quedar / terminado

_____

_____

_____

5. Rita acompañarme / a menos que su madre necesitarla / en casa

_____

_____

_____

H **Promesas.** ¿Cuándo prometiste que harías las siguientes actividades?

MODELO   *Prometí que haría las compras en cuanto _____ (escribir) unas cartas.*
Prometí que haría las compras en cuanto escribiera unas cartas.

1. Prometí que haría un pastel después que _____

    (bañarme) y _____ (arreglarme).

2. Prometí que daría un paseo cuando el mecánico _____

    (entregarme) el coche.

3. Prometí que iría a la farmacia tan pronto como _____

    (leer) el periódico.

4. Prometí que haría la cena en cuanto _____ (terminar)

    de lavar la ropa.

5. Prometí que jugaría al fútbol cuando _____ (volver)

    del banco.

I **Ayuda.** Tienes una fiesta el sábado que viene. Tus amigos te dicen si pueden o no venir a ayudarte con los preparativos. Completa con el **imperfecto de indicativo** o **de subjuntivo,** según convenga.

1. Graciela me dijo que llegaría tan pronto como _____

    (desocuparse) en su casa.

2. Adriana me dijo que no vendría porque su padre no

    _____ (sentirse) bien y ella _____

    (necesitar) cuidarlo.

3. Guillermo me dijo que llegaría después de que las clases

    _____ (terminar).

4. Ramiro me dijo que llegaría tarde ya que normalmente

    _____ (trabajar) horas extras.

5. Laura me dijo que llegaría antes de que _____

    (comenzar) a llegar los invitados.

6. Horacio y David me dijeron que vendrían después de que

    _____ (hacer) unas compras.

Ortografía

Palabras homófonas que se escriben con *ll* o *y*. Debido a que en varios países de Hispanoamérica las letras **ll** y **y** se pronuncian de una manera similar, existe muchas veces confusión en el deletreo de palabras homófonas o sea palabras que se pronuncian igual pero se escriben de manera diferente. Repasa las siguientes palabras homófonas que se escriben con **ll** o **y**.

1. **arrollo**: forma conjugada del verbo *arrollar:* envolver en un rollo, atropellar

   arroyo: cauce por donde corre un caudal corto de agua, riachuelo pequeño

2. **calló**: forma conjugada del verbo *callar:* no hablar

   cayó: forma conjugada del verbo *caer:* perder el equilibrio y venir al suelo

3. **halla**: forma conjugada del verbo *hallar:* encontrar

   haya: forma conjugada del verbo *haber:* poseer, tener, ocurrir, efectuarse, verbo auxiliar

4. **malla**: tejido de anillos de hierro semejante a la red; cada uno de los cuadrados que forman el tejido de la red

   maya: pueblo indígena de Yucatán, México y Guatemala; idioma de ese pueblo

5. **ralla**: forma conjugada del verbo *rallar:* desmenuzar, reducir a polvo con el rallador

   raya: señal larga y estrecha, línea

6. **valla**: cerca, barrera, obstáculo

   vaya: forma conjugada del verbo *ir:* moverse, transportarse de un lado a otro

J **Meteorito en Ecuador.** Subraya las palabras que correspondan según el contexto.

La semana pasada un meteorito (1. calló / cayó) cerca del puerto de

Guayaquil, en Ecuador. Al lado de un pequeño (2. arrollo / arroyo) se

encontró una (3. raya / ralla) que marca el lugar donde pasó el meteorito.

Este lugar se (4. halla / haya) a unos diez kilómetros de la costa. La policía

local ha levantado una (5. valla / vaya) alrededor del meteorito, la cual

seguirá allí hasta que los científicos de la Universidad de Guayaquil

lleguen a recoger este meteorito para estudiarlo.

Lengua en uso

"Cognados falsos"

En las Unidades 3 y 5 aprendiste que los "cognados falsos" o "amigos falsos" son palabras de una lengua que son idénticos o muy similares a vocablos de otra lengua pero cuyos significados son diferentes.

K **"Amigos falsos"**. Las siguientes palabras son "cognados falsos". Búscalas en el diccionario y da su significado en español. Luego escribe una oración con cada palabra.

1. librería: _____

   (oración) _____

   library: _____

   (oración) _____

2. fábrica: _____

   (oración) _____

   fabric: _____

   (oración) _____

3. registrar: _____

   (oración) _____

   to register (in a course): _____

   (oración) _____

4. introducir: _____

   (oración) _____

   to introduce (a person): _____

   (oración) _____

5. papel: _____

   (oración) _____

   (to write) a paper: _____

   (oración) _____

6. moverse: _____

   (oración) _____

   to move (to a new house): _____

   (oración) _____

Vocabulario activo

A continuación se encuentra el vocabulario activo de las secciones **Gente del Mundo 21** y **Del pasado al presente** de la Lección 2. En los espacios en blanco bajo cada tema, añade otras palabras que has aprendido en esta lección y que crees que te serán útiles.

Gente del Mundo 21

abstraer _____

deformar _____

infrahumano(a) _____

_____

_____

_____

juventud _____

pigmento _____

practicante _____

_____

_____

_____

Del pasado al presente

Época prehispánica e hispánica

anexar _____

guerrero(a) _____

heredar _____

_____

_____

_____

heredero(a) _____

reemplazar _____

_____

_____

_____

_____

Proceso independentista

asamblea _____

enviar _____

_____

_____

_____

reunión _____

tener lugar _____

_____

_____

_____

Ecuador independiente

amazónico(a) _____   hacendado(a) _____

coincidir _____   oponerse _____

cosmopolita _____   reclamar _____

empresa _____   rivalidad _____

_____   _____

_____   _____

_____   _____

_____   _____

_____   _____

_____   _____

Época más reciente

construir _____   palpitar _____

corazón _____   refinería _____

estructura _____   renovar _____

modificar _____   _____

_____   _____

_____   _____

_____   _____

_____   _____

_____   _____

_____   _____

L **Lógica.** En cada grupo de palabras, subraya aquélla que no esté relacionada con el resto.

1. palpitar   pigmento   emocionarse   corazón

2. refinería   asamblea   tener lugar   reunión

3. renovar   construir   modificar   reducir

4. rivalidad   coincidir   competencia   oponerse

5. heredar   enviar   recibir   heredero

M **Ecuador independiente.** Pon las letras en orden para formar ocho palabras que aprendiste en esta lección en la sección titulada "Ecuador independiente". Luego, para contestar la pregunta "¿Dónde está localizada la línea del ecuador?" completa las líneas en blanco con las letras que correspondan a los números indicados.

1. ADILARVID

				2					

2. DHANODACE

3. OZAMOCANI

						7			

4. MERRACLA

5. RINIDICCO

		5						

6. PAMCILOTOOS

								4		

7. SNOOPREE

						1		

8. SAERMEP

	3					

¿Dónde está localizada la línea del ecuador?

$\underline{\quad}\ \underline{\quad}\ \overset{U}{\underline{\quad}}\ \underline{\quad}\ \underline{\quad}\ \underline{\quad}\ \underline{\quad}\ \underline{\quad}\ \underline{\quad}$
6 7   7 2   4 5 7 6 2

$\underline{\quad}\ \underline{\quad}\ \overset{G}{\underline{\quad}}\ \underline{\quad}\ \underline{\quad}\ \underline{\quad}\ \underline{\quad}\ \underline{\quad}\ \underline{\quad}$
5 3 2   5 7 2 1 5 2

Composición: *Narración descriptiva*

N **Diario.** Imagina que eres el naturalista Charles Darwin y en octubre de 1835 te encuentras en el barco inglés "Beagle" frente a la costa de una de las islas Galápagos. En una hoja en blanco describe las primeras impresiones que tuviste al recorrer por primera vez una de estas islas.

¡A escuchar!

El Mundo 21

A   **Líder boliviano.** Escucha lo que una profesora de historia latinoamericana les dice a sus alumnos sobre un importante líder político boliviano. Luego marca si cada oración que sigue es **cierta (C), falsa (F)** o si no tiene relación con lo que escuchaste **(N/R).** Si la oración es falsa, corrígela.

C   **F**   **N/R**   **1.** Víctor Paz Estenssoro cursó la carrera de derecho y fue profesor de la Universidad de San Andrés, en La Paz.

_____

_____

C   **F**   **N/R**   **2.** Víctor Paz Estenssoro ganó las elecciones de 1951 con el 80 por ciento de los votos.

_____

_____

C   **F**   **N/R**   **3.** Aunque ganó las elecciones de 1951 no llegó al poder hasta 1952, después de un golpe de estado.

_____

_____

C   F   **N/R**   **4.** Las reformas realizadas por Paz Estenssoro durante su primer gobierno constituyeron la Revolución Nacional Boliviana de 1952.

_____

_____

C   F   **N/R**   **5.** La última vez que fue elegido presidente fue en 1960.

_____

_____

C   F   **N/R**   **6.** Su hijo Jaime Paz Zamora fue elegido presidente en 1989.

_____

_____

B   **El lago Titicaca.** Escucha el siguiente texto acerca del lago Titicaca y luego selecciona la opción que complete correctamente la información. Escucha una vez más para verificar tus respuestas.

1. El lago Titicaca pertenece...
   a. exclusivamente al Perú
   b. exclusivamente a Bolivia
   c. tanto al Perú como a Bolivia

2. El lago Titicaca está a ... metros sobre el nivel del mar.
   a. 3.800
   b. 2.800
   c. 1.800

3. En su parte más ancha, el lago mide...
   a. 171 kilómetros
   b. 64 kilómetros
   c. 74 kilómetros

4. Los indígenas que viven junto al lago crían...
   a. vacas
   b. llamas
   c. cerdos

5. En el lago hay islas con...
   a. tesoros arqueológicos
   b. grandes bosques
   c. mucha vegetación

C **Encargos.** Ahora vas a escuchar a Elvira mencionar las cosas que sus padres le han pedido que haga y que todavía no ha hecho. Mientras escuchas, ordena numéricamente los dibujos. Ten en cuenta que algunos dibujos quedarán sin numerar. Escucha una vez más para verificar tus respuestas.

A. _____

B. _____

C. _____

D. _____

E. _____

F. _____

G. _____

H. _____

Pronunciación y ortografía

Guía para el uso de la *r* y la *rr*. La **r** tiene dos sonidos, uno simple /ř/, como en **cero, altura** y **prevalecer,** y otro múltiple /r̃/, como en **cerro, guerra** y **renovado.** Ahora, al escuchar a la narradora leer las siguientes palabras, observa que el deletreo del sonido /ř/ siempre se representa por la **r** mientras que el sonido /r̃/ se representa tanto por la **rr** como por la **r.**

/ř/	/r̃/
corazón	reunión
abstracto	revuelta
heredero	reclamo
empresa	barrio
florecer	desarrollo

D **La letra *r*.** Ahora escucha a los narradores leer las siguientes palabras con los dos sonidos de la **r** e indica si el sonido que escuchas es /ř/ o /r̃/.

1. /ř/   /r̃/   6. /ř/   /r̃/

2. /ř/   /r̃/   7. /ř/   /r̃/

3. /ř/   /r̃/   8. /ř/   /r̃/

4. /ř/   /r̃/   9. /ř/   /r̃/

5. /ř/   /r̃/   10. /ř/   /r̃/

Deletreo con los sonidos /ř/ y /r̃/. Las siguientes reglas de ortografía determinan cuándo se debe usar una **r** o una **rr.**

- La letra **r** tiene el sonido /ř/ cuando ocurre entre vocales, antes de una vocal o después de una consonante excepto **l, n,** o **s.**

  anterior   autoridad   nitrato

  periodismo   oriente   cruzar

- La letra **r** tiene el sonido /r̃/ cuando ocurre al principio de una palabra.

  residir   ratifica   reloj   rostro

- La letra **r** también tiene el sonido /r̃/ cuando ocurre después de la **l, n** o **s.**

  alrededor   enriquecer   honrar   desratizar

- La letra **rr** siempre tiene el sonido /r̃/.

  derrota   enterrado   hierro   terremoto

• Cuando una palabra que empieza con **r** se combina con otra para formar una palabra compuesta, la **r** inicial se duplica para conservar el sonido /r̃/ original.

costa**rr**icense   multi**rr**acial   infra**rr**ojo   vi**rr**ey

E **Práctica con los sonidos /ř/ y /r̃/.** Ahora, escucha a los narradores leer las siguientes palabras y escribe las letras que faltan en cada una.

1. t ___ ___ ___ ___ t ___ ___ ___ o

2. E ___ ___ ___ q u e t a

3. ___ ___ ___ ___ v ___ ___ ___ n t e

4. ___ ___ ___ s p e ___ ___ ___

5. f ___ ___ ___ ___ c ___ ___ ___ ___ l

6. ___ ___ ___ o l u c i ó n

7. i n t ___ ___ ___ ___ m p i ___

8. f u ___ ___ ___ a

9. s ___ ___ ___ i e n t e

10. e ___ ___ ___ q u e c ___ ___ s e

F **Deletreo de palabras parónimas.** Dado que tanto la **r** como la **rr** ocurren entre vocales, existen varios pares de palabras parónimas, o sea idénticas excepto por una letra, por ejemplo **coro** y **corro**. Mientras los narradores leen las siguientes palabras parónimas, escribe las letras que faltan en cada una.

1. pe _____ o   pe _____ o

2. co _____ al   co _____ al

3. aho _____ a   aho _____ a

4. pa _____ a   pa _____ a

5. ce _____ o   ce _____ o

6. hie _____ o   hie _____ o

7. ca _____ o   ca _____ o

8. fo _____ o   fo _____ o

Dictado. Escucha el siguiente dictado e intenta escribir lo más que puedas. El dictado se repetirá una vez más para que revises tu párrafo.

Las consecuencias de la independencia

_____

_____

_____

_____

_____

_____

_____

_____

_____

_____

_____

_____

_____

_____

_____

_____

_____

_____

_____

_____

_____

_____

¡A explorar!

Variantes coloquiales: Participios pasados

En la Unidad 3, Lección 1, aprendiste que la lengua española del siglo XVII sigue viva en el norte de Nuevo México tanto como en muchas zonas rurales aisladas donde los hispanohablantes no tenían mucho contacto con personas fuera de la región donde vivían. Por eso, es común en estas regiones oír antiguas formas verbales, como *ansina, haiga, mesmo, truje* y *vide,* que ahora se consideran arcaicas en el resto del mundo hispano.

Otra característica de esta variante en Nuevo México es una tendencia a usar la forma regular de muchos participios pasados que ahora tienen formas irregulares en el resto del mundo de habla español, por ejemplo, *abrido* en vez de **abierto**, *rompido* en vez de **roto** y *morido* en vez de **muerto**.

G **Participios pasados.** Escribe los participios pasados irregulares de los siguientes infinitivos.

Forma irregular

1. abrir _____

2. cubrir _____

3. decir _____

4. escribir _____

5. hacer _____

6. morir _____

7. poner _____

8. resolver _____

9. romper _____

10. ver _____

11. volver _____

12. satisfacer _____

Tradiciones aymaras. Para saber algo de cómo han sobrevivido las tradiciones aymaras, completa estas oraciones con la forma más utilizada del participio pasado de los verbos entre paréntesis.

1. Los arqueólogos estaban muy interesados en saber más de las ruinas

   que se habían _____ (descubrir) al sur del lago Titicaca.

2. Allí, a las orillas del lago, se había _____ (desenvolver) una

   gran cultura.

3. Lo triste es que nadie ha _____ (escribir) su historia porque

   está enraizada en la tradición oral.

4. La tradición oral dice que algunos tiahuanacos habían _____

   (predecir) su derrota por los incas.

5. Según la leyenda, estos sabios anticiparon la derrota. Cuando las

   mujeres tiahuacanas preguntaron, "¿Cuántos habrán _____

   (morir)?", los sabios contestaron: "Muchísimos".

6. Los descendientes de esa gran cultura, los aymaras, se han

   _____ (oponer) a toda imposición a su modo de vida.

7. Aún en el presente, no se ha _____ (resolver) la pobre

   condición de los aymaras y mientras tanto, ellos, a pesar de tantas

   dificultades, no han _____ (interrumpir) con sus tradiciones.

Gramática en contexto

7.3 El presente perfecto: Indicativo y subjuntivo

Obligaciones pendientes. Tú y tus amigos hablan de las cosas que debían hacer esta semana y que todavía no han hecho.

MODELO   *Todavía no _____ _____ (llevar) el coche al mecánico.*
Todavía no he llevado el coche al mecánico.

1. Todavía no _____ _____ (hablar) con el

   profesor de biología.

2. Carlos todavía no _____ _____ (ir) al

   supermercado.

3. Marla y yo todavía no _____ _____ (escribir)

   el informe para la clase de historia.

4. Ustedes todavía no _____ _____ (resolver) el

problema con mi jefe.

5. Nosotros todavía no _____ _____ (organizar)

nuestra próxima fiesta.

6. Elena todavía no _____ _____ (ver) las fotos

de nuestra última excursión.

7. Rita y Alex todavía no _____ _____ (hacer)

el experimento para la clase de química.

J **Buenas y malas noticias.** Di si reaccionaste con alegría o con pena a las
siguientes noticias que te da un amigo.

MODELO   AMIGO: *Vendí mi automóvil ayer.*
          TÚ: **Me alegra que hayas vendido tu automóvil ayer.** o
                 Es una lástima que hayas vendido tu automóvil
                 ayer.

Vocabulario útil		
me alegra que	es una lástima que	es triste que
es importante que	es terrible que	no es bueno que
es bueno que	es fantástico que	es malo que

1. Encontré un trabajo de tiempo parcial.

_____

_____

_____

_____

2. No me sentí muy bien ayer.

_____

_____

_____

_____

3. Me fue bien en el examen de español.

_____

_____

_____

_____

4. Recibí un regalo de mi mejor amigo(a).

_____

_____

_____

_____

5. Tuve una discusión con mis padres.

_____

_____

_____

_____

6. Anoche no pude ir al concierto de mi grupo favorito.

_____

_____

_____

_____

K   **Visita a Bolivia.** ¿Qué dice tu amigo sobre la visita de sus padres a Bolivia? Para saberlo, completa el siguiente texto con el **presente perfecto de indicativo** o **de subjuntivo** de los verbos entre paréntesis según convenga.

Mis padres _____ _____ (1. visitar) Bolivia dos

veces. Dicen que _____ _____ (2. estar)

principalmente en La Paz y lamentan que nunca _____

_____ (3. poder) subir a Tiahuanaco. Hasta ahora no

_____ _____ (4. sufrir) de soroche y no creen

que la altura los _____ _____ (5. afectar)

mucho. Están contentos porque _____ _____

(6. conocer) a algunos bolivianos muy simpáticos con los cuales

_____ _____ (7. pasear) por varios lugares

de La Paz.

Ortografía

Parónimos con *r* y *rr*. Repasa los siguientes parónimos o palabras parecidas que difieren debido al sonido y deletreo de las letras **r** y **rr**.

1. **amara:** forma conjugada del verbo *amar:* tener amor a personas o cosas

   amarra: correa que va de la brida al pecho de los caballos; forma conjugada del verbo *amarrar:* asegurar por medio de cuerdas, atar, sujetar

2. **caro:** de alto precio, que cuesta mucho

   carro: vehículo

3. **cero:** signo aritmético, cosa sin valor

   cerro: elevación del terreno de poca altura, loma, colina

4. **coro**: conjunto de personas que ejecutan danzas y cantos

   corro: forma conjugada del verbo *correr:* caminar con velocidad

5. **foro:** plaza, tribuna, fondo del escenario

   forro: abrigo o defensa, cubierta que se pone a un libro; forma conjugada del verbo *forrar:* cubrir con funda o forro

6. **jara:** nombre de varias plantas de flores grandes y blancas, en flecha (Guatemala y México)

   jarra: vasija de barro con boca y cuello anchos

7. **mira:** pieza que en ciertos instrumentos o armas sirve para dirigir la vista; forma conjugada del verbo *mirar:* fijar la vista en algo

   mirra: substancia aromática y medicinal producida por un árbol de Arabia

8. **moral:** conjunto de principios o normas que regulan la conducta humana o que deben adquirirse para hacer el bien y evitar el mal

   morral: especie de saco para llevar provisiones

9. **perito:** conocedor, experto en una ciencia o arte

   perrito: diminutivo de perro.

L **En las orillas del lago Titicaca.** Subraya las palabras que correspondan según el contexto.

Una de las celebraciones más sagradas del año entre los

indígenas aymaras que viven a orillas del lago Titicaca tiene

lugar durante el solsticio que inicia el verano. Desde antes del

amanecer, los ancianos de la comunidad toman de la

(1. amara / amarra) una llama y se van caminando a un

(2. cero / cerro) escondido del altiplano donde forman un

(3. coro / corro) y entonan viejos cantos siempre con la

(4. mira / mirra) de saludar al sol. De un (5. moral / morral)

que lleva la llama, sacan ofrendas para el sol que ponen en la

tierra. Luego de una (6. jara / jarra) vacían un té sobre las

ofrendas para después beber del mismo té. Los

(7. peritos / perritos) sobre la cultura aymara afirman que

esta costumbre tiene sus raíces en la antigua civilización

de Tiahuanaco.

Lengua en uso

Variantes coloquiales: Presencia del quechua en el habla de Bolivia

El quechua o *runa simi* (que quiere decir "lenguaje humano") fue la lengua oficial del imperio incaico y en la actualidad se sigue hablando en una gran región andina que abarca cinco países sudamericanos: Colombia, Ecuador, Perú, Bolivia y Argentina. Muchas palabras quechuas han pasado a enriquecer la lengua española y ya conoces algunas tal como *coca, cóndor, inca* y *papa*.

M **Palabras quechuas.** Selecciona la palabra de la segunda columna que define cada palabra quechua de la primera.

_____ 1. quena

_____ 2. alpaca

_____ 3. puma

_____ 4. boa

_____ 5. choclo

_____ 6. pampa

_____ 7. chacra

_____ 8. cuy

_____ 9. vicuña

_____ 10. soroche

a. pequeña finca rústica

b. mazorca de maíz

c. mal de los Andes

d. flauta hecha de cañas

e. conejo de las Indias

f. llano

g. animal parecido a la llama cuya lana es muy apreciada

h. una especie de tigre

i. una serpiente enorme

j. bestia de carga de pelo largo, fino y rojizo

Vocabulario activo

A continuación se encuentra el vocabulario activo de las secciones **Gente del Mundo 21** y **Del pasado al presente** de la Lección 3. En los espacios en blanco bajo cada tema, añade otras palabras que has aprendido en esta lección y que crees que te serán útiles.

Gente del Mundo 21

aéreo(a) _____

afirmación _____

aprendiz _____

becario(a) _____

educarse _____

_____

_____

_____

_____

_____

encarcelado(a) _____

éxito _____

inferioridad _____

psíquico(a) _____

sociológico(a) _____

_____

_____

_____

_____

_____

Del pasado al presente

Período prehispánico y Conquista y colonia

altura _____

ancho(a) _____

cerro _____

densamente _____

_____

_____

_____

_____

_____

inhumanamente _____

minero(a) _____

pie _____

_____

_____

_____

_____

_____

La independencia y el siglo XIX

amenaza _____

compromiso _____

decisivo(a) _____

disputar _____

optar _____

prevalecer _____

sede _____

vencedor(a) _____

_____   _____

_____   _____

_____   _____

_____   _____

_____   _____

_____   _____

_____   _____

Guerras territoriales y *De la revolución de 1952 al presente*

auge _____

avance _____

caucho _____

disputa _____

injusticia _____

malestar _____

_____   _____

_____   _____

_____   _____

_____   _____

_____   _____

_____   _____

_____   _____

Opciones. Indica qué opción completa correctamente las siguientes oraciones.

1. Un dicho o hecho que se usa para intimidar es...

   a. una afirmación

   b. un compromiso

   c. una amenaza

2. Conseguir una cosa en oposición a otros es...

   a. prevalecer

   b. optar

   c. disputar

3. El lugar donde funcionan los gobernadores de una sociedad es...

   a. un auge

   b. un caucho

   c. una sede

4. Un estudiante que estudia gratuitamente en la universidad es un...

   a. aprendiz

   b. becario

   c. vencedor

5. Alguien que está en prisión es una persona...

   a. encarcelada

   b. comprometida

   c. vencida

6. Se dice que algo que tiene dimensión en sentido opuesto a longitud, es...

   a. denso

   b. ancho

   c. decisivo

Ñ **Bolivianos.** Completa el juego de palabras con las siguientes palabras que aprendiste en esta lección. Luego, para contestar la pregunta "¿Qué tiene Bolivia que no tiene ningún otro país latinoamericano?" completa las líneas en blanco con las letras que correspondan a los números indicados.

ALTURA BECARIO DENSAMENTE   INJUSTICIA SEDE

ANCHO CERRO INHUMANAMENTE MINERO

En la altura de los Andes

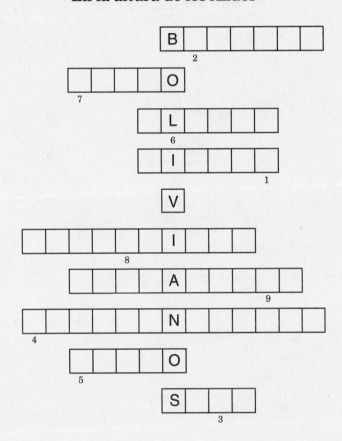

¿Qué tiene Bolivia que no tiene ningún otro país latinoamericano?

¡ ___ ___ ___   ___ ___ P ___ ___ ___ ___ ___ ___ !
  3 1 8   5 7   4 9 7 6 2 8

Composición: *Narración y opinión personal*

O   **La cultura aymara.** Tú eres un(a) joven indígena aymara que vive a orillas del lago Titicaca. Un periódico de La Paz, Bolivia, te ha pedido que escribas un breve artículo en español sobre la importancia de mantener viva la cultura aymara en el mundo contemporáneo. En una hoja en blanco contesta las siguientes preguntas y desarrolla tu opinión. ¿Qué contribuye la antigua cultura aymara a la cultura nacional de Bolivia y a la humanidad en general? ¿No sería mejor que los aymaras formaran parte de la cultura dominante?

¡A escuchar!

El Mundo 21

Escritor argentino. Dos amigas están hablando en un café al aire libre en Buenos Aires. Escucha lo que dicen sobre la vida y la obra de uno de los escritores más importantes del siglo XX. Luego marca si cada oración que sigue es **cierta (C), falsa (F)** o si no tiene relación con lo que escuchaste **(N/R).** Si la oración es falsa, corrígela.

C   F   N/R   **1.** Una de las amigas siempre descubre algo nuevo cuando lee algún cuento de Jorge Luis Borges por segunda o tercera vez.

_____

_____

C   F   N/R   **2.** Borges estudió el bachillerato en Londres.

_____

_____

C   F   N/R   **3.** Aprendió inglés de niño.

_____

_____

C F N/R **4.** La fama mundial de Borges se debe principalmente a sus poemas.

_____

_____

C F N/R **5.** Cuando Borges se quedó ciego, en 1955, dejó de publicar libros.

_____

_____

C F N/R **6.** Borges murió en Ginebra cuando celebraba su cumpleaños.

_____

_____

B **El tango.** Escucha el texto que sigue acerca del tango y luego selecciona la opción que complete correctamente las oraciones que siguen. Escucha una vez más para verificar tus respuestas.

1. El tango nació en...
   a. el siglo XVIII
   b. el siglo XIX
   c. el siglo XX

2. Cuando apareció el tango mucha gente consideraba que era un escándalo...
   a. que la mujer se moviera tanto
   b. que el hombre bailara tan junto a la mujer
   c. que el hombre realizara movimientos de cintura insinuantes

3. Actualmente, el instrumento característico del tango es...
   a. el bandoneón
   b. el violín
   c. la guitarra

4. Los franceses...
   a. odiaron el tango
   b. se escandalizaron con el tango
   c. bailaron el tango con entusiasmo

5. Carlos Gardel fue...
   a. el primero que cantó tangos en Argentina
   b. el cantante de tangos más célebre de Argentina
   c. un famoso cantante de tangos uruguayos

Pronunciación y ortografía

Palabras parónimas: *ay* **y** *hay*. Estas palabras son parecidas y se pronuncian de la misma manera, pero tienen distintos significados.

- La palabra **ay** es una exclamación que puede indicar sorpresa o dolor.

  ¡Ay! ¡Qué sorpresa!

  ¡Ay, ay, ay! Me duele mucho, mamá.

  ¡Ay! Acaban de avisarme que Inés tuvo un accidente.

- La palabra **hay** es una forma impersonal del verbo **haber** que significa *there is* o *there are*. La expresión **hay que** significa **es preciso, es necesario.**

  Hay mucha gente aquí, ¿qué pasa?

  Dice que **hay** leche pero que no **hay** tortillas.

  ¡Hay que llamar este número en seguida!

C | **Práctica con** *ay,* *hay* **y** *hay que.* Ahora, al escuchar a los narradores, indica con una **X** si lo que oyes es la exclamación **ay,** el verbo **hay** o la expresión **hay que.**

	ay	hay	hay que
1.	☐	☐	☐
2.	☐	☐	☐
3.	☐	☐	☐
4.	☐	☐	☐
5.	☐	☐	☐

Deletreo. Al escuchar a los narradores leer las siguientes oraciones, escribe **ay** o **hay,** según corresponda.

1. ¡_____ que hacerlo, y se acabó! ¡Ya no quiero oír más

protestas!

2. _____ , ya no aguanto este dolor de muelas.

3. No sé cuántas personas _____. ¡El teatro está lleno!

4. _____ ¡Estoy tan nerviosa! ¿Qué hora es?

5. No _____ más remedio. Tenemos que hacerlo.

Dictado. Escucha el siguiente dictado e intenta escribir lo más que puedas. El dictado se repetirá una vez más para que revises tu párrafo.

La era de Perón

_____

_____

_____

_____

_____

_____

_____

_____

_____

_____

_____

_____

_____

_____

_____

_____

_____

¡A explorar!

Los diferentes usos del verbo *haber*

El verbo **haber** tiene dos usos principales: como verbo auxiliar más el participio pasado para formar los tiempos compuestos y en tercera persona singular como verbo impersonal. A continuación se presentan ejemplos de estos usos.

Verbo auxiliar

Tiempos compuestos del modo indicativo

- *Presente perfecto:* he, has, ha, hemos, habéis, han

  Han elegido un nuevo presidente.

- *Pluscuamperfecto:* había, habías, había, habíamos, habíais, habían

  Varios gobiernos militares **habían gobernado** Argentina por siete años.

- *Futuro perfecto:* habrá, habrás, habrá, habremos, habréis, habrán

  Ya **habrá florecido** la creciente modernización de Argentina.

- *Condicional perfecto:* habría, habrías, habría, habríamos, habríais, habrían

  Algunos dicen que Argentina **habría podido** evitar la guerra con Gran Bretaña.

Tiempos compuestos del modo subjuntivo

- *Presente perfecto:* haya, hayas, haya, hayamos, hayáis, hayan

  Es increíble que la economía uruguaya **haya mejorado** tan rápidamente.

- *Pasado perfecto:* hubiera, hubieras, hubiera, hubiéramos, hubierais, hubieran

  Si el partido colorado **hubiera ganado** las últimas elecciones, no habría tantos problemas ahora.

Verbo impersonal*

Tiempos del modo indicativo

- Presente *(there is/are)*

    Hay miles de empresas en Buenos Aires.

- Pretérito *(there was/were)*

    No **hubo** problemas de inflación en Argentina el año pasado.

- Imperfecto *(there used to be)*

    Hace pocos años **había** problemas serios de inflación.

- Futuro *(there will be)*

    Para el siglo XXI **habrá** muchos intercambios comerciales entre los países sudamericanos.

- Condicional *(there would be)*

    ¿**Habría** tantas exportaciones el año pasado?

- Presente perfecto *(there has/have been)*

    Recientemente no **ha habido** problemas con el desempleo en Argentina.

- Pluscuamperfecto *(there had been)*

    Hace quince años no **había habido** muchas inversiones en la economía argentina.

- Futuro perfecto *(there will have been)*

    No me preocupo porque para fines de este siglo ya **habrá habido** un cambio completo de gobernantes.

- Condicional perfecto *(there would have been)*

    No cabe duda que **habría habido** una revolución si hubiéramos tenido más desaparecidos.

Tiempos del modo subjuntivo

- Presente *(there may be, there might be)*

    Es probable que **haya** más intercambio entre Argentina y Uruguay en el futuro.

- Imperfecto *(there was/were, there might be)*

    Si no **hubiera** tantas exportaciones, habría más desempleo.

*Debe notarse que este verbo siempre se usa en singular y su forma corresponde a la tercera persona singular del tiempo apropiado.

- Presente perfecto *(there has / have been, there may have been)*

   No creo que **haya habido** otra opción que la democratización.

- Pluscuamperfecto *(there had been, there might have been)*

   Algunos dudan que **hubiera habido** necesidad de imponer gobiernos militares.

E **Los "desaparecidos".** Para saber algo de los "desaparecidos" de Argentina, subraya la forma verbal que corresponda en las oraciones del siguiente párrafo.

Se estima que entre 1976 y 1982 (1. hubo / había) entre 9.000 y

30.000 personas "desaparecidas" en Argentina. La crisis

económica y el terrorismo (2. habían / hayan) sido los problemas

principales que enfrentaba Argentina cuando una junta militar

tomó el gobierno. Es dudoso que todas las personas

desaparecidas (3. han / hayan) sido terroristas. Muchos de los

desaparecidos eran jóvenes estudiantes que simplemente

(4. habían / hubieran) participado en protestas contra el

gobierno. Para mediados de la década de 1980 las madres de

muchos de estos jóvenes (5. habían / hubieran) formado una

organización llamada las Madres de la Plaza de Mayo. Muchos

creen que los desaparecidos fueron víctimas de una guerra sucia

y que un gobierno democrático nunca (6. hubo / habría) permitido

esa injusticia.

Gramática en contexto

8.1 Otros tiempos compuestos

F

Planes malogrados. El fin de semana pasado llovió y Patricia no pudo salir de excursión como intentaba. ¿Qué habría hecho en las montañas si hubiera podido ir? Utiliza los dibujos para escribir todo lo que habría hecho.

1. _____
_____
_____

2. _____
_____
_____

3. _____
_____
_____

4. _____
_____
_____

5. _____
_____
_____

6. _____

_____

_____

7. _____

_____

_____

G **Escena familiar.** Di lo que había ocurrido cuando llegaste a casa ayer por la noche. Usa el **pluscuamperfecto de indicativo** de los verbos entre paréntesis para completar las oraciones.

MODELO   *Cuando llegué a casa, mi abuelita _____ _____ (acostarse).*
          Cuando llegué a casa, mi abuelita se había acostado.

1. Cuando llegué a casa, mi familia _____

   _____ (cenar).

2. Cuando llegué a casa, mi hermanito _____

   _____ (practicar) su lección de piano.

3. Cuando llegué a casa, mi mamá _____

   _____ (ver) su programa de televisión favorito.

4. Cuando llegué a casa, mi papá _____ _____

   (leer) el periódico.

5. Cuando llegué a casa, mi hermana _____

   _____ (salir) con su novio.

H **Antes del verano.** Los estudiantes dicen lo que habrán hecho antes de que comiencen las próximas vacaciones de verano. Usa el **futuro perfecto** de los verbos entre paréntesis para completar las oraciones.

MODELO   *Antes de las vacaciones de verano, ya _____ _____*
          (terminar) de pagar el coche.
          Antes de las vacaciones de verano, ya habré terminado
          de pagar el coche.

1. Antes de las vacaciones de verano, ya _____

   _____ (organizar) una fiesta de fin de semestre.

2. Antes de las vacaciones de verano, ya _____

   _____ (planear) un viaje a la costa.

3. Antes de las vacaciones de verano, ya _____

   _____ (obtener) un trabajo.

4. Antes de las vacaciones de verano, ya _____

   _____ (graduarse).

5. Antes de las vacaciones de verano, ya _____

   _____ (olvidarse) de los estudios.

I **Deseos para el sábado.** El sábado pasado tuviste que ocuparte de tus estudios. Di lo que habrías hecho si no hubieras estado ocupado(a). Usa el **pluscuamperfecto de subjuntivo** y el **condicional perfecto de indicativo.**

MODELO   *tener tiempo / escuchar música*
          Si hubiera tenido tiempo, habría escuchado música.

1. no estar ocupado(a) / ir a la playa

   _____

   _____

2. no tener tanto que estudiar / asistir a la fiesta de Aníbal

   _____

   _____

3. hacer mi tarea / jugar al volibol

   _____

   _____

4. terminar de lavar el coche / dar una caminata por el lago

_____

_____

5. planearlo con más cuidado / salir de paseo en bicicleta

_____

_____

Ortografía

J **Las Madres de la Plaza de Mayo.** En la Plaza de Mayo en Buenos Aires, cada día se junta un grupo de mujeres vestidas de negro, su cabeza cubierta por una simple pañoleta blanca. Cada una muestra una foto de jóvenes "desaparecidos", sus hijos. Para saber lo que dicen, completa los espacios en blanco en su diálogo con **ay** o **hay**.

—¡_____ (1), _____ (2) Marta! Cada día _____ (3) más y más madres que

nos reunimos aquí y todavía no _____ (4) una respuesta del gobierno.

—Sí, Victoria. Pero cada día _____ (5) más y más fuerza en nuestra unión.

Los ojos del mundo están viéndonos. _____ (6) que seguir adelante, no nos

desanimemos.

—Mira, ahí vienen unos soldados. Necesitamos tener cuidado. ¡_____ (7),

cómo me preocupan estos militares!

—Cálmate Victoria, no _____ (8) por qué preocuparnos. _____ (9) que

mantenernos unidas, así no _____ (10) problemas.

—¡_____ (11), Marta, mira! ¡Qué sorpresa! Hoy _____ (12) muchas

madres que sólo vienen a apoyarnos. Que yo sepa, no _____ (13)

desaparecidos en la familia de la señora Márquez, ni la de doña Méndez,

ni la de...

—¿Ves? Te digo que aquí _____ (14) fuerza y si no _____ (15) una

respuesta hoy, la habrá mañana. Ven, sigamos adelante.

Correspondencia práctica

Un *résumé* o *currículum vitae*

El *résumé* o *currículum vitae* es un breve resumen en una o dos páginas de los méritos, cualidades, logros y experiencia académica y profesional de una persona que busca empleo. La organización y presentación de este resumen es sumamente importante porque con frecuencia es la primera impresión que un(a) empleador(a) tiene del candidato(a) y puede ser la única. Por esta razón es esencial preparar el *currículum vitae* con precisión y claridad, y con el mayor atractivo posible. Cuando se escribe un resumen, es necesario ser selectivo e incluir sólo las destrezas o previos puestos directamente relacionados con el empleo que se busca. A continuación aparece una descripción breve de la información que se incluye normalmente en un *currículum vitae,* en el orden en que se presenta.

- **Datos personales:** El nombre y apellido del candidato, dirección y número de teléfono. Generalmente se sitúan en la parte superior, centrados como el encabezamiento de la hoja.

- **Objetivo:** El nombre del puesto que se solicita, por ejemplo, Gerente de personal, Director(a) de ventas o Programador(a) de computadoras.

- **Preparación:** Estudios académicos, talleres o cursillos completados, empezando con el más reciente. Esta información se puede presentar en dos categorías distintas: Preparación académica y Preparación vocacional.

- **Experiencia:** Enumeración de los trabajos previos. Éstos deben aparecer con el más reciente primero, el más antiguo último. Para cada puesto mencionado debe darse la fecha que comenzó y terminó, el nombre de la empresa y el título del cargo que tenía.

- **Premios:** Cualquier mérito o premio que de alguna manera esté relacionado con el puesto que se busca. Aquí hay que evitar mencionar lo que no tenga nada que ver con el puesto que se solicita.

- **Habilidades:** Destrezas relacionadas con el puesto que se solicita. Si es apropiado, pueden mencionarse destrezas artísticas, de oficina, de mecánico, etc.

- **Intereses:** Cualquier interés que comunique algo valioso del (de la) solicitante que tiene relación con el puesto. Puede incluir pasatiempos favoritos, deportes, clubes, otras actividades, trabajo de voluntario, servicio a la comunidad.

- **Referencias:** Nombre, título, dirección y teléfono de personas dispuestas a recomendar al (a la) solicitante. Aquí es bueno mencionar qué relación hubo entre la persona y el solicitante, por ejemplo, supervisor, jefe, compañero(a) de trabajo, profesor(a).

MODELO

CURRICULUM VITAE
Estela Chacón Pérez
1317 Almendra
El Rito, Nuevo México 84397
(505) 297-7238

Objetivo

    Gerente de restaurante

Educación

| 1994-1995 | Universidad Estatal de Nuevo México, Estudiante de primer año: Ciencias Domésticas |
| 1991-1994 | El Rito Normal School, El Rito, N.M., Diploma |

Experiencia

1993-1994	Restaurante El Charro, gerente
1992-1993	Restaurante El Charro, recepcionista
1991-1992	Restaurante El Charro, mesera

Premios

| 1993 | Empleada del año |
| 1992 | Mesera más popular |

Habilidades

    Conozco la contabilidad. La estudié en secundaria y me encargo de todas las cuentas en casa.
Soy bilingüe en español e inglés.
Sé cocinar. Siempre cocino en casa.

Referencias

Sr. Julián Acosta
Dueño, Restaurante El Charro
Restaurante El Charro
Calle del Sueño
El Rito, Nuevo México 84397
(505) 297-4323

Srta. Antonia Martínez
Encargada de meseros
Restaurante El Charro
Calle del sueño
El Rito, Nuevo México 84397
(505) 297-4323

Se pueden solicitar otras referencias.

K   **Mi *currículum vitae*.** Decide en un objetivo profesional para ti mismo y prepara un *currículum vitae* con ese objetivo en mente. Escribe la versión final a máquina o usando la computadora siguiendo el formato del modelo. Recuerda que la apariencia y el deletreo son tan importantes como el contenido del resumen.

Lengua en uso

Tradición oral: El canto nuevo latinoamericano de protesta

En la Unidad 7 viste que actualmente, una de las manifestaciones artísticas más populares de Latinoamérica es el "canto nuevo" donde la tradición musical se une a la protesta social. Una de las cantantes latinoamericanas más reconocidas de este género es la argentina Mercedes Sosa. Los temas de sus sentidas canciones incluyen la defensa de los derechos de los trabajadores y de los indígenas de Sudamérica.

L **"Venas abiertas".** Ahora escucha la siguiente canción de Mercedes Sosa y escribe las palabras que faltan. La canción se va a repetir dos veces.*

Venas abiertas
de Mercedes Sosa

América _____ (1)

tiene que ir de la mano

por un _____ (2) distinto,

por un _____ (3) más claro.

Sus hijos ya no podemos

_____ (4) nuestro pasado;

tenemos muchas _____ (5)

los latinoamericanos.

Vivimos tantas _____ (6)

con el _____ (7) de los años.

Somos de sangre _____ (8)

y de sueños _____ (9).

Yo quiero que estemos juntos

porque debemos _____ (10).

Quien nos _____ (11) no sabe

que somos todos hermanos.

Y nadie va a quedarse a un lado;

nadie mirará al _____ (12).

Tiempo de vivir,

tiempo de vivir.

Nada nos regalaron,

hemos pagado muy _____ (13).

Quien se equivoca y no aprende

vuelve a estar _____ (14).

Tenemos venas abiertas,

corazones castigados.

Somos _____ (15)

latinoamericanos.

Y cuando vengan los días

que nosotros esperamos,

con todas las _____ (16),

haremos un solo canto.

El cielo será _____ (17),

los _____ (18) habrán cambiado

y _____ (19) un nuevo tiempo

latinoamericano.

Nadie va a quedarse a un lado;

nadie mirará al costado

nada de morir.

Vamos a buscar lo que _____ (20).

Nadie va a quedarse a un lado.

Pronto va a llegar,

tiempo de vivir.

¡Tiempo de vivir!

*La canción se encuentra después de la sección **¡A escuchar!** en la audiocinta para esta lección.

M   **Definiciones.** Para asegurar que sabes el significado de todas las palabras en la canción **"Venas abiertas"**, selecciona la palabra o expresión de la segunda columna que es sinónimo de cada palabra de la primera columna.

_____ 1. sendero

_____ 2. heridas

_____ 3. pasiones

_____ 4. caliente

_____ 5. postergados

_____ 6. cuidar

_____ 7. lastimar

_____ 8. caro

_____ 9. equivocarse

_____ 10. melodías

a. cálido

b. dejados, apartados

c. poner atención en una cosa, atender

d. camino

e. cometer un error

f. lesiones

g. que cuesta mucho

h. canciones

i. deseos vehementes

j. dañar

Vocabulario activo

A continuación se encuentra el vocabulario activo de las secciones **Gente del Mundo 21** y **Del pasado al presente** de la Lección 1. En los espacios en blanco bajo cada tema, añade otras palabras que has aprendido en esta lección y que crees que te serán útiles.

Gente del Mundo 21

asociarse _____   docencia _____

bibliotecario(a) _____   entrenamiento _____

cajero(a) _____   licenciatura en letras _____

capaz _____   reposar _____

ciego(a) _____   taquígrafo(a) _____

contador(a) _____

_____   _____

_____   _____

Del pasado al presente: Argentina

Descubrimiento y colonización

cazador(a) _____   llanura _____

ganadería _____   pampa _____

gaucho _____

_____   _____

_____   _____

El "granero del mundo" y La era de Perón

acceder _____   legalización _____

autoritarismo _____   poner en evidencia _____

congelado(a) _____   populismo _____

dependencia _____   red _____

_____   _____

_____   _____

_____   _____

Las últimas décadas

externo(a) _____ recorte _____

privatización _____ _____

_____ _____

_____ _____

Del pasado al presente: Uruguay

La Banda Oriental del Uruguay

caballo _____ yegua _____

despoblado(a) _____ _____

_____ _____

El proceso de la independencia y *Los blancos y los colorados*

bienestar _____ incapaz _____

enfrentarse _____ propietario(a) _____

hostilidad _____ _____

_____ _____

_____ _____

Avances y retrocesos

bancarrota _____ paralización _____

consenso _____ prensa _____

contener _____ represión _____

desempleo _____ reprimir _____

_____ _____

_____ _____

_____ _____

N **Lógica.** En cada grupo de palabras subraya aquélla que no esté relacionada con el resto.

1. docencia   autoritarismo   entrenamiento   instrucción
2. yegua   ganadería   cajero   caballo
3. llanura   red   pampa   gaucho
4. congelado   taquígrafo   contador   cajero
5. concenso   acceder   conformarse   enfrentarse

Ñ **Palabras.** Indica cuál es la palabra que se define en cada caso.

1. Contener o detener.
   a. acceder
   b. reprimir
   c. reposar

2. Conjunto de líneas de ferrocarril.
   a. represión
   b. yegua
   c. red

3. Líquido que ha sido transformado en sólido por acción del frío.
   a. congelado
   b. bancarrota
   c. consenso

4. Descansar del trabajo.
   a. bienestar
   b. reposar
   c. acceder

5. Tratar de gobernar con el apoyo de las masas populares.
   a. populismo
   b. privatización
   c. represión

6. Consentir en hacer lo que otro pide.
   a. acceder
   b. contener
   c. recortar

Composición: *Comparación*

O **Dos familias.** Imagina que eres descendiente de una familia italiana que emigró a Nueva York en 1900, y que el hermano de tu bisabuelo, en vez de venir a EE.UU. decidió emigrar con su familia a Buenos Aires. Después de muchos años sin comunicación, los descendientes de estos dos hermanos italianos deciden tener una gran reunión familiar en Buenos Aires. En una hoja en blanco escribe acerca de las semejanzas y las diferencias que piensas encontrar entre tus familiares que viven en EE.UU. y tus parientes argentinos.

¡A escuchar!

El Mundo 21

A **Dictador paraguayo.** Escucha lo que un estudiante paraguayo le explica a una estudiante estadounidense que se encuentra en Paraguay como parte de un programa del Cuerpo de Paz o *Peace Corps*. Luego marca si cada oración que sigue es **cierta (C), falsa (F)** o si no tiene relación con lo que escuchaste **(N/R).** Si la oración es falsa, corrígela.

C   F   N/R   1. Alfredo Stroessner fue un militar que durante 35 años ocupó la presidencia de Paraguay.

_____

_____

C   F   N/R   2. Su gobierno fue uno de los más largos de la historia latinoamericana.

_____

_____

C   F   N/R   3. Su padre fue un inmigrante holandés.

_____

_____

C   F   N/R   4. Stroessner fue reelegido presidente siete veces después de grandes campañas en las que gastó millones de dólares.

_____

_____

C   F   N/R   5. En realidad era un dictador, sólo mantenía las apariencias democráticas.

_____

_____

C   F   N/R   6. Stroessner marchó al exilio cuando perdió las elecciones presidenciales de 1989.

_____

_____

B **Música paraguaya.** Escucha el siguiente texto acerca de la música de Paraguay y luego marca si cada oración que sigue es **cierta (C)** o **falsa (F)**. Si la oración es falsa, corrígela.

C   F   1. La música paraguaya es de origen guaraní.

_____

C   F   2. Los jesuitas les enseñaron a tocar el arpa a los guaraníes.

_____

C   F   3. Hay bastante influencia africana en la música guaraní.

_____

C   F   4. El arpa es un instrumento típico de la música popular guaraní.

_____

C   F   5. La naturaleza es un tema muy común en la música paraguaya.

_____

C   F   6. La canción "Pájaro Campana" cuenta una historia de amor.

_____

C   F   7. "Recuerdo de Ypacarai" es el nombre de un famoso conjunto musical paraguayo.

_____

Pronunciación y ortografía

Palabras parónimas: *a, ah,* **y** *ha.* Estas palabras son parecidas y se pronuncian de la misma manera, pero tienen distintos significados.

- La preposición **a** tiene muchos significados. Algunos de los más comunes son:

    Dirección: Vamos **a** Nuevo México este verano.

    Movimiento: Camino **a** la escuela todos los días.

    Hora: Van a llamar **a** las doce.

    Situación: Dobla **a** la izquierda.

    Espacio de tiempo: Abrimos de ocho **a** seis.

- La palabra **ah** es una exclamación de admiración, sorpresa o pena.

    ¡Ah, me encanta! ¿Dónde lo conseguiste?

    ¡Ah, eres tú! No te conocí la voz.

    ¡Ah, qué aburrimiento! No hay nada que hacer.

- La palabra **ha** es una forma del verbo auxiliar **haber.** Seguido de la preposición **de,** significa **deber de, ser necesario.**

    ¿No te **ha** contestado todavía?

    Ha estado llamando cada quince minutos.

    Ella **ha de** escribirle la próxima semana.

C **Práctica con** *a, ah,* **y** *ha.* Ahora, al escuchar a los narradores, indica si lo que oyes es la preposición **a,** la exclamación **ah** o el verbo **ha.**

	a	ah	ha
1.	☐	☐	☐
2.	☐	☐	☐
3.	☐	☐	☐
4.	☐	☐	☐
5.	☐	☐	☐
6.	☐	☐	☐

D **Deletreo.** Al escuchar a los narradores leer las siguientes oraciones, escribe **a, ah** o **ha,** según corresponda.

1. ¿Nadie _____ hablado con papá todavía?

2. Vienen _____ averiguar lo del accidente.

3. Creo que salen _____ Mazatlán la próxima semana.

4. ¿Es para Ernesto? ¡ _____ , yo pensé que era para ti!

5. No _____ habido mucho tráfico, gracias a Dios.

Dictado. Escucha el siguiente dictado e intenta escribir lo más que puedas. El dictado se repetirá una vez más para que revises tu párrafo.

Paraguay: La nación guaraní

_____

_____

_____

_____

_____

_____

_____

_____

_____

_____

_____

_____

_____

_____

_____

_____

_____

_____

¡A explorar!

Secuencia de tiempos verbales

El indicativo tiene nueve tiempos verbales y el subjuntivo sólo tiene cuatro. El esquema que sigue indica cuáles de estos tiempos pueden ocurrir en la misma oración cuando se usan en oraciones con cláusulas principales que llevan el indicativo y cláusulas subordinadas que llevan el subjuntivo. Es importante estar consciente de estas correspondencias de tiempos verbales tanto al hablar como al escribir.

Tiempos presentes

Indicativo (cláusula principal)	Subjuntivo (cláusula subordinada)
Presente	
Futuro	Presente
Presente perfecto	Presente perfecto
Futuro perfecto	

Tiempos pasados

Indicativo (cláusula principal)	Subjuntivo (cláusula subordinada)
Pretérito	
Imperfecto	
Condicional	Imperfecto
Pluscuamperfecto	Pluscuamperfecto
Condicional perfecto	

E **La cultura guaraní.** Traduce estas oraciones al español para saber algo más de la lengua y las tradiciones de los indígenas guaraníes.

1. The Spaniards wanted all Guaranis to convert to Christianity.

_____

_____

2. The missionaries insisted that the Guarani Indians live in the missions.

_____

_____

3. How is it possible that Guarani is spoken in every household of Paraguay?

_____

_____

4. The Guarani language would not be as popular in Paraguay today if the Jesuits had not bothered to study it and develop a form of writing it.

_____

_____

5. The Guaranis would not have a written language if it were not for the Jesuit missionaries.

_____

_____

6. One hopes that the Guarani culture will not have been destroyed by the turn of the century.

_____

_____

7. There would be many more Guaranis living in the Paraguayan jungles today if the government had not taken away their land.

_____

_____

8. Many believe that the Guaranis will lose many of their traditions just because they have moved to the cities.

_____

_____

9. Nevertheless, Guarani women will be fully liberated as soon as Guarani men begin working full eight-hour days.

_____

_____

Gramática en contexto

8.2 Secuencia de tiempos verbales: El modo indicativo

F **Comparación.** Compara tu vida actual con la que tenías hace algunos años.

MODELO   *pienso / levantarse más temprano*
Pienso que antes me levantaba más temprano.

1. creo / ver más programas en la televisión

_____

_____

2. tengo la impresión / estudiar menos

_____

_____

3. me dicen / ser más cortés

_____

_____

4. pienso / ir al gimnasio más a menudo

_____

_____

5. creo / aprender más rápidamente

_____

_____

6. opino / sufrir menos de alergia

_____

_____

G **Visita a Paraguay.** Di lo que te cuenta un amigo que pasó unos días en Paraguay. Usa el **pluscuamperfecto de indicativo** de los verbos entre paréntesis para completar las oraciones.

MODELO *Me dijo que _____ _____(visitar) una reducción jesuita.*
Me dijo que había visitado una reducción jesuita.

1. Me dijo que _____ _____

   (aprender) unas palabras en guaraní.

2. Me dijo que _____ _____ (asistir) a

   un concierto de música paraguaya.

3. Me dijo que _____ _____ (viajar) a

   la presa de ltaipú.

4. Me dijo que _____ _____ (probar)

   las chipás, un pan de yuca.

5. Me dijo que _____ _____

   (descubrir) un interesante museo en Asunción, el Museo de Artes

   Visuales.

H **El siglo XXI.** ¿Cómo imaginas que será el siglo XXI? Al completar cada frase, utiliza el **futuro de indicativo**.

1. Me imagino que el problema de drogas y pandillas...

   _____

2. Estoy seguro(a) de que yo...

   _____

3. Pienso que el problema de la contaminación ambiental...

   _____

4. Creo que todas las naciones...

   _____

5. Sin duda todos los niños...

   _____

Ortografía

I   **La presa de Itaipú.** Doña Albertina y Paloma, su compañera, están de visita en la presa de Itaipú. Para saber cómo reaccionan a esta maravilla de ingeniería, completa cada espacio en blanco de su diálogo con **a, ah** o **ha**.

—¡_____ (1)! Por fin podemos ver la presa de Itaipú. ¿_____ (2)

visto algo más impresionante, doña Albertina?

—No, Paloma, nunca. Ésta _____ (3) sido una verdadera aventura.

Vamos _____ (4) ese lado del mirador, _____ (5) de haber una vista

preciosa.

—Sí, vamos _____ (6) ver. Mire, a su izquierda está la frontera con

Brasil y a su derecha la salida al mar. Imagínese lo que se _____ (7)

logrado aquí. Se _____ (8) aprovechado una fuerza eléctrica tremenda.

—Paloma, dicen que este proyecto hidráulico _____ (9) modernizado

muchas áreas _____ (10) un paso sumamente acelerado.

—¡_____ (11) sí! Así es. Aunque usted sabe, este desarrollo también

_____ (12) cambiado radicalmente a las poblaciones que vivían

_____ (13) las orillas del río Paraná. Lo moderno _____ (14)

chocado y destruido antiguas culturas _____ (15) la vez que _____

(16) mejorado otras.

—Sí, verdad, a todo proceso su dialéctica.

Lengua en uso

Tradición oral: Refranes

Los refranes son proverbios o dichos que forman parte de la rica tradición oral del mundo hispano. En muy pocas palabras estos dichos reflejan la experiencia y la sabiduría de todo un pueblo. A través de los siglos los refranes han pasado a formar pequeños compendios del comportamiento humano y guías para la vida cotidiana.

J **Refranes.** Escoge las definiciones de la segunda columna que corresponden a los refranes de la primera columna.

_____ 1. No todo lo que brilla es oro.

_____ 2. El que anda con lobos a aullar se enseña.

_____ 3. Del dicho al hecho hay un gran trecho.

_____ 4. Al que parte y reparte le toca la mayor parte.

_____ 5. Perro que ladra no muerde.

_____ 6. Haz el bien y no mires a quién.

_____ 7. De la cuchara a la boca se cae la sopa.

_____ 8. Aunque la mona se vista de seda, mona se queda.

_____ 9. Al buen entendedor pocas palabras.

_____ 10. Cada cabeza es un mundo.

_____ 11. Más vale prevenir que lamentar.

_____ 12. Pájaro en mano vale por cien volando.

a. No importa cómo se vistan las personas porque siguen siendo igual.

b. Cada persona tiene sus propias ideas.

c. Es preferible tener algo concreto que sólo un sueño.

d. Las apariencias engañan.

e. Es preferible pensar en las consecuencias que después quejarse.

f. A la persona que sabe le sobran las explicaciones.

g. Hay personas que gritan pero que no actúan.

h. El que tiene control obtiene los mayores beneficios.

i. Hay una gran diferencia entre lo que se dice y se hace.

j. Hay que tratar a todo el mundo con cariño y amor.

k. Uno aprende los hábitos de los amigos.

l. Muchas veces los planes ya decididos no resultan.

Vocabulario activo

A continuación se encuentra el vocabulario activo de las secciones **Gente del Mundo 21** y **Del pasado al presente** de la Lección 2. En los espacios en blanco bajo cada tema, añade otras palabras que has aprendido en esta lección y que crees que te serán útiles.

Gente del Mundo 21

alcance _____

ascendencia _____

ceramista _____

comandante en jefe _____

_____

_____

_____

_____

expulsado(a) _____

protagonizar _____

reelegir _____

_____

_____

_____

_____

_____

Del pasado al presente

El pueblo guaraní y la colonización

abundar _____

aldea _____

caza _____

_____

_____

_____

_____

_____

colina _____

nave _____

nómada _____

_____

_____

_____

_____

_____

Las reducciones jesuíticas

decretar _____

esclavista _____

esplendor _____

evangelización _____

jesuita _____

_____

_____

_____

_____

llevar a cabo _____

rechazar _____

reducción _____

repartirse _____

_____

_____

_____

_____

La independencia y las dictaduras y Los colorados y los liberales

desastre _____

enfrentar _____

intercambio _____

_____

_____

_____

_____

_____

negarse _____

perpetuo(a) _____

patriotismo _____

_____

_____

_____

_____

_____

Época contemporánea

cantidad _____

emprender _____

_____

_____

_____

_____

_____

hidroeléctrico(a) _____

presa _____

_____

_____

_____

_____

_____

K **Lógica.** En cada grupo de palabras subraya aquélla que no esté relacionada con el resto.

1. reducción   esplendor   evangelización   jesuita

2. rechazar   expulsado   eliminar   abundar

3. cantidad   presa   hidroeléctrica   energía

4. repartirse   proporcionar   intercambiar   enfrentar

5. alcanzar   negar   rechazar   excluir

L **Definiciones.** Indica cuál es la palabra que se define en cada caso.

1. Realizar una tarea.

    a. llevar a cabo

    b. comenzar

    c. enfrentar

2. Empezar o comenzar.

    a. emprender

    b. abundar

    c. negarse

3. Una elevación de terreno menor que una montaña.

    a. nave

    b. aldea

    c. colina

4. Una construcción que contiene el agua de un río.

    a. nómada

    b. presa

    c. reducción

5. Ordenar o resolver con autoridad.

    a. protagonizar

    b. decretar

    c. patriotismo

Composición: *Discurso*

M   **Orador principal.** Imagina que has sido seleccionado(a) para hacer el discurso principal en la ceremonia anual de graduación de tu escuela o universidad. Quieres ser original y no caer en los clichés que muchos oradores emplean en ocasiones semejantes. En una hoja en blanco escribe un breve discurso con un tema central que tú escojas y por lo menos tres puntos que lo apoyen.

¡A escuchar!

El Mundo 21

A **Escritora chilena.** Escucha lo que dicen dos amigas después de asistir a una presentación de una de las escritoras chilenas más conocidas del momento. Luego marca si cada oración que sigue es **cierta (C), falsa (F)** o si no tiene relación con lo que escuchaste **(N/R).** Si la oración es falsa, corrígela.

C   F   N/R   1. El peinado y el vestido juvenil de la escritora chilena Isabel Allende impresionaron mucho a una de las amigas.

_____

_____

C   F   N/R   2. Isabel Allende comenzó a escribir en 1981, cuando tenía casi cuarenta años.

_____

_____

C   F   N/R   3. Aunque tienen el mismo apellido, Isabel Allende y Salvador Allende no son parientes.

_____

_____

C F N/R **4.** Su primera novela, titulada *La casa de los espíritus,* ha sido traducida a muchos idiomas, como el inglés y el francés, entre otros.

_____

_____

C F N/R **5.** Dicen que una película basada en la novela *La casa de los espíritus* saldrá en uno o dos años.

_____

_____

C F N/R **6.** Su última novela, *El plan infinito,* tiene lugar en EE.UU., país donde ha vivido por más de cinco años.

_____

_____

B **Isla de Pascua.** Escucha el texto sobre la isla de Pascua y luego selecciona la opción que complete correctamente las oraciones que siguen. Escucha una vez más para verificar tus respuestas.

1. La isla de Pascua pertenece a...
   a. Chile
   b. Argentina
   c. Inglaterra

2. La isla tiene forma...
   a. cuadrada
   b. ovalada
   c. triangular

3. Las dos terceras partes de las personas que viven en la isla...
   a. viajaron desde el continente
   b. son isleños de origen polinésico
   c. son trabajadores que tienen residencia en Chile

4. *Moai* es el nombre de...
   a. los habitantes de la isla
   b. unas inmensas construcciones de piedra
   c. unos volcanes apagados

5. La mayoría de los monolitos de piedra miden, como promedio,...
   a. entre cinco y siete metros
   b. dos metros
   c. veintiún metros

C **Alegría.** Romina habla de algunas cosas que le han causado alegría recientemente. Mientras escuchas, ordena numéricamente los dibujos. Ten en cuenta que algunos dibujos quedarán sin numerar. Escucha una vez más para verificar tus respuestas.

A. _____

B. _____

C. _____

D. _____

E. _____

F. _____

G. _____

H. _____

Pronunciación y ortografía

Palabras parónimas: *esta, ésta* y *está.* Estas palabras son parecidas, pero tienen distintos significados.

- La palabra **esta** es un adjetivo demostrativo que se usa para designar a una persona o cosa cercana.

  ¡No me digas que **esta** niña es tu hija!

  Prefiero **esta** blusa. La otra es más cara y de calidad inferior.

- La palabra **ésta** es pronombre demostrativo. Reemplaza al adjetivo demostrativo y desaparece el sustantivo que se refiere a una persona o cosa cercana.

  Voy a comprar la otra falda; **ésta** no me gusta.

  La de Miguel es bonita, pero **ésta** es hermosísima.

- La palabra **está** es una forma del verbo **estar.**

  ¿Dónde **está** todo el mundo?

  Por fin, la comida **está** lista.

D **Práctica con *esta, ésta* y *está*.** Ahora, al escuchar a los narradores, indica si lo que oyes es el adjetivo demostrativo **esta,** el pronombre demostrativo **ésta** o el verbo **está.**

	esta	*ésta*	*está*
1.	☐	☐	☐
2.	☐	☐	☐
3.	☐	☐	☐
4.	☐	☐	☐
5.	☐	☐	☐
6.	☐	☐	☐

E **Deletreo.** Al escuchar a los narradores leer las siguientes oraciones, escribe el adjetivo demostrativo **esta,** el pronombre demostrativo **ésta** o el verbo **está,** según corresponda.

1. Sabemos que _____ persona vive en San Antonio, pero no

   sabemos en qué calle.

2. El disco compacto _____ en el estante junto con las revistas.

3. Ven, mira. Quiero presentarte a _____ amiga mía.

4. ¡Dios mío! ¡Vengan pronto! El avión _____ por salir.

5. Decidieron que _____ es mejor porque pesa más.

6. No creo que les interese _____ porque no estará lista hasta el

   año próximo.

Dictado. Escucha el siguiente dictado e intenta escribir lo más que puedas. El dictado se repetirá una vez más para que revises tu párrafo.

El regreso de la democracia

_____

_____

_____

_____

_____

_____

_____

_____

_____

_____

_____

_____

_____

_____

_____

_____

_____

_____

_____

_____

_____

¡A explorar!

Variantes coloquiales: Secuencia de tiempos verbales en frases condicionales con *si*

En el habla estándar, las cláusulas condicionales no expresadas en el presente, el futuro o el pasado consisten de dos verbos, uno en el subjuntivo y el otro en el condicional. Por ejemplo,

> **Si fuera a Chile, los visitaría.**

> **Si hubiera ido a Chile, los habría visitado.**

Sin embargo, en el habla popular de muchos hispanohablantes hay una tendencia a usar en estas construcciones dos verbos condicionales o dos verbos en el subjuntivo. Por ejemplo, muchos tienden a decir

> *Si iría a Chile, los visitaría.*

> *Si habría ido a Chile, los habría visitado.*

> *Si fuera a Chile, los visitara.**

> *Si hubiera ido a Chile, los hubiera visitado.*

Aunque estas variantes son aceptadas en el habla estándar, por escrito todavía se prefiere la combinación de condicional y subjuntivo en estas construcciones.

F **Allende y Pinochet.** Para repasar algunos datos sobre los gobiernos de Salvador Allende y Augusto Pinochet, subraya el verbo apropiado según el habla estándar en las siguientes oraciones.

1. Si (habría / hubiera) podido, Salvador Allende (habría / hubiera) impuesto el socialismo en Chile.

2. Si EE.UU. no (habría / hubiera) boicoteado al gobierno de Allende, probablemente no (habría / hubiera) habido tanta oposición del pueblo chileno.

3. Tal vez Allende no (habría / hubiera) muerto si las fuerzas armadas de Pinochet no (habrían / hubieran) tomado el poder.

4. Era obvio que si Pinochet (llegaría / llegara) a tomar control, (revocaría / revocara) las decisiones socialistas de Allende.

5. Pero nadie sabía que miles de personas (desaparecerían / desaparecieran) si se (opondrían / opusieran) a Pinochet.

6. Sabemos que miles de intelectuales y artistas chilenos no (habrían / hubieran) salido de su país si Pinochet no (habría / hubiera) prohibido todos los partidos políticos.

7. Pinochet (habría / hubiera) seguido en el poder si los chilenos no (habrían / hubieran) votado en contra de su reelección.

*El uso de dos subjuntivos en una oración condicional ha llegado a ser tan extenso en México y las Américas que ya es aceptado en el habla estándar. Hasta la Real Academia Española ha dicho que "no hay motivo para rechazarlo".

Gramática en contexto

8.3 Secuencia de tiempos verbales: El indicativo y el subjuntivo

G **Lamentos.** Sabes que tu amigo Nicolás siempre se lamenta de algo. Di de qué se lamentaba el año pasado y de qué se lamenta ahora.

MODELO *El año pasado temía que su bicicleta _____ (tener) problemas mecánicos; ahora teme que su auto _____ (tener) problemas mecánicos.*
El año pasado temía que su bicicleta tuviera problemas mecánicos; ahora teme que su auto tenga problemas mecánicos.

1. El año pasado temía que sus amigos no _____ (invitarlo) a todas las fiestas; ahora teme que _____ (invitarlo) a demasiadas fiestas.

2. Ahora teme que su novia _____ (enfadarse) con él de vez en cuando; el año pasado temía que _____ (enfadarse) con él a menudo.

3. Ahora siente que sus padres no _____ (comprenderlo); el año pasado temía que sus padres _____ (comprenderlo) demasiado bien.

4. El año pasado temía que los profesores no _____ (darle) buenas notas; ahora teme que los profesores no _____ (darle) bastantes exámenes.

5. Ahora teme que su hermana no _____ (prestarle) dinero para comprar un auto; el año pasado temía que su hermana no _____ (prestarle) dinero para comprar una bicicleta.

H **Recomendaciones médicas.** Habla de las recomendaciones permanentes que el médico le hizo a tu papá y de otras más recientes que le hizo la semana pasada.

MODELO   *Le recomienda que* _____ *(hacer) ejercicios.*
Le recomienda que haga ejercicios.
Le recomendó que _____ *(caminar) dos millas todos los días.*
Le recomendó que caminara dos millas todos los días.

1. Le recomienda que _____ (hacerse) exámenes

   médicos periódicos.

2. Le recomendó que _____ (volver) a verlo dentro de

   un mes.

3. Le recomendó que no _____ (trabajar) más de treinta

   horas por semana.

4. Le recomienda que _____ (reducir) las horas de

   trabajo.

5. Le recomienda que _____ (comer) con moderación.

6. Le recomendó que _____ (disminuir) los alimentos

   grasos.

7. Le recomendó que _____ (dejar) de fumar.

I **Opiniones de algunos políticos.** Diversos políticos, tanto viejos como nuevos candidatos, expresan opiniones acerca de elecciones pasadas y futuras. Completa las siguientes oraciones con el **presente de indicativo, imperfecto de subjuntivo** o **pluscuamperfecto de subjuntivo,** según convenga.

MODELO   *Uds. se sentirán satisfechos si _____ (votar) por mí.*
Uds. se sentirán satisfechos si votan por mí.

Uds. se sentirían satisfechos si _____ (votar) por mí.
Uds. se sentirían satisfechos si votaran por mí.

Uds. se habrían sentido satisfechos si _____ (votar) por mí.
Uds. se habrían sentido satisfechos si hubieran votado por mí.

1. Uds. habrían resuelto el problema del transporte público, si me

_____ _____ (apoyar).

2. Yo crearé leyes para proteger el ambiente si Uds. me

_____ (elegir).

3. Yo me ocuparía de la salud de todos si _____

(llegar / yo) al parlamento.

4. Uds. deben votar por mí si _____ (desear / Uds.)

reformar el sistema de impuestos.

5. Yo desarrollaría la industria local si Uds. me _____

(dar) el voto.

6. Yo habría mejorado las calles de la ciudad si _____

_____ (ser / yo) elegido.

7. Yo trataría de conseguir fondos para la educación vocacional si Uds.

_____ (respaldar) mi candidatura.

Ortografía

J **Violeta Parra.** Dos estudiantes mexicanas hablan de Violeta Parra, una cantante chilena muy popular en los años setenta y ochenta. Para saber algo de ella, completa los espacios en blanco con **esta, ésta** o **está**.

—Yolis, quiero que escuches _____ (1) canción de Violeta Parra.

_____ (2) tarde en mi clase sobre la nueva canción latinoamericana,

aprendí de _____ (3) y de otros cantantes chilenos de los años setenta

y ochenta. ¿Conoces a _____ (4) compositora y cantante chilena?

—No. Sólo reconozco su nombre. Pero me imagino que me vas a contar

más de ella, ¿no? ¿_____ (5) viva todavía?

—Desafortunadamente murió, pero _____ (6) documentada su

contribución al folklore y al canto del pueblo chileno. Aquí _____ (7)

el libro que habla de su trabajo. Leí que _____ (8) canción es una de

sus más reconocidas composiciones. Mira, aquí _____ (9) la cubierta.

Ay, yo no entiendo _____ (10) máquina. ¿_____ (11) lista para

tocar?

—Sí, todo _____ (12) bien. Pero después de escuchar la canción que tú

me quieres tocar, quiero escuchar _____ (13) otra que se llama:

"Gracias a la vida".

—¡Excelente decisión, Yolis! Ésa es precisamente la canción que

_____ (14) lista para tocar. Yo sé que te encantará _____ (15)

gran poeta, intérprete y compositora chilena. Pero, ¡silencio, por favor! Ya

_____ (16) lista para tocar.

Lengua en uso

Palabras homófonos

Hay palabras o expresiones que suenan igual pero que se escriben de manera diferente. Estas palabras o expresiones se conocen como homófonos y con frecuencia causan confusión tanto en la lengua hablada como en la escrita. Para evitar problemas en la escritura, repasa la siguiente lista de homófonos.

1. **a** (preposición)

   ha (de "haber", verbo auxiliar)

   Llegamos **a** la escuela.

   Mario **ha** terminado la tarea.

2. **has** (de "haber", verbo auxiliar)

   haz (de "hacer", imperativo)

   haz (manojo, conjunto)

   ¿**Has** leído a Gabriela Mistral?

   Haz todos los ejercicios.

   Un símbolo de la prosperidad es un **haz** de trigo.

3. **a ser** (a + infinitivo)

   hacer (realizar)

   Algún día voy **a ser** maestro.

   Necesitamos **hacer** la tarea.

4. **a ver** (a + infinitivo)

   haber (infinitivo)

   María va **a ver** a su mamá.

   Dicen que va a **haber** premios.

5. **rebelarse** (sublevar)

   revelar (descubrir)

   Los araucanos **se rebelaron** contra los españoles.

   Las tumbas clandestinas **revelaron** la muerte de muchos inocentes.

6. **tubo** (pieza cilíndrica hueca)

   tuvo (de "tener")

   Cambié el **tubo** oxidado.

   Pinochet **tuvo** que dejar la presidencia.

7. **cocer** (cocinar)

   coser (reparar con aguja e hilo)

   Es necesario **cocer** el arroz.

   ¿Sabes **coser** calcetines?

8. **ves** (de "ver")

   vez (ocasión, tiempo)

   ¿**Ves** televisión todos los días?

   ¿Alguna **vez** has comido choclo?

9. **habría** (de "haber")

   abría (de "abrir")

   Lo **habría** comprado, si hubiera tenido dinero.

   Miguel **abría** la tienda temprano.

10. **rehusar** (rechazar)

    reusar (volver a usar)

    Salvador Allende **rehusó** rendirse.

    Mamá **reusó** las bolsas de papel.

K **Visita a Isla Negra**. Subraya la palabra que corresponde según el contexto en el siguiente párrafo.

El año pasado mi padre me llevó (1. a / ha) visitar la casa donde vivió el poeta Pablo Neruda. En esa ocasión la puerta principal estaba iluminada por un (2. has / haz) de luz. Yo oía que el viento del mar (3. abría / habría) y cerraba la puerta de la casa de par en par. Para mí, el interior de la casa (4. rebeló / reveló) la sensibilidad y los gustos del poeta chileno. Por ejemplo, Neruda (5. rehusó / reusó) muchos objetos cotidianos que en sus manos llegaron (6. a ser / hacer) verdaderas obras de arte. Así, un simple (7. tubo / tuvo) de cobre forma un martillo y una hoz, símbolos del Partido Comunista. En la cocina pasamos (8. a ver / haber) unas ollas donde mi papá dijo en broma que al poeta le gustaba (9. cocer /coser) los mariscos que atrapaba en la playa cercana. ¡Cómo me gustaría volver otra (10. ves / vez) a visitar ese lugar de maravillas!

Vocabulario activo

A continuación se encuentra el vocabulario activo de las secciones **Gente del Mundo 21** y **Del pasado al presente** de la Lección 3. En los espacios en blanco bajo cada tema, añade otras palabras que has aprendido en esta lección y que crees que te serán útiles.

Gente del Mundo 21

carrera de medicina _____   deterioro _____

célebre _____   exponente _____

cobre _____   inspirar _____

cursar _____   perseguir _____

_____   _____

_____   _____

_____   _____

_____   _____

_____   _____

_____   _____

Del pasado al presente

La conquista y la colonia española

decepcionado(a) _____   terreno _____

estrecho(a) _____   _____

_____   _____

_____   _____

_____   _____

_____   _____

_____   _____

_____   _____

La independencia, El siglo XIX y *Los gobiernos radicales*

caos _____	salitre _____
distinguirse _____	porcentaje _____
equilibrar _____	reformista _____
interrumpir _____	suceder _____
_____	_____
_____	_____
_____	_____
_____	_____
_____	_____
_____	_____

El experimento socialista y *El regreso de la democracia*

asalto _____	prohibir _____
boicoteo _____	revocar _____
desfavorecido(a) _____	triunfo _____
junta militar _____	recuperación _____
obtener _____	referéndum _____
precedente _____	_____
_____	_____
_____	_____
_____	_____
_____	_____

L **Desafío al futuro.** Encuentra las siguientes palabras en la sopa de letras que aparece más abajo y táchalas. Ten en cuenta que las palabras pueden aparecer en forma horizontal o vertical, y que pueden cruzarse con otras. Luego, para completar la oración "Lo que más impresiona de Chile ahora es..." coloca en los espacios en blanco las letras que no usaste empezando de izquierda a derecha y de arriba hacia abajo.

ALDEA   INTERRUMPIR   RECUPERACION
ASALTO   JUNTA   REFERENDUM
BOICOTEO   NAVE   REVOCAR
CAOS   OBTENER   SUCEDER
COBRE   PRECEDENTE   TERRENO
INSPIRAR   PROHIBIR   TORRE

Chile: Desafío al futuro

R	C	E	G	R	A	S	A	L	T	O
I	O	B	T	E	N	E	R	R	P	R
N	B	S	U	C	E	D	E	R	R	E
T	R	A	J	U	N	T	A	B	E	F
E	E	L	E	P	S	O	D	O	C	E
R	E	D	M	E	O	C	R	I	E	R
R	T	E	R	R	E	N	O	C	D	E
U	T	A	N	A	V	E	A	O	E	N
M	O	C	I	C	A	O	S	T	N	D
P	R	O	H	I	B	I	R	E	T	U
I	R	E	V	O	C	A	R	O	E	M
R	E	A	I	N	S	P	I	R	A	R

Lo que más impresiona de Chile ahora es... ¡el __ __ __ __ __ __ __ __

a la __ __ __ __ __ __ __ __ __ __ __ __!

Composición: *Expresar opiniones*

M   **La democracia.** En una hoja en blanco escribe una breve composición sobre los beneficios de tener líderes políticos civiles en lugar de militares ¿Por qué piensas que los pueblos latinoamericanos prefieren un sistema democrático de gobierno con elecciones libres a un gobierno militar autoritario? ¿Qué es necesario para que exista una verdadera democracia? Explica tu punto de vista.

APÉNDICE A
CLAVE DE RESPUESTAS

Lección preliminar

¡A escuchar!

El Mundo 21

A **Premio Nóbel de Literatura.**

1. F   Recibió el Premio Nóbel de Literatura en 1990.
2. C
3. F   Lo publicó antes de cumplir los veinte años.
4. F   Uno de los hechos que más lo conmovió fue la Guerra Civil Española.
5. N/R
6. C

B **La lengua española en EE.UU.**

1. a   3. a   5. b
2. b   4. c

El abecedario

C **¡A deletrear!**

1. diversidad   6. multirracial
2. empobrecer   7. incluir
3. traicionar   8. lucha
4. español   9. judío
5. azteca   10. castillo

Sonidos y deletreo problemático

D **Sonido y deletreo.**

1. lla / ya   6. güi
2. cu   7. gui
3. ci / si / zi   8. qui
4. ge /je   9. ce / se / ze
5. bu /vu   10. lle / ye

Separación en sílabas

E **Separación.**

1. co / mu / ni / dad   5. nom / brar
2. ex / tran / je / ro   6. ab / di / car
3. em / po / bre / cer   7. pro / tes / tan / te
4. cel / ta   8. o / ro

9. mu / sul / ma / na   13. ca / li / dad
10. cri / sis   14. com / ple / ji / dad
11. des / truc / ti / vo   15. in / fla / ción
12. im / po / ner   16. jar / di / nes

Dictado

Lengua multinacional

El español o castellano es hoy una de las lenguas más habladas en el mundo. Nació en una pequeña región de España llamada Castilla. El español se ha convertido en la lengua común de un importante sector de la humanidad. Alrededor de 360 millones de personas hablan este idioma, que tiene su origen en el latín que se habló en la Península Ibérica desde la conquista romana. Pero también incluye palabras de origen ibérico, celta, germánico y árabe. Así, la lengua española refleja la historia de las distintas culturas que habitaron la Península Ibérica.

¡A explorar!

Repaso básico de la gramática: Terminología

F **Gramática básica.**

1. 1 adjetivo determinativo descriptivo
   2 sustantivo
   3 adjetivo
   4 conjunción

2. 1 sustantivo: nombre propio indefinido
   2 verbo
   3 artículo
   4 preposición

3. 1 preposición
   2 adjetivo descriptiv
   3 artículo definido
   4 sustantivo: nombre propio

4. 1 pronombre interrogativo descriptivo
   2 artículo definido
   3 adjetivo
   4 preposición

5. 1 pronombre
   2 adjetivo determinativo
   3 verbo
   4 adverbio

6. 1 sustantivo: nombre propio
   2 artículo indefinido
   3 sustantivo
   4 adjetivo descriptivo

7. 1 sustantivo
   2 adjetivo determinativo
   3 conjunción
   4 verbo

Gramática en contexto

G **Edward James Olmos.**

1. mucha
2. el
3. Otro
4. muchos
5. mucha
6. las
7. el

H **El español en el Mundo 21.**

1. del
2. una
3. el
4. la
5. las
6. la
7. la
8. el
9. una
10. el
11. el

I **Diversiones.**

1. Gabriel toca la guitarra.
   3ª persona singular

2. Cristina asiste a un partido de básquetbol.
   3ª persona singular

3. Yo monto en bicicleta.
   1ª persona singular

4. Ustedes cenan en un restaurante de lujo.
   2ª persona plural

5. Tú nadas en la piscina.
   2ª persona singular informal

6. Jimena y yo corremos por el parque.
   1ª persona plural

7. Los hermanos Ruiz toman sol en la playa.
   3ª persona plural

J **Silabificación.**

1. o / ri / gi / na / les
2. re / sul / ta / dos
3. cru / zar
4. de / sa / rro / llo
5. do / cu / men / tal
6. hu / ma / ni / dad
7. gi / ta / no
8. per / fil
9. a / fri / ca / no
10. ac / triz
11. ul / tra / mo / der / na

12. pre / ten / der
13. con / tex / to
14. es / cri / to / ras
15. a / pro / xi / ma / da / men / te
16. ho / me / na / je

Lengua en uso

K **Nuestra herencia.**

Nuestra cultura

Podemos decir que somos la piedra memorable del pasado indígena, la herencia española que es cristiana, judía e islámica. **T**ambién incluye la vitalidad de nuestra cultura de origen africana. **N**uestra cultura es tradicional y modernizante, es nuestra manera de amar y hablar, es lo que comemos, como nos vestimos, nuestras memorias y deseos. **F**inalmente es nuestra manera de ver.

(adaptado del libro *El espejo enterrado* de **C**arlos **F**uentes).

Vocabulario activo

L **Diversidad multirracial.**

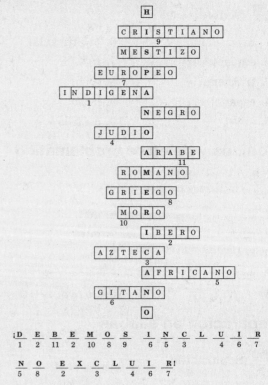

M La sociedad.

1. a
2. b
3. c

4. a
5. c

¡A escuchar!

El Mundo 21

A César Chávez.

1. F Nació el 31 de marzo de 1927 cerca de Yuma, Arizona.
2. C
3. F No. Fue un líder sindical dedicado a lograr cambios por medios pacíficos.
4. C
5. N/R

B Los hispanos de Chicago.

1. c
2. b

3. a
4. a

5. c

C Niños.

1. Nora es buena.
2. Pepe está interesado.
3. Sarita es lista.
4. Carlitos está limpio.
5. Tere está aburrida.

Acentuación y ortografía

D Para reconocer el "golpe".

es-tu-dian-<u>til</u>
Val-<u>dez</u>
i-ni-cia-<u>dor</u>
<u>ca</u>-si
re-a-li-<u>dad</u>
al-<u>cal</u>-de
re-<u>loj</u>
re-cre-a-<u>cio</u>-nes

o-ri-gi-<u>na</u>-rio
ga-bi-<u>ne</u>-te
<u>pre</u>-mios
ca-ma-<u>ra</u>-da
glo-ri-fi-<u>car</u>
sin-di-<u>cal</u>
o-<u>ri</u>-gen
fe-rro-ca-<u>rril</u>

E Práctica con acentos escritos.

con-<u>tes</u>-tó

do-<u>més</u>-<u>ti</u>-co

prín-<u>ci</u>-pe
lí-<u>der</u>
an-glo-<u>sa</u>-jón
rá-<u>pi</u>-da
tra-<u>di</u>-ción
e-co-nó-<u>mi</u>-ca
dé-<u>ca</u>-das

ce-le-<u>bra</u>-ción
po-lí-<u>ti</u>-cos
ét-<u>ni</u>-co
in-dí-<u>ge</u>-nas
dra-má-<u>ti</u>-cas
a-grí-<u>co</u>-la
pro-pó-<u>si</u>-to

Dictado

Los chicanos

Desde la década de 1970 existe un verdadero desarrollo de la cultura chicana. Se establecen centros culturales en muchas comunidades chicanas y centros de estudios chicanos en las más importantes universidades del suroeste de EE.UU. En las paredes de viviendas, escuelas y edificios públicos se pintan murales que proclaman un renovado orgullo étnico. Igualmente en la actualidad existe un florecimiento de la literatura chicana.

¡A explorar!

Repaso básico de la gramática: Partes de una oración

F Sujetos y objetos.

1. sujeto **Sandra Cisneros** verbo **escribió**
   objeto directo **libro** objecto indirecto **X**
   pronombre **lo** pronombre **X**
2. sujeto **Sandra Cisneros** verbo **reside**
   objeto directo **X** objecto indirecto **X**
   pronombre **X** pronombre **X**
3. sujeto **César Chávez** verbo **trabajó**
   objeto directo **X** objecto indirecto **X**
   pronombre **X** pronombre **X**
4. sujeto **el presidente** verbo **hizo**
   objeto directo **elogio** objecto indirecto **César Chávez**
   pronombre **lo** pronombre **le**
5. sujeto **Luis Valdez** verbo **dio**
   objeto directo **las películas** objecto indirecto **nosotros**
   pronombre **las** pronombre **nos**
6. sujeto **Las dos películas** verbo **critican**
   objeto directo **la imagen** objecto indirecto **X**
   pronombre **la** pronombre **X**
7. sujeto **presidente Clinton** verbo **nombró**
   objeto directo **Henry Cisneros** objecto indirecto **X**
   pronombre **lo** pronombre **X**

8. sujeto **Él**
objeto directo **estudios**
pronombre **los**

verbo **realizó**
objeto indirecto **X**
pronombre **X**

G Las partes de la oración.

 S   V
1. <u>Don Anselmo y doña Francisquita</u> <u>tienen</u>
         OD
sólo una <u>hija</u>.

 S   V
2. <u>Adolfo Miller</u> <u>aparece</u> un día en Tierra
Amarilla.

 S   V   OD
3. Poco a poco <u>él</u> <u>se gana</u> la <u>simpatía</u> de todos.

 S   V   OD   OI
4. <u>Don Anselmo</u> <u>da</u> <u>trabajo</u> a <u>Adolfo Miller</u>.

 S   V   OD
5. Primero <u>don Anselmo</u> <u>da</u> pequeñas <u>tareas</u>
         OI
al <u>gringuito</u> mostrenco.

 S   V
6. Muy pronto el <u>chico</u> rubio <u>se gana</u> la buena
         OD
<u>voluntad</u> y la <u>confianza</u> de don Anselmo.

 S   V
7. En casa, <u>Adolfo Miller</u> <u>ayuda</u> a
         OD
<u>don Anselmo</u> con todos los quehaceres.

 S   V   OD
8. Pronto la <u>gente</u> <u>toma</u> a <u>Adolfo Miller</u> como
hijo de don Anselmo.

Gramática en contexto

H Viajeros.

1. Alfonso es de Ecuador, pero ahora está en Uruguay.
2. Pamela es de Argentina, pero ahora está en Perú.
3. Graciela es de Panamá, pero ahora está en Chile.
4. Fernando es de Paraguay, pero ahora está en Bolivia.
5. Daniel es de Colombia, pero ahora está en Paraguay.
6. Yolanda es de México, pero ahora está en Brasil.

I Hombre de negocios.

1. es
2. está
3. Es
4. está
5. Es
6. está
7. está
8. es
9. está

J ¿Cómo son?

Las respuestas van a variar.

1. Sabine Ulibarrí es simpático.
2. Adolfo Miller es guapo y joven.
3. Don Anselmo es muy gordo.
4. Víctor es elegante.
5. Francisquita, la madre, es seria y honesta.
6. Francisquita, la hija, es guapa y tímida.
7. Sandra Cisneros es exitosa.

Acentuación y ortografía

K Sílabas, el golpe y acento escrito.

1. des-cen-<u>dien</u>-tes
2. po-li-<u>ti</u>-co   político
3. cul-tu-<u>ral</u>
4. Me-<u>xi</u>-co   México
5. Gon-za-<u>lez</u>   González
6. e-vo-<u>lu</u>-cion   evolución
7. ca-pi-<u>tal</u>
8. sig-ni-fi-<u>ca</u>-do
9. e-co-lo-<u>gi</u>-co   ecológico
10. a-fri-<u>ca</u>-na

Correspondencia práctica

L Hubo dos mensajes. *Las respuestas van a variar.*

Lengua en uso

M El "caló".

1. j   **6.** a   **11.** c
2. i   **7.** d   **12.** k
3. h   **8.** b   **13.** g
4. n   **9.** e   **14.** l
5. m   **10.** f

Vocabulario activo

N Lógica.

1. alcalde
2. campesino
3. anglosajón
4. iniciador
5. angloamericano

Ñ Definiciones.

1. f
2. j
3. i
4. g
5. h
6. c
7. e
8. a
9. b
10. d

Unidad 1
Lección 2

¡A escuchar!

El Mundo 21

A Esperando a Rosie Pérez.

1. F Están en el Centro Musical de Los Ángeles.
2. C
3. F Rosie Pérez nació en Brooklyn, en Nueva York. Ella se mudó a Los Ángeles para estudiar en la universidad.
4. C
5. N/R
6. F Lo que más le sorprendió fue la sonrisa de Rosie Pérez.

B Una profesional.

1. psicóloga
2. 27 años
3. Nueva York
4. adolescentes
5. practica el tenis

Acentuación y ortografía

C Identificar diptongos.

b(ai)larina   in(au)gurar   v(ei)nte
Jul(ia)   c(iu)dadano   f(ue)rzas
barr(io)   profes(io)nal   boric(ua)s
movim(ie)nto   p(ue)rtorriqueño c(ie)ntos
regim(ie)nto   prem(io)   eloc(ue)nte

D Separación de diptongos.

desafío   escenario   judíos
cuatro   ciudadanía   premio
categoría   país   miembros
frío   causa   Raúl
diferencia   actúa   sandía

E Práctica de acentuación.

organización   después   composiciones
recuerdos   béisbol   periódicos
televisión   dieciséis   conversación
territorio   actuación   iniciador
secretario   tranquilo   también

F Vocales fuertes.

1. te-a-tro
2. ba-te-a-dor
3. con-tem-po-**rá**-ne-o
4. eu-ro-pe-o
5. ca-**ó**-ti-co
6. re-al-men-te
7. ca-ma-le-**ón**

G Silabificación y acentuación.

1. ac-ti-_tud_
2. cuén-_ta_-lo
3. dé-_ca_-das
4. a-le-_grí_-a
5. _huel_-ga
6. ac-_tual_
7. Juá-_rez_
8. lí-_de_-res
9. na-_cio_-nes
10. jó-_ve_-nes
11. au-tén-_ti_-co
12. to-da-_ví_-a

Dictado

Los puertorriqueños en EE.UU.

A diferencia de otros grupos hispanos, los puertorriqueños son ciudadanos estadounidenses y pueden entrar y salir de EE.UU. sin pasaporte o visa. En 1898, como resultado de la guerra entre EE.UU. y España, la isla de Puerto Rico pasó a ser territorio estadounidense. En 1917 los puertorriqueños recibieron la ciudadanía estadounidense. Desde entonces gozan de todos los derechos que tienen los ciudadanos de EE.UU., excepto que no pagan impuestos federales.

¡A explorar!

Repaso básico de la gramática: Signos de puntuación

H Puntuación.

Al fin me tocó brindar a mí. Ya me encontraba bastante alegre y mis aprensiones anteriores se empezaban a disipar. Tomé la copa de vino y la levanté con un gesto muy turriasguesco y exclamé: —Bebamos al monumento de mi padre, al monumento que amasé en estas páginas con cariño, respeto y admiración. Bebamos pues, al brindis favorito de mi padre, que mirándose en su copa de vino solía decir: "Bebámonos cada quien a sí mismo, y así viviremos para siempre". Y tomando la copa con las dos manos, como tantas veces había visto a mi padre, me miré en el vino.

Gramática en contexto

I La vida de una chicana.

1. dicen	5. tenemos	8. divierto
2. despierto	6. conseguimos	9. cuentan
3. desayuno	7. acompaño	10. adquiero
4. sirve		

J La dieta de Luis.

1. quepo	5. reconozco	9. dice
2. siento	6. incluyo	10. sé
3. reconozco	7. tienen	11. valgo
4. hago	8. confío	12. propongo

K Persona, número e infinitivo.

1. **sigues:** 2ª persona singular — seguir
2. **Uds. adquieren:** 2ª persona plural — adquirir
3. **ellas eligen:** 3ª persona plural — elegir
4. **él mueve:** 3ª persona singular — mover
5. **ellos se desvisten:** 3ª persona plural — desvestirse
6. **comenzamos:** 1ª persona plural — comenzar
7. **convenzo:** 1ª persona singular — convencer
8. **ellos destruyen:** 3ª persona plural — destruir
9. **pertenezco:** 1ª persona singular — pertenecer
10. **huelo:** 1ª persona singular — oler
11. **sonrío:** 1ª persona singular — sonreír
12. **Uds. amplían:** 2ª persona plural — ampliar
13. **juegas:** 2ª persona singular — jugar
14. **Ud. miente:** 2ª persona singular — mentir
15. **recojo:** 1ª persona singular — recoger

Acentuación y ortografía

L Repaso de la acentuación.

1. **Víc**-_tor_	9. **sím**-_bo_-lo
2. ac-_triz_	10. re-a-li-_dad_
3. de-_pre_-**sión**	11. **diás**-_po_-ra
4. cul-tu-_ral_	12. _mu_-tuo
5. di-_rec_-**ción**	13. ga-ran-_tí_-a
6. su-ro-_es_-te	14. a-gua-_ca_-te
7. Ve-**láz**-_quez_	15. **úl**-_ti_-mas
8. a-cen-_tú_-an	16. a-tra-_er_

Lengua en uso

M El habla coloquial.

	Palabra coloquial	Palabra formal
1.	piensah	piensas
2.	seguil	seguir
3.	echao	echado
4.	toa	toda
5.	dao	dado
6.	calgo	cargo
7.	levantalte	levantarte
8.	condenao	condenado
9.	quiereh	quieres
10.	uhté	usted

Vocabulario activo

N **Lógica.**

1. caña
2. botica
3. nivel
4. tratado
5. vecino

Ñ **Definiciones.**

1. b
2. c
3. a
4. b
5. a

Unidad 1
Lección 3

¡A escuchar!

El Mundo 21

A **Actor cubanoamericano.**

1. F   Una fue a verla, la otra ya la había visto.
2. F   A las dos les gustó mucho su actuación.
3. C
4. N/R
5. F   Ella comenta que a Andy no le gusta que le den solamente papeles de personajes hispanos.
6. C

B **Islas caribeñas.**

1. Sí
2. No
3. Sí
4. Sí
5. No
6. No
7. Sí
8. Sí

Acentuación y ortografía

C **Triptongos y acentos escritos.**

1. desafiéis
2. caraguay
3. denunciáis
4. renunciéis
5. anunciéis
6. buey
7. iniciáis
8. averigüéis

D **Separación en sílabas.**

1. 3
2. 1
3. 1
4. 3
5. 3
6. 4
7. 3
8. 3

E **Repaso.**

1. filósofo
2. diccionario
3. diptongo
4. número
5. examen
6. cárcel
7. fáciles
8. huésped
9. ortográfico
10. periódico

Dictado

Miami: Una ciudad hispanohablante

De todos los hispanos que viven en EE.UU., los cubanoamericanos son los que han logrado mayor prosperidad económica. El centro de la comunidad cubana en EE.UU. es Miami, Florida. En treinta años los cubanoamericanos transformaron completamente esta ciudad. La Calle Ocho ahora forma la arteria principal de la Pequeña Habana donde se puede beber el típico café cubano en los restaurantes familiares que abundan en esa calle. El español se habla en toda la ciudad. En gran parte, se puede decir que Miami es la ciudad más rica y moderna del mundo hispanohablante.

¡A explorar!

Repaso básico de la gramática: Clases de verbos

F El cumpleaños de abuelita.

     S   **S**

María Elena y Pedro **(1)** compran un   **1. transitivo**
  O

libro para su abuelita. Como en unos
          S

días su abuelita **(2)** celebrará su   **2. transitivo**
    O   **S**

cumpleaños, ellos **(3)** deciden   **3. transitivo**
    O

organizar una fiesta en su honor.

Ese día, más tarde **(4)** se hablan por   **4. recíproco**

teléfono.
           S

El día de la fiesta, el sol **(5)** brillaba   **5. intransitivo**
  S

y el cielo **(6)** estaba muy azul.   **6. intransitivo**
  S

Pedro **(7)** se levantó y **(8)** se fue   **7. reflexivo**
                         8. reflexivo

a la panadería a recoger el pastel.
           O

Al llegar allí **(9)** vio un letrero que   **9. transitivo**
                     S

decía: "No **(10)** aceptamos cheques   **10. transitivo**
                       S

personales". Inmediatamente, Pedro
           O

(11) llamó a María Elena porque   **11. transitivo**
S   **O**

él sólo **(12)** llevaba cheques.   **12. transitivo**
    S

María Elena **(13)** llegó en unos   **13. intransitivo**

minutos, **(14)** pagó el pastel,   **14. intransitivo**
    S

y los dos, muy contentos,

(15) caminaron hacia la casa de su   **15. intransitivo**

abuelita.

Gramática en contexto

G Opiniones.

—¿Te gusta este poeta o prefieres (aquéllos) que vimos en "Cristina" la semana pasada?

— (Éste) es interesante pero (aquéllos) fueron más controvertidos.

—Este joven poeta ha publicado más que aquellos poetas universitarios.

—Sí, pero aquellos jóvenes entusiasmaron al público mucho más que (éste), ¿no crees?

—Bueno, estos poetas están interesando al público bastante. Mira a ese señor. Tiene lágrimas en los ojos.

—¿Cuál? ¿Dónde? (Eso) lo estás inventando o te lo estás imaginando.

—En serio, todo (aquello) de drogas y problemas familiares me parece de menor interés general. (Esto), al contrario, de veras te toca el corazón.

—¡Cómo puedes decir (eso)! Todo (esto) es demasiado sentimental.

—Y (aquello), con aquellos jóvenes fue demasiado escandaloso.

—Es obvio que en (esto) no nos vamos a poner de acuerdo. Y con (eso), ¡basta! ¡Ya no voy a decir nada más!

H Ficha personal.

1. Soy menos alto(a) que mi hermana. *o* Mi hermana es más alta que yo.
2. Soy menos elegante que mi hermana. *o* Mi hermana es más elegante que yo.
3. Trabajo menos (horas) que mi hermana. *o* Mi hermana trabaja más (horas) que yo.
4. Peso más que mi hermana. *o* Mi hermana pesa menos que yo.
5. Voy al cine tanto como mi hermana. *o* Mi hermana va al cine tanto como yo.

I Las dos islas.

1. La población de Cuba es más grande. Es casi tres veces más grande.
2. La población de La Habana es más grande. Es casi cuatro veces más grande.
3. La tasa de crecimiento de Cuba es igual a la tasa de crecimiento de Puerto Rico.
4. El ingreso por turismo en Puerto Rico es mayor que en Cuba. Es casi cinco veces más grande.
5. La población urbana de Cuba es mayor. Es un 5% mayor.
6. Hay más carreteras pavimentadas en Cuba. Hay setecientos kilómetros pavimentados más.

J Hispanos en EE.UU.

1. ¿Es Cristina Saralegui tan famosa como Oprah Winfrey?
2. Según mi hermana, Jon Secada es el cantante más talentoso.
3. César Chávez es uno de los líderes chicanos más respetados.
4. Hay más puertorriqueños en Nueva York que en San Juan.

Acentuación y ortografía

K Triptongos.

1. cual-quie-ra
2. miau
3. Guay-mas
4. a-ca-ri-ciáis
5. U-ru-guay
6. si-guien-te
7. ma-guey
8. Gua-ya-quil

L Repaso de acentuación.

1. ban-que-ro
2. pro-por-cio-nar
3. tí-bu-**rón**
4. pre-o-cu-pa-**ción**
5. re-fu-gia-dos
6. em-bar-**cáis**
7. i-de-a-lis-ta
8. é-xi-to

Lengua en uso

M "Milagro de la Ocho y la Doce".

1. Barbarita, ni te preocupes **para** lo que sirve mejor la dejas **enredada**.
2. La **verdad** es que todavía no estaba muy convencida.
3. ¿Tú **hablas inglés**?
4. Yo me quedé **maravillada** y **espantada** a la vez.
5. Tócalo **mi hijito para** que se te curen **las paticas (patitas)**.
6. Mamá, ya puedo **caminar**...
7. Sí, Barbarita, pero **nada más** que un poquitico **(poquitito)**.

Vocabulario activo

N Descripciones.

1. e
2. h
3. a
4. g
5. b
6. d
7. c
8. f

Ñ Refugiados. *Las oraciones pueden variar.*

Unidad 2
Lección 1

¡A escuchar!

El Mundo 21

A Los Reyes Católicos.

1. F   Se casaron en 1469.
2. F   Granada fue el último reino musulmán de la Península Ibérica.
3. C
4. C
5. F   En 1492, los Reyes Católicos expulsaron a los judíos que no querían convertirse al cristianismo.

B Narración confusa.

1. cruzó (Julián)	5. miro (Teresa)
2. prestó (Julián)	6. atropelló (Julián)
3. presto (Teresa)	7. quedó (Julián)
4. miró (Julián)	8. quedo (Teresa)

C El Cid.

1. No	5. Sí
2. Sí	6. No
3. No	7. Sí
4. No	

D Ayer.

1. A	5. C
2. B	6. A
3. B	7. C
4. A	

Acentuación y ortografía

E Repaso de acentuación.

1. hé/<u>ro</u>/e
2. in/<u>va</u>/sión
3. Re/con/<u>quis</u>/ta
4. á/<u>ra</u>/be
5. ju/dí/os
6. pro/tes/tan/<u>tis</u>/mo
7. e/fi/<u>caz</u>
8. in/<u>fla</u>/ción
9. ab/di/<u>car</u>
10. <u>cri</u>/sis
11. se/far/<u>di</u>/tas
12. é/<u>pi</u>/co
13. u/ni/<u>dad</u>
14. pe/nín/<u>su</u>/la
15. prós/<u>pe</u>/ro
16. im/<u>pe</u>/rio
17. is/lá/<u>mi</u>/co
18. he/<u>ren</u>/cia
19. ex/<u>pul</u>/sión
20. to/le/<u>ran</u>/cia

F Acento escrito.

1. El sábado tendremos que ir al médico en la Clínica Luján.

2. Mis exámenes fueron fáciles, pero el examen de química de Mónica fue muy difícil.

3. El joven de ojos azules es francés, pero los otros jóvenes son puertorriqueños.

4. Los López, los García y los Valdez están contentísimos porque se sacaron la lotería.

5. Su tía se sentó en el jardín a descansar mientras él comía.

Dictado

La España musulmana

En el año 711, los musulmanes procedentes del norte de África invadieron Hispania y cinco años más tarde, con la ayuda de un gran número de árabes, lograron conquistar la mayor parte de la península. Establecieron su capital en Córdoba, la cual se convirtió en uno de los grandes centros intelectuales de la cultura islámica. Fue en Córdoba, durante esta época, que se hicieron grandes avances en las ciencias, las letras, la artesanía, la agricultura, la arquitectura y el urbanismo.

¡A explorar!

Signos de puntuación: La coma (,)

G España.

1. Santa Teresa de Jesús, reconocida como una de las cumbres de la mística universal, fue canonizada en 1970.

2. Las leyes que recopiló Alfonso X, el Sabio, eran las leyes de Castilla del siglo XIII.

3. Por otro lado, los romanos impusieron su lengua, su cultura y su gobierno.

4. El casamiento de Fernando e Isabel tuvo grandes repercusiones, es decir, cambiaría el curso de la historia.

5. Mientras estuvieron en España, los musulmanes hicieron grandes avances en las ciencias, las letras, la artesanía, la arquitectura y el urbanismo.

6. Los españoles expulsaron primero a los musulmanes y luego, a los judíos.

7. Una leyenda dice que al ser derrotado Boabdil, el último rey moro, su madre le dijo: "Hijo, está bien que llores como niño por lo que no pudiste defender como hombre".

8. Carlos V, emperador del Sacro Imperio Romano, controlaba parte de los Países Bajos, de Italia, de Alemania, de Austria, de Francia, de África, además de los territorios de América.

9. El reinado de Carlos V fue uno de expansión y enriquecimiento, el de Felipe II, uno de constantes guerras religiosas y, en consecuencia, de grandes problemas económicos.

10. Si hay 39,37 pulgadas en un metro, ¿cuántos pies hay en un metro? Respuesta: 3,28 pies

Gramática en contexto

H Cervantes.

1. nació		7. pasó	
2. falleció		8. volvió	
3. Escribió		9. trabajó	
4. apareció		10. logró	
5. entró		11. ayudó	
6. Perdió		12. permitió	

I Cervantes y su obra maestra. *Las respuestas van a variar.*

1. Sí, lo capturaron.
2. Sí, lo perdió en la batalla de Lepanto.
3. Sí, la leímos.
4. No, no lo insistió.
5. No, no lo escribió.
6. No, no los vio.
7. No, lo invitó a viajar a París.
8. Sí, las tuvieron.

J Reacciones.

1. A David le impresionó el comienzo.
2. A las hermanas Rivas les encantó la historia.
3. A Yolanda le entusiasmaron las imágenes.
4. A Gabriel le ofendieron un poco algunas escenas.
5. A mí me gustó mucho la actuación de los protagonistas.
6. A Enrique no le agradaron los actores secundarios.
7. A todos nosotros nos interesó la película.

K Madrid-Barajas.

1. Sus padres se los enviaron a sus parientes de España.
2. Sus tíos se los dieron en el aeropuerto.
3. Los hermanos Ruiz se los entregaron a su primo Pepito.
4. La señóra Ruiz se lo mandó a su hermana.
5. Ellos se los agradecieron a sus parientes españoles.

L El Cid. *Las respuestas van a variar.*

1. a. Martín Antolínez, sobrino del Cid, le consiguió dinero al Cid.
   b. Martín Antolínez se lo consiguió al Cid.
2. a. El Cid le dejó al abad de San Pedro de Cardeña a doña Jimena y a sus dos hijas.
   b. El Cid se las dejó al abad de San Pedro de Cardeña.
3. a. El Cid le mandó un rico botín al rey después de vencer a los moros en Calatayud.
   b. El Cid se lo mandó al rey después de vencer a los moros en Calatayud.
4. a. De Valencia, el Cid le envió otro rico regalo al rey.
   b. De Valencia, el Cid se lo envió al rey.
5. a. El rey les permitió a doña Jimena y sus dos hijas vivir con el Cid.
   b. El rey se lo permitió a doña Jimena y sus dos hijas.
6. a. El Cid les seleccionó esposos a sus dos hijas.
   b. El Cid se los seleccionó.
7. a. Sus esposos, los infantes de Carrión, las maltrataron y las abandonaron.
8. a. El Cid le pidió justicia al rey.
   b. El Cid se la pidió al rey.

Acentuación y ortografía

M Repaso de acentuación.

1. La Península Ibérica llegó a ser parte del Imperio Romano.

2. Después de la invasión musulmana se inició la Reconquista.

3. Los judíos salieron de España, llevándose consigo el idioma castellano.

4. ¿Qué efecto tuvieron los musulmanes en la religión, la política, la arquitectura y la vida cotidiana?

5. Durante esa época se realizaron muchos avances en áreas como las matemáticas, las artesanías y las ciencias.

6. Sin duda, existen raíces del árabe en la lengua española.

7. El profesor aseguró que de la costa mediterránea surgieron héroes y heroínas épicos quienes, con sus hazañas históricas, cambiaron el mundo.

8. La caída del imperio español tuvo lugar en el siglo XVII cuando la inflación causó el colapso de la economía.

Correspondencia práctica

N Graduación. *Las respuestas van a variar.*

Lengua en uso

Ñ Prefijos griegos. *Las respuestas van a variar.*

1. Los infantes de Carrión eran verdaderamente <u>amorales</u>.
No tenían moral.

2. Era imposible tener leyes <u>anticonstitucionales</u> porque no tenían constituciones en ese entonces.
Contra la constitución.

3. Los infantes de Carrión eran la <u>antítesis</u> del Cid.
Todo lo opuesto del Cid.

4. En la Edad Media los hombres eran <u>hipersensitivos</u> en cuestiones del honor.
Eran excesivamente sensitivos.

5. Durante el Renacimiento hubo mucho interés en la <u>metafísica</u>.
Más allá de la física.

Vocabulario activo

O Palabras cruzadas.

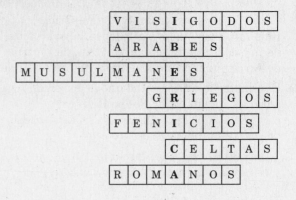

P Relación.

1. d	6. b
2. j	7. h
3. g	8. c
4. a	9. e
5. i	10. f

Unidad 2

Lección 2

¡A escuchar!

El Mundo 21

A Antonio Banderas.

1. C

2. F Es uno de los actores jóvenes más importantes del cine español.

3. C

4. F Fue descubierto por el famoso director Pedro Almodóvar.

5. C

6. N/R

B García Lorca.

1. c   **3.** b   **5.** a

2. a   **4.** b   **6.** c

Acentuación y ortografía

C Palabras parecidas.

1. crítico	critico	criticó
2. dialogo	dialogó	diálogo
3. domesticó	doméstico	domestico
4. equivoco	equívoco	equivocó
5. filósofo	filosofó	filosofo
6. líquido	liquido	liquidó
7. numero	número	numeró
8. pacifico	pacificó	pacífico
9. publico	público	publicó
10. transitó	tránsito	transito

D Acento escrito.

1. Hoy publico mi libro para que lo pueda leer el público.

2. No es necesario que yo participe esta vez, participé el sábado pasado.

3. Cuando lo magnifico con el microscopio, pueden ver lo magnífico que es.

4. No entiendo cómo el cálculo debe ayudarme cuando calculo.

5. Pues ahora yo critico todo lo que el crítico criticó.

Dictado

Juan Carlos de Borbón

A la muerte de Francisco Franco, ocurrida en 1975, lo sucedió en el poder el joven príncipe Juan Carlos de Borbón. Una vez coronado Rey de España como Juan Carlos I, trabajó desde el primer momento por la democracia hasta conseguir instaurarla. En 1978 se redactó y aprobó una nueva constitución, la cual refleja la diversidad de España al designarla como un Estado de Autonomías. El milagro de una transición sin violencia a la democracia se había producido.

¡ A explorar!

Signos de puntuación: Los puntos (.), (;), (:), (...)

E El *Guernica*.

1. Ramón y Cristina investigaron la correspondencia de Max Aub, Luis Araquistáin y otros intelectuales con Picasso. Ramón se concentró en las cartas de Max Aub escritas a Picasso; María, en las de Luis Araquistáin y otros intelectuales.

2. Max Aub siempre empezaba sus cartas a Picasso: "Estimado y apreciado amigo".

3. El 28 de mayo, Max Aub, el conocido intelectual español, le escribió a Luis Araquistáin, político y periodista español: "Esta mañana llegué a un acuerdo con Picasso".

4. El 12 de julio, siete semanas después, el *Guernica* fue instalado en el patio del pabellón español frente al rostro de Federico García Lorca, poeta y dramaturgo español, fusilado en 1936.

5. Sobre el cuadro de *Guernica,* Picasso contestó: "El cuadro será devuelto al Gobierno de la República el día en que en España se restaure la República".

6. A Franco le habría gustado recobrar el cuadro, llevarlo a España y emplearlo como propaganda; por eso, Picasso puso una condición inequívoca: "cuando en España se establezcan las libertades públicas".

7. Fueron muchos años de esperar la llegada del *Guernica,* pero finalmente... Ya sabes lo que pasó.

8. Al llegar a Madrid, el *Guernica* se instaló en el Buen Retiro, edificio anexo al Museo del Prado.

Gramática en contexto

F Para preparar un trabajo de investigación.

1. Comencé	**6.** Verifiqué
2. Leí	**7.** Comencé
3. Apliqué	**8.** Revisé, corregí, escribí
4. Investigué	
5. Averigüé	**9.** Entregué

G Un viaje a Córdoba.

1. fui	6. tuvo
2. llegué	7. hizo
3. supe	8. me enojé
4. estuvo	9. quiso
5. hospedamos	10. anduve

H Un encuentro con las estrellas.

1. pidió	5. sorprendimos
2. se rio	6. dijo
3. siguieron	7. nos dormimos
4. consintió	8. nos divertimos, fuimos

I La llegada de los españoles.

1. exigieron	5. pudieron
2. resistieron	6. llevaron
3. murieron	7. perdieron
4. llegaron	8. rehusaron

J Los gustos de la familia. *Las respuestas van a variar.*

1. Al bebé le encanta el biberón.
2. A mi mamá le fascina armar rompecabezas.
3. A mi hermana le fascina tocar el piano.
4. Al gato le gusta dormir en el sofá.
5. A mi papá le gusta mirar programas deportivos en la televisión.
6. A mí me gusta / encanta / fascina...

Acentuación y ortografía

K Carta de una editorial.

Estimado Sr. Pérez:

Aquí le envío esta breve nota sobre su manuscrito titulado "Las aventuras de Sancho Panza". El humor de su narración me levantó mucho el ánimo, por eso con esta carta me animo a decirle que estamos considerando seriamente su publicación. Personalmente me gustó mucho el último diálogo donde Sancho aparece como un filósofo y un cómico a la vez. Un editor que leyó su manuscrito encontró el final de su novela un poco equívoco y cree que Ud. se equivocó al escribir que Sancho Panza vendió el caballo Rocinante para comprarse una motocicleta. Yo pienso que Ud. calculó muy bien la reacción de los lectores frente a esta situación irónica. Espero recibir pronto comunicación suya.

Lengua en uso

L Prefijos latinos.

1. Nuestros <u>antepasados</u> vivieron en una zona <u>semitropical</u>.
   a. parientes previos
   b. medio tropical
2. Tú mismo te <u>contradices</u> al afirmar que eres <u>incapaz</u> de mentir.
   a. dices lo opuesto a lo que habías dicho
   b. no eres capaz
3. Para tomar este curso hay varios <u>prerequisitos</u>.
   a. requisitos previos, antes de este curso
4. No hay países <u>subdesarrollados</u> sino naciones <u>sobreexplotadas</u>.
   a. poco desarrollados, bajo de lo normal
   b. que han sido muy explotadas
5. Por favor, mueve a la izquierda el <u>retrovisor</u> que no puedo ver muy bien el coche que nos sigue.
   a. espejo que permite ver hacia atrás en un carro
6. Muchos científicos están <u>reexaminando</u> las teorías sobre la vida <u>extraterrestre</u>.
   a. examinando otra vez, repitiendo la examinación
   b. fuera de la tierra, de otro planeta
7. No <u>pospongas</u> lo que ahora puedes <u>prevenir</u>.
   a. poner o fijar para después, para más tarde
   b. preparar con anticipación, anticipar

Vocabulario activo

M Crucigrama.

N Relación.

1. d   6. c
2. i   7. b
3. f   8. e
4. a   9. h
5. j   10. g

Unidad 2
Lección 3

¡A escuchar!

El Mundo 21

A Antes de entrar al cine.

1. F La pareja decide ir a al cine a verla.
2. N/R
3. F Fue nominada para el premio "Óscar", pero no ganó.
4. F Al novio también le gustan las película de Almodóvar.
5. C
6. C

B Don Brígido.

1. F Vivía en un pequeño pueblo de Andalucía.
2. C
3. F Subía al segundo piso y se sentaba a lado de la ventana.
4. F Abría los ventanales.
5. C

Acentuación y ortografía

C Dos maneras distintas.

1. **el**   artículo definido: *the*
     él   pronombre sujeto: *he*
2. **mí**   pronombre personal: *me*
     mi   adjetivo posesivo: *my*
3. **de**   preposición: *of*
     dé   forma verbal: *give*

4. **se**   pronombre reflexivo: *himself, herself, itself, themselves*
     sé   forma verbal: *I know, be*
5. **mas**   conjunción: *but*
     más   adverbio de cantidad: *more*
6. **té**   sustantivo: *tea*
     te   pronombre personal: *you*
7. **si**   conjunción: *if*
     sí   adverbio afirmativo: *yes*
8. **aún**   adjetivo: *even*
     aun   adverbio de tiempo: *still, yet*
9. **sólo**   adverbio de modo: *only*
     solo   adjetivo: *alone*

D ¿Cuál corresponde?

1. Este es **el** material que traje para **él**.
2. **¿Tú** compraste un regalo para **tu** prima?
3. **Mi** amigo trajo este libro para **mí**.
4. Quiere que le **dé** café **de** México.
5. No **sé** si él **se** puede quedar a comer.
6. **Si** llama, dile que **sí** lo acompañamos.

Dictado

Tacones lejanos

Tacones lejanos es un melodrama que trata de la tormentosa relación entre una famosa cantante llamada Becky y su hija Rebeca. Becky regresa a España después de pasar muchos años en América. Rebeca está ahora casada con Manuel Sancho, quien había tenido una relación amorosa con Becky. Manuel y Becky restablecen a escondidas su vieja relación amorosa. Esto lleva a Rebeca a una crisis emocional y a asesinar a su esposo Manuel. Después de un enfrentamiento, Rebeca y Becky llegan a la reconciliación. Becky se declara culpable del crimen antes de morir de una enfermedad al corazón.

¡A explorar!

Signos de puntuación que indican entonación

E *Tacones lejanos.*

1. Tan pronto como la profesora dijo: "La película de hoy es *Tacones lejanos* de Pedro Almodóvar", me sentí muy emocionada.
2. ¡Pero qué catástrofe! ¡Su esposa lo mató!

3. *Tacones lejanos* (1991) es mi película favorita de Almodóvar.

4. ¿Qué opinas de la canción de la madre, "Piensa en mí"? ¡Qué emocionante!

5. No entendí por qué no se llevaron a la madre a la cárcel también.

6. Lo más dramático fue cuando Becky preguntó: "¿Me quieres todavía un poquito?"

7. El diálogo que más me gustó fue cuando hablaban Becky y Rebeca:

   —Con Manuel perdimos las dos.

   —Sí, pero fui yo que se casó con él. ¡No tú!

Gramática en contexto

F   Exageraciones paternas.

1. era	9. estaba
2. vivíamos	10. había
3. me levantaba	11. debía
4. alimentaba	12. era
5. teníamos	13. hacía
6. me arreglaba	14. nevaba
7. tomaba	15. necesitaba
8. salía	

G   Un día en la vida.

1. era	10. horneaba
2. me levantaba	11. veíamos
3. ayudaba	12. viajaba
4. Tenía	13. recorría
5. era	14. vendía
6. lavábamos	15. hacía
7. hacían	16. necesitaba
8. trabajábamos	17. mantenía
9. cosechábamos	

H   La clase de español.

1. repasando	4. sugiriendo
2. leyendo	5. Creyendo, sintiéndose
3. diciéndonos	

I   Visita a Granada.

1. haciendo	4. oyendo
2. yendo	5. caminando
3. reconstruyendo	6. bailando

Acentuación y ortografía

J   Palabras homófonas.

1. Pedro Almodóvar es <u>el</u> cineasta español <u>más</u> conocido en <u>el</u> mundo entero.

2. Antes <u>de</u> comenzar a filmar, <u>el</u> director siempre pide una taza de <u>té</u> en vez <u>de</u> café.

3. Yo no <u>sé</u> <u>si</u> <u>él</u> es una persona realmente feliz.

4. Lo que <u>sí</u> <u>sé</u> es que <u>él</u> tiene mucho humor.

5. A <u>mí</u> me parece que sus películas no <u>sólo</u> son dramáticas <u>mas</u> también son cómicas.

6. <u>Tú</u> no sabes cuánto <u>se</u> ríe <u>tu</u> amigo Luis con las películas españolas contemporáneas.

7. Para que una película tenga éxito y <u>dé</u> buen resultado hay que ir <u>más</u> allá <u>de</u> los melodramas.

Lengua en uso

K   Sufijos.

1. *jardinero*	–ero	jardín
2. *joyería*	–ería	joya
3. *burlesco*	–esco	burla
4. *bolsillo*	–illo	bolsa
5. *burrito*	–ito	burro

L   Mi abuelita.

1. abuelita	7. pastelito
2. Hijito	8. huevitos
3. sillita	9. jamoncito
4. comidita	10. papitas
5. saborcito	11. tajadita
6. cafecito	12. meloncito

M   Formación de aumentativos.

1. librote	librazo	librón
2. animalote	animalazo	animalón
3. hombrote	hombrazo	hombrón
4. cazuelota	cazuelaza	cazuelona
5. zapatote	zapatazo	zapatón
6. bigotote	bigotazo	bigotón

Vocabulario activo

N Lógica.

1. completo
2. conocido
3. inspirarse
4. grueso
5. extra
6. enflaquecer
7. creación

Unidad 3
Lección 1

¡A escuchar!

El Mundo 21

A Elena Poniatowska.

1. C
2. F   Es una escritora mexicana, hija de padre francés de origen polaco y de madre mexicana.
3. N/R
4. F   La masacre ocurrió el 2 de octubre de 1968, unos días antes de los Juegos Olímpicos en México.
5. C

B Hernán Cortés.

1. b
2. c
3. a
4. a
5. c

C Frida Kahlo.

1. C
2. F   Nació en Coyoacán, en el D.F.
3. C
4. C
5. F   El matrimonio sufrió muchos altibajos emocionales.
6. C

Acentuación y ortografía

D Demostrativos.

1. Este, aquél
2. Aquella, ésa
3. Ese, éste
4. estos, ésos
5. esos, éste

E Interrogativas, exclamativas y relativas.

1. ¿Quién llamó?
   ¿Quién? El muchacho a quien conocí en la fiesta.
2. ¿Adónde vas?
   Voy adonde fui ayer.
3. ¡Cuánto peso! Ya no voy a comer nada.
   ¡Qué exagerada eres hija! Come cuanto quieras.
4. ¿Quién sabe dónde viven?
   Viven donde vive Raúl.
5. ¡Qué partido más interesante!
   ¿Cuándo vienes conmigo otra vez?
6. Lo pinté como me dijiste.
   ¡Cómo es posible!
7. ¿Trajiste el libro que te pedí?
   ¿Qué libro? ¿El que estaba en la mesa?
8. Cuando era niño, nunca hacía eso.
   Lo que yo quiero saber es, ¿cuándo aprendió?

Dictado

México: Tierra de contrastes

Para cualquier visitante, México es una tierra de contrastes: puede apreciar montañas altas y valles fértiles, así como extensos desiertos y selvas tropicales. En México, lo más moderno convive con lo más antiguo. Existen más de cincuenta grupos indígenas, cada uno con su propia lengua y sus propias tradiciones culturales. Pero en la actualidad la mayoría de los mexicanos son mestizos, o sea, el resultado de la mezcla de indígenas y españoles. De la misma manera que su gente, la historia y la cultura de México son muy variadas.

¡A explorar!

Lectura en voz alta: proceso de enlace

F Soneto de Sor Juana Inés de la Cruz.

Soneto

En perseguirme, Mundo ¿qué interesas?
¿En qué te ofendo, cuando sólo intento
poner bellezas en mi entendimiento
y no mi entendimiento en bellezas?

Yo no estimo tesoros ni riquezas;
y así, siempre me causa más contento
poner riquezas en mi pensamiento
que no mi pensamiento en las riquezas.

Y no estimo hermosura que, vencida,
es despojo civil de las edades,
ni riqueza me agrada fementida,

teniendo por mejor, en mis verdades,
consumir vanidades de la vida
que consumir la vida en vanidades.

Gramática en contexto

G Los aztecas.

1. eran	6. tenía
2. llegaron	7. comenzó
3. dominaron	8. fueron
4. se extendía	9. eran
5. fundaron	

H Fuimos al cine.

1. estábamos	7. interpretó
2. decidimos	8. Encontré
3. estaban	9. informó
4. fuimos	10. fuimos
5. gustó	11. dijo
6. hizo	12. había

I Una familia de México.

1. Mi	4. su	7. Mi
2. Nuestra	5. mi	8. mi
3. mi	6. su	9. su

J ¡Qué lindos bordados!

1. tuyos	4. míos	6. míos
2. míos	5. nuestro	7. suyos
3. tuyos		

Acentuación y ortografía

K Artistas mexicanos.

1. Esta	adjetivo
aquélla (ésa)	pronombre
2. Este	adjetivo
aquéllos (ésos)	pronombre
3. esos	adjetivo
4. Ésos	pronombre
5. Esta	adjetivo
6. Ésa	pronombre
aquélla	pronombre
7. esos	adjetivo
aquéllas	pronombre
8. Estos	adjetivo

Correspondencia práctica

L Malas noticias. *Las respuestas van a variar.*

Lengua en uso

M Los de abajo.

1. *¡Ande, pos si yo creiba que el aguardiente no más pal cólico era güeno!*
   ¡Ande, pues si yo creía que el aguardiente no más para el cólico era bueno!

2. *¿De moo es que usté iba a ser dotor?*
   ¿De modo que usted iba a ser doctor?

3. *Pos la mera verdá, yo le traiba al siñor estas sustancias...*
   Pues la mera verdad, yo le traía al señor estas sustancias...

4. *Lo que es pa mí naiden es más hombre que otro...*
   Lo que es para mí, nadie es más hombre que otro...

5. *Pa peliar, lo que uno necesita es tantita vergüenza.*
   Para pelear, lo que uno necesita es tantita vergüenza.

Vocabulario activo

N La historia de México.

P	R	I	P	S	A	L	V	A	R	L	F	S	C		D
R	E	V	O	L	U	C	I	O	N	A	R	I	O		E
C	A	C	B	E	N	E	F	I	C	I	O	T	L		R
A	C	A	L	L	L	E	G	A	D	A	N	I	O		R
M	T	E	A	M	A	S	A	C	R	E	T	O	N		O
P	U	R	I	C	O	R	R	I	D	O	S	E	O		T
E	A	I	E	V	F	O	R	Z	A	R	R	O	S		A
S	L	Z	O	L	E	M	P	L	U	M	A	D	O		R
I	L	N	U	C	J	I	T	O	M	A	T	E	S		S
N	A	C	I	O	N	A	L	I	Z	A	C	I	O	N		N
O	Q	U	E	T	Z	A	L	C	O	A	T	L	I		O

¡L A R E V O L U C I Ó N!

Ñ Relación.

1. c
2. f
3. j
4. g
5. a
6. i
7. h
8. e
9. b
10. d

Unidad 3
Lección 2

¡A escuchar!

El Mundo 21

A Miguel Ángel Asturias.

1. F Recomienda que lea *El señor Presidente,* de Miguel Ángel Asturias.
2. C
3. F Se inspiró en los ritos y creencias de los indígenas guatemaltecos.
4. C
5. N/R
6. C

B Los mayas.

1. Sí
2. No
3. Sí
4. No
5. No
6. Sí
7. No

C ¿Sueño o realidad?

1. F La escena ocurre por la mañana.
2. C
3. F No ve a nadie.
4. C
5. C
6. F Él no sabe si tuvo un mal sueño o si ocurrió algo en el hotel.
7. F La recepcionista le dijo que no sabía de qué estaba hablando.

Pronunciación y ortografía

D Práctica con los sonidos /k/ y /s/.

1. /k/
2. /k/
3. /s/
4. /s/
5. /s/
6. /k/
7. /k/, /s/
8. /s/
9. /k/
10. /s/

E Práctica con la escritura del sonido /k/.

1. **cam**pesino
2. **qu**ince
3. **Qu**etzalcóatl
4. **cam**peón
5. **con**quistar
6. **com**unidad
7. místi**cos**
8. **cul**tivar
9. **cor**rido
10. acue**duc**to

F Práctica con la escritura del sonido /s/.

1. ro**cí**o
2. opre**sión**
3. bron**ce**arse
4. fuer**za**
5. re**s**olver
6. organi**zación**
7. **s**urgir
8. resisten**cia**
9. urbani**za**do
10. **z**umbar

Dictado

La civilización maya

Hace más de dos mil años los mayas construyeron pirámides y palacios majestuosos, desarrollaron el sistema de escritura más completo del continente y sobresalieron por sus avances en las matemáticas y la astronomía. Así, por ejemplo, emplearon el concepto de cero en su sistema de numeración, y crearon un calendario más exacto que el que se usaba en la Europa de aquel tiempo. La civilización maya prosperó primero en las montañas de Guatemala y después se extendió hacia la península de Yucatán, en el sureste de México y Belice.

¡A explorar!

Acentuación de verbos

G **Los mayas y el *Popol Vuh*.**

Hace más de dos mil años los mayas construyeron grandes pirámides y palacios. Ellos emplearon el concepto del cero y crearon un calendario más exacto del que se usaba en Europa en esa época. Esta civilización prosperó y se extendió a la península de Yucatán, en el sureste de México y en Belice. El *Popol Vuh*, la muy reconocida obra literaria maya quiché, es un texto poético, lírico y hasta se puede decir, mágico. Allí se reúnen las leyendas y los mitos de los pueblos quiché. El libro está dividido en tres partes. La primera parte cuenta de la creación y de los orígenes del hombre y de la mujer. La segunda parte se compone de las aventuras de dos jóvenes héroes que destruyen a los dioses malos. Y la tercera es la historia de los pueblos indígenas de Guatemala.

Gramática en contexto

H **Una excursión al museo.**

1. nunca
2. Ni
3. tampoco
4. algo
5. nada
6. algo
7. ni
8. ni
9. siempre

I **Temblor.** *Las respuestas van a variar.*

1. Yo manejaba por la ciudad cuando ocurrió el temblor.
2. Nosotros caminábamos por el río cuando ocurrió el temblor.
3. Nosotros jugábamos al béisbol cuando ocurrió el temblor.
4. Yo entraba al banco cuando ocurrió el temblor.
5. Nosotros conversábamos cuando ocurrió el temblor.

Ortografía

J **Deletreo del sonido /k/.**

1. derro**c**ado
2. Recon**qui**sta
3. **c**ontaminado
4. bus**qué**
5. **c**ueva
6. es**qui**na
7. **qu**eja
8. dé**c**ada
9. a**c**ueducto
10. **c**osteño

K **Deletreo del sonido /s/.**

1. empobre**c**er
2. desa**f**ío
3. **s**entimiento
4. trai**c**ionar
5. alcan**z**ar
6. coloni**z**adores
7. entu**s**iasmo
8. suce**s**or
9. redu**c**ir
10. sobre**s**alir

Lengua en uso

L **Carta de Guatemala.**

Queridos padres:

Estas últimas semanas he estado muy <u>occupado</u> estudiando español. Los ejercicios <u>grammaticales</u> se me hacen cada vez más fáciles. La <u>differencia</u> principal es que ahora tengo más práctica, pues vivo en una <u>communidad</u> donde todos hablan <u>Español</u>. También he tenido la <u>opportunidad</u> de conocer muchos lugares fabulosos. La semana <u>passada</u> unos amigos <u>Guatemaltecos</u> me invitaron a visitar unas ruinas <u>Mayas</u>. El carro en que íbamos se descompuso y tuvimos que conseguir a un <u>mechánico</u> para que lo arreglara. No regresamos a casa hasta después de medianoche.

Bueno, no escribo más porque pienso llamarlos por <u>telephono</u> el domingo. Su hijo que no se olvida de Uds.

1. ocupado
2. gramaticales
3. diferencia
4. comunidad
5. español
6. oportunidad
7. pasada
8. guatemaltecos
9. mayas
10. mecánico
11. teléfono

Vocabulario activo

M Palabras cruzadas.

```
        P R E M I O   N O B E L
                1           8
        Q U I C H É
                12
R E F O R M A   A G R A R I A
2               15        7
        P O B R E Z A
                    4
    A M B I C I O S A
                5
      D E F E N S O R A
            10 13      6
      P O D E R O S A

  I D E A L I S T A
            3
          A C T I V I S T A
          11      14      9
```

S U   L I B R O :   M E
13   3 7 8 6 5   1 2

L L A M O   R I G O B E R T A
3 3 4 1 5   6 7 15 5 8 2 6 9 4

M E N C H Ú   Y   A S Í   M E
1 2 10 11 12   4 13 7   1 2

N A C I Ó   L A   C O N C I E N C I A
10 4 11 7 5   3 4   11 5 10 11 7 2 10 11 7 4

N Lógica.

1. comunista
2. diseño
3. surgir
4. rito
5. propietario

¡A escuchar!

El Mundo 21

A Visita a la exhibición teotihuacana.

1. C
2. C
3. F   Lo que más le impresionó a Nelly fue la pirámide del sol.
4. F   Nadie sabe con exactitud quienes destruyeron la ciudad ni cuando se destruyó.
5. C
6. N/R

B La Piedra del Sol.

1. c
2. a
3. b
4. b
5. b

Pronunciación y ortografía

C Práctica con los sonidos /g/ y /x/.

1. /x/
2. /g/
3. /x/
4. /g/
5. /g/
6. /x/
7. /x/
8. /g/
9. /x/
10. /g/

D Práctica con la escritura de los sonidos /g/ y /x/.

1. **go**bernante
2. emba**ja**da
3. **go**lpe
4. sur**gir**
5. **ju**ego
6. tra**ge**dia
7. **gue**rra
8. presti**gio**so
9. fri**jol**
10. a**ge**ncia

Dictado

La destrucción de Teotihuacán

Durante el último siglo de existencia de la ciudad como centro principal del poder, comenzaron a surgir problemas que tal vez reflejaban la pérdida del control político y económico de la élite teotihuacana. Alrededor del año 750 después de Cristo hubo un violento cataclismo social que llevó a Teotihuacán a su fin como ciudad y cultura dominante. El colapso no parece haber sido el resultado de la conquista o destrucción por una cultura rival sino que se habría iniciado desde el interior, como resultado de una lucha de facciones dentro de la ciudad.

¡A explorar!

Lectura en voz alta: Pausas

E **El señor Presidente**.

El estudiante habló por decir algo, // por despegarse un bocado de angustia que sentía en la garganta. //

—Pues creo que sí... // —respondió el sacristán, // buscando en las tinieblas la cara del que le hablaba. //

—Y... bueno, // le iba yo a preguntar por qué está preso... //

El estudiante se estremeció de la cabeza a los pies // y articuló a duras penas: //

—Yo también... //

Los pordioseros siguieron buscando alrededor de ellos su inseparable costal de provisiones, // pero en el despacho del Director de la Policía les habían despojado de todo, // hasta de lo que llevaban en los bolsillos, // para que no entraran ni un fósforo. //
Las órdenes eran estrictas... //

—¿Y su causa? // —siguió el estudiante. //

—Si no tengo causa, // en lo que está usté; // ¡estoy por orden superior! //

Al decir así el sacristán restregó la espalda en el muro morroñoso para botarse los piojos. //

—Era usted... //

—¡Nada!... // —atajó el sacristán de mal modo. //
—¡Yo no era nada! //

En ese momento chirriaron las bisagras de la puerta, // que se abría como rajándose para dar paso a otro mendigo... //

—Estoy preso... // —continúo el sacristan, //
—por un delito que cometí por pura equivocación. //

¡Figure usté que por quitar un aviso de la Virgen de la O, // fui y quité del cancel de la iglesia en que estaba de sacristán, // el aviso del jubileo de la madre del señor Presidente!... //

Gramática en contexto

F **Un viaje a Teotihuacán**.

1. para	6. por
2. por	7. por
3. Para	8. Por
4. por	9. para
5. por	10. para

Ortografía

G **Deletreo**.

1. escoger	6. tradujo
2. porcentaje	7. manejé
3. protegimos	8. exageras
4. corrigen	9. recogió
5. contagio	10. tejían

H **Guatemala**.

1. Los lenguajes de origen maya se siguen hablando en Guatemala.

2. Un porcentaje alto de la población guatemalteca es bilingüe.

3. El aprendizaje de la lengua maya quiché es un proceso que exige mucha dedicación.

4. Unas mujeres indígenas llegaron a la embajada a protestar.

5. En el extranjero, Rigoberta Menchú es considerada como embajadora del pueblo maya quiché.

I **Ciudad mesoamericana**.

1. Durante su período más brillante y prestigioso, Teotihuacán llegó a ser la ciudad más grande y compleja de Mesoamérica.

2. En su apogeo, la clase gobernante de Teotihuacán vivía en edificios grandes y complejos.

3. Poco se sabe sobre la gente que vivía en Teotihuacán.

4. Las imágenes de serpientes en las pirámides estaban pintadas de rojo con blanco dentro de los ojos.

5. La Diosa de la Naturaleza con frecuencia aparece con una barra debajo de la nariz y con un tocado de plumas del pájaro quetzal.

6. El Dios de la Tormenta generalmente aparece sentado en una jarra con ojeras, aretes y un lirio abajo de su labio.

7. El colapso de Teotihuacán refleja la pérdida de control político y económico de la clase alta.

Lengua en uso

J **"Cognados falsos".** *Las respuestas van a variar.*

1. lectura: acción de leer; lo que se lee
lecture: conferencia, discurso

2. embarazada: preñada, encinta
embarrasing: desconcertante, molesto

3. asistir: acompañar a alguien; ir a algún lugar
to assist: ayudar

4. atender: cuidar de una persona; tener en cuenta una cosa
to attend: asistir a una función; servir; cuidar

5. molestar: fastidiar, maltratar, ofender
to molest: abusar, acosar

6. pariente: familiar
parent: padre o madre

7. soportar: aguantar, tolerar
to support: apoyar; mantener; sostener

8. suceso: acontecimiento, evento
success: éxito, triunfo

Vocabulario activo

K **Palabras cruzadas.**

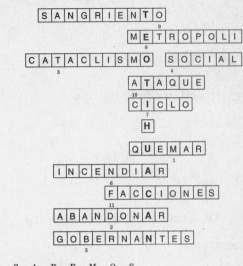

L **Lógica.**

1. élite

2. amplio

3. ciclo

4. situado

5. facciones

Unidad 4
Lección 1

¡A escuchar!

El Mundo 21

A **Reconocido artista cubano.**

1. F Lam es el artista favorita de Antonio no sólo porque es de Las Villas, sino porque fue un gran innovador del arte contemporáneo.

2. N/R

3. F Lam conoció a Pablo Picasso en París.

4. F En la década de 1940, Lam pintó cuadros de inspiración africana.

5. C

6. F Desde la década de 1950, alternó estancias en Cuba y París hasta su muerte en 1982.

B La constitución de Cuba.

1. c   4. a
2. a   5. b
3. c

Pronunciación y ortografía

C Práctica con la letra *b.*

1. **b**risa   5. **b**lusa
2. alam**b**re   6. ca**b**le
3. **b**lanco   7. co**b**re
4. **b**loque   8. **b**r**u**ja

D La letra *b* o *v* después de *m* y *n.*

1. som**b**ra   5. in**v**entar
2. en**v**iar   6. em**b**lema
3. tam**b**or   7. en**v**enenar
4. in**v**encible   8. rum**b**o

E Prefijos.

1. **ob**tener   5. **abs**tracto
2. **sub**marino   6. **ad**vertir
3. **ab**soluto   7. **ob**servatorio
4. **bis**nieto   8. **ad**verbio

Dictado

El proceso de independencia de Cuba

Mientras que la mayoría de los territorios españoles de América lograron su independencia en la segunda década del siglo XIX, Cuba, junto con Puerto Rico, siguió siendo colonia española. El 10 de octubre de 1868 comenzó la primera guerra de la independencia cubana, que duraría diez años y en la cual 250.000 cubanos iban a perder la vida. En 1878 España consolidó nuevamente su control sobre la isla y prometió hacer reformas. Sin embargo, miles de cubanos que lucharon por la independencia salieron en exilio.

¡A explorar!

Los usos de *se*

F En la cocina.

1. recíproco   6. verbo ser
2. recíproco   7. verbo saber
3. voz pasiva   8. objeto indirecto (le)
4. impersonal   9. reflexivo
5. reflexivo   10. reflexivo

G Oraciones con *se. Las oraciones van a variar.*

1. se detuvo   reflexivo
   Ella se detuvo unos minutos antes de tocar.

2. se necesita   impersonal
   Se necesita niñera con experiencia y buenas recomendaciones.

3. se fundó   voz pasiva
   La Habana se fundó en 1511.

4. se bañaba   reflexivo
   Mientras los niños se bañaban en la piscina, los adultos hablaban de los candidatos a la presidencia.

5. se miraban   recíproco
   Arturo y Gloria se miraban con muchas ganas de hablar, pero no sabían qué decir.

6. se buscan   recíproco
   Después de la tragedia, madre e hijo se buscan por más de diez años pero nunca se encuentran.

7. se acusa   voz pasiva
   En Cuba se acusa a EE.UU. por no ayudar a Fidel Castro cuando empezó la revolución.

8. se tomó   reflexivo
   ¿Se tomó la leche el nene?

Gramática en contexto

H Los balseros cubanos.

1. resuelto   5. requerida
2. causada   6. muerto
3. improvisadas   7. ubicados
4. firmado   8. devueltos

I Un poco de historia.

1. Este puerto fue atacado por varios bucaneros franceses en el siglo XVI.

2. Varios fuertes fueron construidos por el gobierno colonial español.

3. Verdaderos palacios fueron edificados por ricos comerciantes.

4. La ciudad fue ocupada por los ingleses durante once meses en 1762.

5. La Habana Vieja ha sido protegida por la UNESCO como un tesoro de la humanidad.

6. Grandes edificios de apartamentos fuera de la ciudad han sido construidos por el gobierno comunista.

J Los resultados del embargo.

1. a. Los problemas económicos han sido causados por el embargo.
   b. Se han causado problemas económicos.

2. a. El gobierno comunista es culpado por muchos economistas.
   b. Se culpa al gobierno comunista.

3. a. Las medidas contra Cuba son apoyadas por muchos políticos cubanoamericanos.
   b. Se apoyan las medidas contra Cuba.

4. a. Cambios rápidos son esperados por los jóvenes cubanos.
   b. Se esperan cambios rápidos.

5. a. Los inmigrantes cubanos legales serán entrevistados por los oficiales estadounidenses.
   b. Se entrevistará a los inmigrantes cubanos legales.

6. a. Varios dirigentes del exilio han sido recibidos por el gobierno cubano.
   b. Se ha recibido a varios dirigentes del exilio.

K José Martí.

1. José Martí fue encarcelado por las autoridades españolas en 1869.

2. Su primer libro fue publicado en Nueva York por un amigo suyo que era dueño de una imprenta.

3. Algunos de sus poemas se consideran los mejores ejemplos de poesía lírica latinoamericana del siglo XIX.

4. Algunos de los versos de la famosa canción "Guantanamera" se basaron en los *Versos sencillos* de Martí.

Ortografía

L Las letras *b* y *v*.

1. bisemanal
2. advertencia
3. obsesión
4. bioquímica
5. obscuro
6. sublevar
7. obligación
8. trovador
9. bizco
10. beisbolista
11. bigote
12. objetivos
13. adversario
14. biografía
15. intervención
16. perseverancia

Correspondencia práctica

M ¡Una carta entre amigos! *Las redacciones van a variar.*

Lengua en uso

N Poesía cubana.

Palabra formal

1. búscate
2. más
3. estoy
4. arroz
5. galletas
6. nada
7. está
8. todo
9. después
10. reloj

Vocabulario activo

Ñ Relación.

1. d
2. h
3. a
4. j
5. b
6. i
7. e
8. f
9. c
10. g

O Lógica.

1. rostro
2. pesca
3. buque

4. lograr
5. escaso

Unidad 4
Lección 2

¡A escuchar!

El Mundo 21

A Político dominicano.

1. F Sí se celebran regularmente las elecciones en la República Dominicana.
2. C
3. F Fue nombrado presidente por primera vez en 1960.
4. F Sí se puede reelegir al presidente. Balaguer ha sido reelegido varias veces.
5. N/R

B Xibá.

1. F La primera Xibá fue la tatarabuela de la joven que narra.
2. N/R
3. F Es una bebida de origen africano.
4. C
5. C

C Discurso político.

1. No
2. Sí
3. Sí
4. No

5. Sí
6. Sí
7. No

Pronunciación y ortografía

D Deletreo con las letras q, k y c.

1. conexión
2. arqueológico
3. comerciante
4. magnífico

5. quiché
6. bloquear
7. derrocado
8. Quetzalcóatl

Dictado

La cuna de América

El 6 de diciembre de 1492, Cristóbal Colón descubrió una isla que sus habitantes originales, los taínos, llamaban Quisqueya. Con su nuevo nombre de La Española, dado por Colón, la isla se convirtió en la primera colonia española y cuna del imperio español en América. Se calcula que antes de la llegada de los españoles, había aproximadamente un millón de taínos en la isla; cincuenta años más tarde esta población había sido reducida a menos de quinientos.

¡A explorar!

Variantes coloquiales: Haiga, váyamos, puédamos, sálganos, etc.

E Vamos al concierto.

1. Ojalá que **podamos** conseguir boletos para el concierto de Juan Luis Guerra.
2. Espero que **haya** buenos asientos cerca del escenario.
3. Es fabuloso que ahora **vayamos** finalmente a conocer a este gran cantante.
4. Es posible que **tengamos** que hacer cola por horas.
5. Papá quiere que **volvamos** temprano a casa.

Gramática en contexto

F Noche de diversión.

1. pida, trabaje
2. haya, consiga
3. preste
4. tenga, pueda

G ¡Protesta!

1. nos levantemos
2. encabecemos
3. vayan
4. ofrezca
5. sepan
6. lleguemos
7. concluya
8. sintamos
9. traduzcamos

H Charytín aconseja.

1. Elige
2. sal
3. haz
4. Mantén
5. restringe
6. frías
7. uses
8. ponte

I Consejos.

1. Haz
2. Llega
3. pierdas
4. Escoge
5. Habla
6. Toma
7. Concéntrate
8. Diviértete

J Para no enojarse.

1. Piensen
2. Imagínense
3. Recuerden
4. Consideren
5. digan
6. Supongan

Ortografía

K Las letras q, k y c.

1. consecuencia
2. tranquilos
3. aguacate
4. esquemático
5. kilograma
6. equivalente
7. cualidades
8. época
9. yanqui
10. esqueleto
11. escuadrón
12. color
13. puertorriqueña
14. kiosco (quiosco)
15. disquera
16. quinientos

Lengua en uso

L "Los mangos bajitos".

1. rango
2. grata
3. treparse
4. infinitos
5. sabroso
6. extraña
7. sartén
8. requisitos
9. arderse
10. flama
11. ingrata
12. mejora
13. monopolios
14. contrabando

M Definiciones.

1. e
2. j
3. b
4. c
5. g
6. a
7. i
8. d
9. f
10. h

Vocabulario activo

N Dominicanos de gran fama.

1. b
2. a
3. c
4. b
5. c

Ñ Relación.

1. e
2. j
3. g
4. h
5. i
6. a
7. c
8. d
9. f
10. b

¡A escuchar!

El Mundo 21

A Luis Muñoz Marín.

1. C
2. F Fue elegido gobernador por primera vez en 1948.
3. C
4. F Su gobierno aprobó la constitución de 1952, que transformó a Puerto Rico en Estado Libre Asociado de EE.UU.
5. C

B El futuro de Puerto Rico.

1. Sí	3. No	5. Sí
2. No	4. Sí	6. No

C ¿Estado número 51?

1. Sí	5. Sí
2. Sí	6. No
3. No	7. No
4. Sí	

Pronunciación y ortografía

D Los sonidos /k/ y /s/.

1. /s/	6. /s/
2. /s/	7. /k/
3. /k/	8. /k/
4. /k/	9. /s/
5. /k/	10. /k/

E Deletreo con la letra c.

1. escenario	6. caña
2. asociado	7. presencia
3. colono	8. acelerado
4. denominación	9. petroquímico
5. gigantesco	10. farmacéutico

Dictado

Estado Libre Asociado de EE.UU.

En 1952 la mayoría de los puertorriqueños aprobó una nueva constitución que garantizaba un gobierno autónomo, el cual se llamó Estado Libre Asociado (ELA) de Puerto Rico. El principal promotor de esta nueva relación fue el primer gobernador elegido por los puertorriqueños, Luis Muñoz Marín.

Bajo el ELA, los residentes de la isla votan por su gobernador y sus legisladores estatales y a su vez mandan un comisionado a Washington D.C. para que los represente. Pero a diferencia de un estado de EE.UU., los residentes de Puerto Rico no tienen congresistas en el congreso federal ni pueden votar por el presidente, pero tampoco tienen que pagar impuestos federales.

¡A explorar!

Expresiones impersonales y el subjuntivo

F La reunión.

1. Es preciso que la profesora Muñoz incluya información sobre el estado económico actual del país.
2. Es dudoso que nosotros podamos terminar los preparativos para la reunión en dos horas.
3. Es obvio que habrá mucha gente en la reunión esa noche.
4. Es necesario que los jóvenes organicen un programa especial para entretener a los niños.
5. Es posible que el invitado especial no llegue a tiempo por el tráfico.
6. Es bueno que nuestra comunidad analice estos asuntos de gran importancia.
7. Es evidente que este evento es de gran significado para todos.

Gramática en contexto

G Vida de casados.

1. Es esencial que se respeten mutuamente.
2. Es recomendable que sean francos.
3. Es mejor que compartan las responsabilidades.
4. Es necesario que se tengan confianza.

5. Es preferible que ambos hagan las tareas domésticas.

6. Es bueno que ambos puedan realizar sus ambiciones profesionales.

H El béisbol en el Caribe.

1. Es dudoso que muchos norteamericanos sepan lo importante que es el béisbol en el Caribe.

2. Es evidente que a los caribeños les gusta mucho el béisbol.

3. Es curioso que haya tantos beisbolistas caribeños talentosos.

4. Es fantástico que muchos jugadores profesionales de EE.UU. vengan del Caribe.

5. Es cierto que muchos jugadores caribeños triunfan en las grandes ligas.

6. Es increíble que los equipos de las grandes ligas mantengan academias de béisbol en la República Dominicana.

7. Es natural que muchos jugadores caribeños prefieran jugar en EE.UU.

I Reacciones. *Las respuestas van a variar.*

1. Siento que Enrique no sepa bailar salsa.

2. Me alegro que tú pagues las entradas al concierto de Chayanne.

3. Siento que Javier mienta de vez en cuando.

4. Me enoja que Yolanda influya en todas nuestras decisiones.

5. Me sorprende que Lorena vaya a conocer a la escritora Rosario Ferré después de su conferencia.

6. Me alegro que Gonzalo juegue a fútbol con nuestro equipo.

7. Lamento que Carmela comience clases de piano este verano.

J Viaje a Puerto Rico.

1. quede
2. vaya
3. poder
4. invite
5. quiera
6. cocinen
7. engordar
8. regrese

Ortografía

K Deletreo con las letras q, k, s y c.

1. inmenso
2. bastión
3. vocalista
4. roquero
5. acelerado
6. permanecer
7. kilómetro
8. farmacéutico
9. escuela
10. depresión

Lengua en uso

L "La carta".

San Juan, Puerto Rico
8 de **marzo** de 1947

Querida vieja:

Como yo le **decía** antes de venirme, **aquí** las cosas me van **bien**. Desde que llegué, enseguida **encontré** trabajo. Me pagan **ocho** pesos la semana y con eso **vivo** igual que el administrador de la central allá.

La ropa aquella que quedé de **mandarle**, no la he podido comprar pues **quiero** buscarla en una de las tiendas mejores. Dígale a Petra que cuando **vaya** por casa le **voy** a llevar un regalito al nene de ella.

Voy a ver si me saco un retrato un **día** de **éstos** para **mandárselo** a **usted**, mamá.

El otro día vi a Felo, el **hijo** de la **comadre** María. **Él** también **está trabajando,** pero gana menos que yo. Es que yo **he** tenido suerte.

Bueno, **recuerde** de **escribirme** y contarme todo lo que pasa por **allá**.

Su **hijo** que la quiere y le pide la **bendición**.

Juan

Vocabulario activo

M Lógica.

1. denominación
2. muralla
3. permanecer
4. impuesto
5. presencia

N Relación.

1. f
2. h
3. e
4. g
5. a
6. j
7. c
8. i
9. b
10. d

Clave de respuestas

CLAVE DE RESPUESTAS

¡A escuchar!

El Mundo 21

A Arzobispo asesinado.

1. F Conmemoran otro aniversario de la muerte del arzobispo.
2. C
3. F No. Denunció la violencia y criticó al gobierno y a los militares.
4. N/R
5. F Fue asesinado mientras daba misa el 24 de marzo de 1980.
6. C

B Farabundo Martí.

1. c   3. a   5. c
2. b   4. a

C Salvadoreños en EE.UU.

1. C
2. F La mayoría son refugiados políticos o han salido de su país por razones económicas.
3. C
4. F Los salvadoreños forman el segundo grupo latino más grande después de los mexicanos.
5. F Las pupusas es un plato típico salvadoreño.
6. F El dinero que mandan los salvadoreños en EE.UU. es la principal fuente de dólares de El Salvador.

Pronunciación y ortografía

D La letra z.

1. zorro   6. garantizar
2. venganza   7. lanzador
3. fortaleza   8. forzado
4. azúcar   9. mezclar
5. fuerza   10. nacionalizar

E Práctica con la letra z.

1. golpazo   6. pereza
2. escasez   7. garrotazo
3. Álvarez   8. López
4. González   9. espadazo
5. golazo   10. rigidez

Dictado

El proceso de la paz

En 1984 el presidente de El Salvador, José Napoleón Duarte inició negociaciones por la paz con el FMLN. En 1986, San Salvador sufrió un fuerte terremoto que ocasionó más de mil víctimas. Pero más muertos causó, sin embargo, la continuación de la guerra civil. Alfredo Cristiani, elegido presidente en 1989, firmó en 1992 un acuerdo de paz con el FMLN después de negociaciones supervisadas por las Naciones Unidas. Así, después de una guerra que causó más de 80.000 muertos y paralizó el desarrollo económico, el país se propone garantizar la paz que tanto le ha costado.

¡A explorar!

"Cognados falsos"

F Una segunda vista. *Las respuestas van a variar.*

2. sentencia: decisión de juez o árbitro
   El problema es que los criminales sólo sirven la mitad de su sentencia.
   sentence: oración, frase, sentencia

3. largo: longitud
   La novia llevaba un largo vestido blanco.
   large: grande

4. faltar: no presentarse, no asistir, estar ausente, carecer de una cosa
   Ustedes fueron los únicos que faltaron anoche.
   to fault: echar la culpa, criticar

5. suceso: acontecimiento, evento
   ¿Cuál fue el suceso más notable de su viaje a Europa?
   success: éxito, triunfo

6. estimar: apreciar, valorar, sentir afecto
   Mamá estima mucho a Álvaro. Es tan bueno con ella.
   to estimate: calcular aproximadamente

7. marco: cerco; moldura; unidad monetaria alemana
No me gusta el marco que le pusieron a la foto de abuelita.
mark: marca, raya, mancha, huella, signo, señal

8. sano: saludable, en buena salud física
Si comes bien y haces ejercicio cada día, vas a sentirte sano todo el tiempo.
sane: cuerdo, de buena salud mental

G El Salvador.

1. Esperamos asistir a la conferencia de Claribel Alegría la semana próxima.

2. El suceso más importante de 1932 fue la masacre de más de treinta mil campesinos por el ejército salvadoreño.

3. El arzobispo Óscar Arnulfo Romero no apoyaba la violencia contra los pobres de El Salvador y le echaba la culpa a los militares.

4. Nadie se dio cuenta de que el éxito del arzobispo resultaría en su asesinato.

5. El representante del FMLN juzgó que el camino a la paz sería muy largo y difícil.

6. Me di cuenta de que la situación salvadoreña era más compleja que una lucha entre izquierdistas y derechistas.

Gramática en contexto

H Explicaciones.

1. que	**4.** que	**6.** que
2. que	**5.** cuyos	**7.** quien
3. los cuales (los que)		

I Juguetes.

1. Éstos son los soldaditos de plomo que mi tío Rubén me compró en México.

2. Éste es el balón que uso para jugar al básquetbol.

3. Éstos son los títeres con los que (con los cuales) juego a menudo.

4. Éste es un coche eléctrico que me regaló mi papá el año pasado.

5. Éstos son los jefes del ejército delante de los cuales desfilan mis soldaditos de plomo.

J Fiesta de disfraces.

1. sea		**4.** dé
2. es		**5.** parezca
3. va		**6.** tenga

K Los desaparecidos.

1. haya		**4.** tenga
2. oiga		**5.** se encargue
3. dé		**6.** satisfaga

Ortografía

L Las letras *z*, *c* y *s*.

1. farmacia	farmacias
2. raíz	raíces
3. cruz	cruces
4. desconocido	desconocidos
5. gimnasio	gimnasios
6. luz	luces
7. riqueza	riquezas
8. inglés	ingleses
9. gracioso	graciosos
10. andaluz	andaluces

Correspondencia práctica

M ¡A redactar! *Las respuestas van a variar.*

Lengua en uso

N El habla salvadoreña.

1. Si te **sientes** mal, **llama** a Lastenia.

2. **Tienes** razón, pero **necesitas** por lo menos diez confesiones si **quieres** ganarte el Reino de Dios.

3. **Tú** siempre **dices** cosas, Ticha, a veces no te entiendo.

4. ¿Cómo lo **sabes tú**, **niño**?

5. ¿Por qué le **tienes** miedo si tu conciencia está tranquila?

6. Y como **tú sabes**, la única manera de detener la rabia es matando al **perro**.

7. Así no te **hagas** el loco y **anda** apuntando todo en un papel.

Vocabulario activo

Ñ Definiciones.

1. asesinado
2. asociado
3. exigir
4. brillante
5. disperso

O Relación.

1. f
2. e
3. g
4. j
5. a
6. i
7. c
8. b
9. d
10. h

Unidad 5

Lección 2

¡A escuchar!

El Mundo 21

A Lempira.

1. F La moneda nacional de Honduras se llama lempira.
2. N/R
3. F Es el nombre de un jefe indígena que luchó contra los españoles.
4. C
5. F Lempira organizó la lucha contra los españoles en el siglo XVI.
6. C

B La Ceiba.

1. Sí
2. No
3. No
4. Sí
5. No
6. No
7. Sí
8. Sí

C León.

1. c
2. b
3. a
4. c
5. a

Pronunciación y ortografía

D La letra s.

1. asumir
2. acusar
3. victorioso
4. siglo
5. sandinista
6. abuso
7. serie
8. asalto
9. depresión
10. sociedad

E Práctica con la letra s.

1. pianista
2. cordobés
3. explosión
4. perezoso
5. parisiense
6. gaseosa
7. leninismo
8. confusión
9. posesivo
10. periodista

Dictado

La independencia de Honduras

Como provincia perteneciente a la Capitanía General de Guatemala, Honduras se independizó de España en 1821. Como el resto de los países centroamericanos, se incorporó al efímero imperio mexicano de Agustín de Iturbide y formó parte de la Federación de las Provincias Unidas de Centroamérica. En la vida política de la Federación sobresalió el hondureño Francisco Morazán, que fue elegido presidente en 1830 y 1834. El 5 de noviembre de 1838 Honduras se separó de la Federación y proclamó su independencia.

¡A explorar!

Conjunciones adverbiales

F ¡A Managua!

1. para que
2. con tal (de) que
3. antes de que
4. cuando
5. tan pronto como
6. después de que

Gramática en contexto

G Interesado.

1. No te lavo el coche a menos que me des cinco dólares.
2. Te compro el periódico con tal que yo pueda comprarme un helado.
3. No te llevo la ropa a la tintorería a menos que tú me lleves al cine.
4. Te doy los mensajes telefónicos con tal que tú me traigas chocolates.
5. Te echo las cartas al correo con tal que tú me lleves a los juegos de video.

H Reformas.

1. sean
2. está
3. consigan
4. sufra
5. ayuda

I Entrevista.

1. ponga
2. permita
3. tengo
4. ofrezca
5. es

Ortografía

J Honduras y Nicaragua.

1. Los antropólogos que exploraron las ruinas de Copán **observaron** que los templos de los primeros pobladores hondureños son un **expresivo** testamento a su **riqueza** cultural.
2. La **visión** de los mayas se refleja en su **impresionante** arquitectura.
3. Al llegar a territorio **nicaragüense**, los españoles encontraron **distintos** y muy **desarrollados** grupos étnicos.
4. Las trabajadoras informaron por **televisión** que su **situación** era **opresiva** y que sus jefes habían **abusado** de su muy **bondadosa** personalidad.
5. Es muy sabido por el pueblo **nicaragüense** que su héroe **César** Augusto Sandino luchó contra el **imperialismo** de EE.UU.
6. **Anastasio Somoza García** después acusó a Sandino de ser **comunista** y ordenó su muerte.
7. La dictadura **somocista permaneció** en el poder hasta 1979, cuando los **sandinistas** entraron **victoriosos** a Managua, la capital.

Lengua en uso

K Frutas y verduras.

1. maní
2. judías, porotos
3. choclo
4. ají
5. patata
6. ananás
7. palta

Vocabulario activo

L Relación.

1. triunfar
2. severidad
3. pelear
4. retirar
5. comité

M Desarrollo y armonía.

U	C	M	O	N	E	D	A	T
N	C	A	C	I	Q	U	E	E
I	N	M	A	C	U	S	A	R
R	E	S	T	A	U	R	A	R
R	E	T	I	R	A	R	A	E
C	M	U	L	A	T	O	B	M
O	B	L	I	G	A	R	U	O
H	O	N	D	U	R	A	S	T
P	A	Z	Z	A	M	B	O	O

L A   E S T A B I L I D A D
E C O N Ó M I C A

Unidad 5

Lección 3

¡A escuchar!

El Mundo 21

A Político costarricense.

1. C
2. N/R
3. F Óscar Arias Sánchez recibió el Premio Nóbel de la Paz en 1987.
4. C
5. F El acuerdo de paz se firmó en la Ciudad de Guatemala.

B Costa Rica.

1. b	3. b	5. a
2. a	4. c	

C Tareas domésticas.

1. Voy a hacer la cama **en cuanto desayune**.
2. Voy a arreglar mi cuarto **tan pronto como termine de ducharme**.
3. Voy a pasar la aspiradora a las diez **cuando apague la televisión**.
4. Voy a cortar el césped **cuando no haga tanto calor**.
5. Voy a poner los platos en la lavadora **después de que terminemos de cenar**.

Pronunciación y ortografía

D La letra x.

1. /s/	6. /s/
2. /s/	7. /ks/
3. /ks/	8. /s/
4. /s/	9. /ks/
5. /ks/	10. /s/

E Práctica con la letra x.

1. expulsar	6. refle**x**ión
2. e**x**agerar	7. e**x**aminar
3. e**x**plosión	8. e**x**tranjero
4. crucifi**x**ión	9. e**x**terior
5. e**x**traño	10. e**x**iliado

Dictado

Costa Rica: País ecologista

Debido a la acelerada deforestación de las selvas que cubrían la mayor parte del territorio de Costa Rica, se ha establecido un sistema de zonas protegidas y parques nacionales. En proporción a su área, es ahora uno de los países que tiene más zonas protegidas (el 26 por ciento del territorio tiene algún tipo de protección, el 8 por ciento está dedicado a parques nacionales). Estados Unidos, por ejemplo, ha dedicado a parques nacionales solamente el 3,2 por ciento de su superficie.

¡A explorar!

El uso excesivo de la palabra "cosa"

F Costa Rica. *Las respuestas van a variar.*

1. Mis padres son españoles que inmigraron a Costa Rica y han trabajado duro **para conseguir su propia casa, un carro y una buena educación para sus hijos**.
2. Mis hermanos siempre me apoyan en mi educación y **me aconsejan cuando tengo problemas con mi novia o con mis profesores**.
3. Con el tiempo, aprendí que la familia, **con el apoyo, el sentido de seguridad y unidad, y la ayuda financiera que me ha dado, es verdaderamente valiosa**.
4. En una excursión a las reservas biológicas costarricenses mis amigos y yo estuvimos expuestos a **la maravillosa flora y fauna de la selva tropical**.
5. **La información esencial que me faltaba** era el ambiente ecológico de esa especie de pájaro lapa.
6. Aunque era nuestra primera visita a un bosque, nuestra investigación en el parque nacional **me ayudó a sacar una "A" en mi clase de biología**.

Gramática en contexto

G Situación socio-económica.

1. haya
2. quiera
3. acepten
4. crezca
5. cambie

H Mariposas.

1. necesites
2. nos perdamos
3. crucemos
4. lleguemos
5. estemos

I Alternativas.

1. Aunque Costa Rica sufre desforestación, existe también un programa de conservación de los recursos naturales.
2. Aunque Costa Rica es más grande que El Salvador, tiene menos habitantes.
3. Aunque Costa Rica no tiene ejército, tiene una guardia civil.
4. Aunque la pequeña población indígena costarricense goza de medidas de protección del gobierno, no vive en condiciones de vida muy buenas.
5. Aunque Costa Rica posee vastos depósitos de bauxita, no han sido explotados.
6. Aunque los parques nacionales son una gran atracción turística, muchos están localizados en lugares remotos.

J Mañana ocupada.

1. me levante
2. regrese
3. tomo
4. termine
5. juega
6. complete
7. llegue
8. llega

Ortografía

K Zonas protegidas en Costa Rica.

1. ¿Has visto la extraordinaria exposición de libros sobre la ecología en San José?
2. En los territorios protegidos han explorado los bosques siempre verdes y examinado la exterminación de la llamada "ranita salpicada".
3. Después de mucha reflexión, el gobierno costarricense por fin decidió detener la acelerada desforestación de las selvas.

4. ¿Qué conexión hay entre la acelerada desforestación de las selvas y el hecho de que en Costa Rica actualmente existen zonas protegidas en el 26% del país?
5. En comparación, EE.UU. ha expuesto que menos del 3,2% de su superficie está dedicado a parques nacionales.
6. La familia del político Óscar Arias Sánchez ha apoyado el establecimiento de zonas protegidas a pesar de dedicarse a la exportación del café.

Lengua en uso

L El medio ambiente. *Las respuestas van a variar.*

1. las plantas y los animales
2. las circunstancias, objetos o condiciones que rodean a uno
3. una división o familia de un género
4. acción y efecto de alterar una sustancia u organismo por efecto de la actividad humana o por la presencia de gérmenes microbianos
5. eliminación, muerte o exterminación de una especie
6. elementos (depósitos minerales, bosques, ríos) que constituyen la riqueza o potencia de una nación
7. variedad alotrópica del oxígeno, un gas azul de olor fuerte y penetrante

Vocabulario activo

K Costa Rica.

1. AUMENTAR
2. ENTERRADO
3. EXPLOTAR
4. BENEFICIOSO
5. MARGINACIÓN
6. ABUNDANCIA
7. ESTABILIDAD

L Lógica.

1. aumentar
2. plantación
3. enterrado
4. acomodado
5. presupuesto

Unidad 6

Lección 1

¡A escuchar!

El Mundo 21

A Premio Nóbel de Literatura.

1. C
2. F Nació en 1928 en Aracataca, un pueblo de Colombia.
3. F Estudió derecho y periodismo en las universidades de Bogotá y Cartagena de Indias.
4. C
5. N/R
6. C

B La Catedral de Sal.

1. a   4. c
2. a   5. b
3. b

Pronunciación y ortografía

C Práctica con la letra *g*.

1. obligar   6. negociar
2. gobierno   7. gigantesco
3. guerra   8. prestigioso
4. proteger   9. gravemente
5. sagrado   10. exagerar

D Práctica con *ge* y *gi*.

1. geología   6. legítimo
2. encoger   7. güera
3. surgir   8. exigir
4. genética   9. geografía
5. elegir   10. legislador

Dictado

Luchas entre conservadores y liberales

Entre 1899 y 1903 tuvo lugar la más sangrienta de las guerras civiles colombianas, la Guerra de los Mil Días, que dejó al país exhausto. En noviembre de ese último año, Panamá declaró su independencia de Colombia. El gobierno estadounidense apoyó esta acción pues facilitaba considerablemente su plan de abrir un canal a través del istmo centroamericano. En 1914 Colombia reconoció la independencia de Panamá y recibió una compensación de 25 millones de dólares por parte de Estados Unidos.

¡A explorar!

Los sobrenombres

E Sobrenombres masculinos y femeninos.

Masculinos	Femeninos
1. e	1. f
2. g	2. h
3. i	3. i
4. h	4. g
5. b	5. b
6. a	6. j
7. j	7. c
8. d	8. a
9. c	9. d
10. f	10. e

Gramática en contexto

F Deportes. *Las respuestas pueden variar.*

1. Nadaré en la piscina municipal.
2. Levantaré pesas.
3. Miraré un partido de béisbol.
4. Jugaré al tenis.
5. Pasearé en mi bicicleta.

G Predicciones.

1. Estarás   5. Le propondrás
2. Obtendrás   6. Tendrás
3. Harás   7. Deberás
4. Conocerás   8. Serás

H Veinte años en el futuro.

1. tendrá
2. Será
3. viajará
4. Estará
5. vivirá
6. se acordará
7. llamará
8. dirá
9. vendrá
10. podrá

Ortografía

I Colombia hasta la independencia.

1. Los indígenas que dejaron ídolos **gi**gantes de piedra fueron la **ge**nte de la re**gió**n de San A**gu**stín.
2. Los pueblos chibchas fueron a**gri**cultores que eli**gie**ron trabajar las tierras altas de la re**gió**n central.
3. Aquí fue donde la leyenda de El Dorado sur**gió** y llegó a su apo**geo**.
4. Los españoles sumer**gie**ron a los indí**ge**nas en la reli**gió**n católica y la len**gua** castellana.
5. El Virreinato de Nueva **Gra**nada **go**bernó y prote**gió** las re**gio**nes que hoy son Venezuela, Colombia, Ecuador y Panamá.
6. Colombia **ga**nó su independencia el 20 de julio de 1810 cuando el último virrey español fue obli**ga**do a dejar su car**go** y a re**gre**sar a España.

Correspondencia práctica

J Solicito empleo. *Las respuestas van a variar.*

Lengua en uso

K Expresiones coloquiales.

1. Nuestra maestra nos **devolvió** la tarea corregida.
2. No tenemos dinero para pagar **la cuenta** del teléfono.
3. Llámame por teléfono, que yo te **devuelvo la llamada** (o **vuelvo a llamar**).
4. Por muchos años mis tíos trabajaron en **el campo**.
5. Tengo que escribir **un ensayo** sobre el gran libertador Simón Bolívar.

Vocabulario activo

L Opciones.

1. b
2. a
3. c
4. a
5. b

M Lógica.

1. mestizaje
2. escultor
3. disminuir
4. sumergirse
5. aliado

Unidad 6
Lección 2

¡A escuchar!

El Mundo 21

A Líder panameño.

1. C
2. C
3. N/R
4. C
5. F En 1977 Torrijos y el presidente Jimmy Carter firmaron dos tratados sobre el Canal de Panamá.
6. C

B Los cunas.

1. b
2. a
3. c
4. c
5. a

C Daniel y Salchicha.

1. F Estaba jugando baloncesto cuando lo mordió el perro.
2. C
3. F Doña Emerita le pegó a Salchicha con la escoba.
4. N/R
5. C

Pronunciación y ortografía

D La letra j.

1. junta	6. homenaje
2. franja	7. porcentaje
3. extranjero	8. jabón
4. lenguaje	9. traje
5. viajero	10. Jalisco

E Práctica con la letra j.

1. consejero	6. condujimos
2. redujeron	7. paisaje
3. dijo	8. relojero
4. relojería	9. trajiste
5. mensaje	10. manejaron

F Deletreo del sonido /x/.

1. origen	6. trabajadora
2. jugador	7. ejército
3. tradujeron	8. exigen
4. recojimos	9. congestión
5. legítimo	10. encrucijada

Dictado

La independencia y la vinculación con Colombia

Panamá permaneció aislada de los movimientos independentistas ya que su único medio de comunicación por barco estaba controlado por las autoridades españolas. La independencia se produjo sin violencia cuando una junta de notables la declaró en la ciudad de Panamá el 28 de noviembre de 1821, que se conmemora como la fecha oficial de la independencia de Panamá. Pocos meses más tarde, Panamá se integró a la República de la Gran Colombia junto con Venezuela, Colombia y Ecuador.

¡A explorar!

Repaso de acentuación y los tiempos verbales

G Tiempos verbales regulares.

1. el imperfecto y el condicional
2. el presente de indicativo y el presente de subjuntivo
3. el futuro
4. el imperfecto del subjuntivo
5. el pretérito

H Político panameño.

Estimados compatriotas:

Les **envío** esta carta con mis mejores deseos. Quiero explicarles lo que **más** me **gustaría** ver en **Panamá** en el futuro cercano. Me **encantaría** ante todo ver un **país democrático** con oportunidades **económicas** para todos. Me **alegraría** mucho tener elecciones **pacíficas** regularmente en nuestro **país.**

En el año 2000, la **devolución** del canal a **Panamá** me **alegrará** de sobremanera. Yo **haré** una gran fiesta dondequiera que **esté** y los **invitaré** a todos ustedes, mis mejores amigos, a que me acompañen.

Todos los panameños **deberíamos** unirnos para que esto suceda sin **ningún obstáculo.**

Reciban un afectuoso saludo de su amigo,

Andrés Rodríguez

Gramática en contexto

I Soluciones.

1. Defendería	5. Sabría
2. Evitaría	6. Desarrollaría
3. Propondría	7. Ofrecería
4. Daría	8. Haría

J Próxima visita.

1. iría	4. saldría
2. enviaría	5. visitaría
3. tendría	

K Cliente descontento.

1. Querría	4. gustaría
2. Preferiría	5. Debería
3. Desearía	

Ortografía

L Manuel Antonio Noriega.

1. Manuel Antonio Noriega tomó la jefatura de la Guardia Nacional en 1983 y siguió dirigiendo el país.

2. Cuando el General Omar Torrijos murió en un avión, se sugirió que el jefe de la Guardia Nacional, Manuel Antonio Noriega, fue el responsable.

3. Esto produjo mucho descontento general entre la gente de Panamá.

4. A la vez, en EE.UU. se dijo que Noriega protegía a traficantes de drogas.

5. En 1989, cuando la oposición ** g**anó las elecciones nacionales, Noriega las anuló con el apoyo del e**j**ército.

6. En diciembre de 1989, EE.UU. trajo a su ejército y marina a Panamá y capturó a Noriega**.**

Lengua en uso

M "Canto a la Muerte".

1. victoria	**12.** difícil
2. memoria	**13.** duele
3. avergüenzo	**14.** termina
4. extrañando	**15.** cariño
5. combatiendo	**16.** sacrificio
6. vacío	**17.** bendiga
7. protejo	**18.** querida
8. camará	**19.** enorgullezcas
9. eternidad	**20.** protejo
10. huérfano	**21.** cuida
11. rincón	

N Definiciones.

1. e	**6.** a
2. g	**7.** c
3. i	**8.** f
4. h	**9.** d
5. j	**10.** b

Vocabulario activo

Ñ ¿Parecidas u opuestas?

1. O	4. P
2. O	5. P
3. O	6. P

O Crucigrama.

Unidad 6
Lección 3

¡A escuchar!

El Mundo 21

A Líder venezolano.

1. F Rafael Caldera Rodríguez es abogado.
2. C
3. F Fue postulado para la presidencia cuatro veces por la COPEI sin éxito.
4. F Su gobierno impulsó la industrialización.
5. C
6. C

B Colonia Tovar.

1. Sí	5. Sí
2. No	6. Sí
3. No	7. No
4. Sí	8. Sí

C Boleto del metro.

Fig. A: 6	**Fig. E:** 2
Fig. B: 4	**Fig. F:** 7
Fig. C: 1	**Fig. G:** 5
Fig. D: 8	**Fig. H:** 3

Pronunciación y ortografía

D **La letra _h_.**

1. **h**eredar
2. pro**h**ibir
3. re**h**usar
4. **h**ierro
5. **h**uelga
6. **h**ostilidad
7. ve**h**emente
8. **h**éroe
9. ex**h**alar
10. **h**ormiga

E **Práctica con letra _h_.**

1. **h**ectogramo
2. **h**elioterapia
3. **h**idrosoluble
4. **h**ospedar
5. **h**idrostática
6. **h**ipotensión
7. **h**ectógrafo
8. **h**ospitalizar
9. **h**exagonal
10. **h**ipoteca

Dictado

El desarrollo industrial

En la década de 1960, Venezuela alcanzó un gran desarrollo económico que atrajo a muchos inmigrantes de Europa y de otros países sudamericanos. En 1973 los precios del petróleo se cuadruplicaron como resultado de la guerra árabe-israelí y de la política de la Organización de Países Exportadores de Petróleo (OPEP), de la cual Venezuela era socio desde su fundación en 1960. En 1976 el presidente Carlos Andrés Pérez nacionalizó la industria petrolera, lo que proveyó al país mayores ingresos que permitieron impulsar el desarrollo industrial.

¡A explorar!

El imperfecto de subjuntivo de verbos en -cir

F **Sueños de conductor.**

1. condujera
2. anduviera
3. dijera
4. produjera
5. satisfaciera

Gramática en contexto

G **Votantes descontentos.**

1. fueran
2. investigaran
3. ofrecieran
4. resolvieran
5. pensaran

H **Vida poco activa.**

1. Conocerías a más gente si salieras a correr todos los días.
2. Te sentirías mejor si no almorzaras en la oficina.
3. Te divertirías mucho si fueras a fiestas conmigo de vez en cuando.
4. Harías más ejercicio si no te sentaras a ver televisión todos los días.
5. No te preocuparías tanto si pensaras menos en el trabajo.

Ortografía

I **Caracas y Maracaibo.**

1. En el **h**orizonte vemos Caracas, una ciudad **h**istórica de mucha **h**ospitalidad.
2. Los indígenas venezolanos creen que las **h**uellas de sus antepasados son el **h**ilo al pasado.
3. Antes de construir el metro de Caracas, **h**ubo una planificación extensa con situaciones reales e **h**ipotéticas.
4. En Maracaibo, el petróleo **h**a sido el mayor **h**allazgo y el producto principal de Venezuela.
5. La determinación de los políticos de Maracaibo de sacar más y más petróleo del lago frecuentemente **h**a agotado la paciencia **h**umana del **h**ombre que trata de preservar el medio ambiente.
6. Por eso, los **h**uelguistas, **h**umilde y pacíficamente, varias veces **h**an tenido que confrontar la **h**ostilidad de los administradores petroleros.

Lengua en uso

J Animales.

1. g	7. l
2. j	8. b
3. h	9. a
4. k	10. f
5. i	11. e
6. c	12. d

Vocabulario activo

K Lógica.

1. pilotes	4. corrupción
2. resentir	5. apoderarse
3. llanero	

L Opciones.

1. c	4. c
2. a	5. b
3. a	6. a

Unidad 7
Lección 1

¡A escuchar!

El Mundo 21

A Político peruano.

1. C
2. C
3. F   María no está convencida de que Fujimori necesitaba disolver el congreso en 1991.
4. N/R
5. F   El gobierno de Fujimori capturó al líder de "Sendero Luminoso" en 1992.
6. C

B El Perú precolombino.

1. Sí	4. Sí
2. Sí	5. Sí
3. No	6. No

C Abuelos tolerantes.

Fig. A: 3	Fig. E: 1
Fig. B: 5	Fig. F: 4
Fig. C: –	Fig. G: –
Fig. D: 2	Fig. H: –

Pronunciación y ortografía

D La letra y.

1. /y/	6. /y/
2. /i/	7. /i/
3. /y/	8. /i/
4. /y/	9. /y/
5. /i/	10. /y/

E Práctica con la letra y.

1. ayunas	6. Paraguay
2. hay	7. reyes
3. cayendo	8. ayacuchano
4. bueyes	9. vayan
5. huyan	10. ayudante

Dictado

Las grandes civilizaciones antiguas

Miles de años antes de la conquista española, las tierras que hoy forman el Perú estaban habitadas por sociedades complejas y refinadas. La primera gran civilización de la región andina se conoce con el nombre de Chavín y floreció entre los años 900 y 200 a.C. en el altiplano y la zona costera del norte del Perú. Después siguió la cultura mochica, que se desarrolló en una zona más reducida de la costa norte del Perú. Los mochicas construyeron las dos grandes pirámides de adobe que se conocen como Huaca del Sol y Huaca de la Luna. Una extraordinaria habilidad artística caracteriza las finas cerámicas de los mochicas.

¡A explorar!

Deletreo de palabras parecidas en español e inglés

F Composición sobre Cuzco.

1. inmensas
2. oficial
3. arquitectura
4. inmortales
5. comprensión
6. elocuencia
7. especial
8. filosofía
9. antepasados
10. ocurre
11. ejercicio

Gramática en contexto

G Tarea.

1. repasaran
2. escribieran
3. leyeran
4. hicieran
5. trajeran
6. estuvieran

H Temores.

1. Pensábamos que alguien podría enfermarse.
2. Temíamos que el vuelo fuera cancelado.
3. Dudábamos que todos llegaran al aeropuerto a la hora correcta.
4. Estábamos seguros de que alguien olvidaría el pasaporte.
5. Temíamos que un amigo cambiara de opinión a última hora y decidiera no viajar.

I Auto.

1. daba
2. partía
3. hacía
4. fuera
5. estuviera
6. gastara
7. pidiera

Ortografía

J Arqueólogo.

1. Anteayer regresó mi yerno de su viaje al Perú.
2. Él es un arqueólogo que estuvo en Ayacucho y otras regiones andinas cuyas civilizaciones han dejado una riqueza cultural.
3. Allá conoció a unos estudiantes paraguayos quienes contribuyeron con ánimo a su proyecto.
4. Durante su estadía, en muchas ocasiones, todos se reunieron, leyeron poesía y contaron leyendas.
5. Su gran hallazgo fue la excavación de un hoyo con una cueva adyacente, cuyo contenido incluyo no sólo artefactos de oro, sino también evidencia de unas yerbas medicinales.
6. En su mayoría, todos se llevaban bien aunque en una ocasión, Guillermo oyó a unos de los jóvenes arguyendo.
7. Cuando esto ocurrió, Guillermo les dijo: "Es mejor que no haya discordia. Resolvamos esto antes de que se convierta en un problema mayor."
8. Indudablemente, el proyecto suyo contribuyó al entendimiento de la rica trayectoria histórica de nuestros antepasados.

Correspondencia práctica

K Declaración. *Las respuestas van a variar.*

Lengua en uso

L "Basta y sobra".

1. llanto
2. entonar
3. canto
4. capaz
5. reclamar
6. sobra
7. Naturaleza
8. guerra
9. niñez
10. vejez
11. motivos
12. firmeza
13. reconstruir
14. permitir
15. jamás
16. mesa
17. sonrisa
18. calma
19. decir
20. milagro

M Definiciones.

1. e
2. j
3. h
4. i
5. g
6. a
7. k
8. b
9. l
10. c
11. d
12. f

Vocabulario activo

N Lógica.

1. confianza
2. etiqueta
3. desierto

4. nitrato
5. seguidor

Ñ Opciones.

1. b
2. a
3. b

4. c
5. b
6. a

Unidad 7
Lección 2

¡A escuchar!

El Mundo 21

A Político ecuatoriano.

1. C
2. F   Sixto Durán Ballén estudió arquitectura en la Universidad de Columbia en Nueva York.
3. N/R
4. C
5. F   Fue alcalde de la ciudad de Quito.
6. C

B Otavalo.

1. C
2. F   Rumiñahui era enemigo de los incas. Resistió a los incas.
3. F   Otavalo queda a dos mil quinientos metros sobre el nivel del mar.
4. C
5. C
6. C
7. F   No regateó. Pagó el precio que pidieron.

C Excursión.

Fig. A: –
Fig. B: –
Fig. C: 5
Fig. D: –

Fig. E: 2
Fig. F: 3
Fig. G: 1
Fig. H: 4

Pronunciación y ortografía

D Práctica con la letra *ll.*

1. rabillo
2. torrecilla
3. piloncillo
4. tortilla
5. rastrillo

6. conejillo
7. martillo
8. ladrillo
9. pajarillo
10. piececillo

E Práctica con las letras *y* y *ll.*

1. orilla
2. yerno
3. mayoría
4. batalla
5. leyes

6. caudillo
7. semilla
8. ensayo
9. pesadilla
10. guayabera

Dictado

Época más reciente

A partir de 1972, cuando se inició la explotación de sus reservas petroleras, Ecuador ha tenido un acelerado desarrollo industrial. Esto ha modificado substancialmente las estructuras económicas tradicionales basadas en la agricultura. Aunque la exportación de plátanos sigue siendo importante, la actividad económica principal está relacionada ahora con el petróleo. Se han construido refinerías, la más importante de las cuales es la de Esmeraldas. El desarrollo económico ha traído al país una mayor estabilidad política y desde 1979 se ha renovado el gobierno a través de elecciones democráticas.

¡A explorar!

Traducción de tiempos verbales

F Las islas Galápagos. *Las respuestas pueden variar.*

1. En 1535, un obispo español que viajaba de Panamá, descubrió un grupo de diecinueve islas en el Océano Pacífico a unas 600 (seiscientas) millas de Ecuador.
2. Por siglos nadie reconocería que había muchas especies raras de pájaros, plantas y animales en estas islas que no se podían encontrar en ninguna otra parte del mundo.
3. Charles Darwin fue un famoso naturalista británico que visitó las islas en 1835.

4. Darwin hizo una investigación sobre el proceso de adaptación de las plantas y los animales de las islas Galápagos, y sus estudios contribuyeron enormemente a nuestro entendimiento de la evolución.

5. Por ejemplo, las iguanas, que ahora habitan ambos la tierra y el mar, tuvieron que adaptarse a un nuevo régimen alimenticio para sobrevivir.

6. Ahora sabemos que los galápagos, enormes tortugas que habitan las islas, pueden vivir un promedio de 250 (doscientos cincuenta) años.

7. El gobierno ecuatoriano se dio cuenta de que este rico territorio necesitaba su protección y estableció una ley en 1971 que prohibía que se visitara las islas sin un guía capacitado.

8. Es importante proteger este medio ambiente único para que las futuras generaciones las puedan continuar estudiándolo.

Gramática en contexto

G **Invitación rechazada.**

1. Ernestina dijo que iría con tal de que no tuviera que salir con una amiga.

2. Sergio dijo que vería la obra en caso de que el patrón no lo llamara para trabajar esa noche.

3. Pilar dijo que saldría conmigo con tal de que yo invitara a su novio también.

4. Pablo dijo que no saldría de su cuarto sin que el trabajo de investigación quedara terminado.

5. Rita dijo que me acompañaría a menos que su madre la necesitara en casa.

H **Promesas.**

1. me bañara; me arreglara
2. me entregara
3. leyera
4. terminara
5. volviera

I **Ayuda.**

1. se desocupara
2. se sentía; necesitaba
3. terminaran
4. trabajaba
5. comenzaran
6. hicieran

Ortografía

J **Meteorito en Ecuador.**

1. cayó
2. arroyo
3. raya
4. halla
5. valla

Lengua en uso

K **"Amigos falsos".** *Las oraciones van a variar.*

1. librería: tienda de libros

   La librería Domínguez tiene el último libro de cuentos de Gilda Holst.

   library: biblioteca

   La biblioteca tiene varios ejemplares de *Huasipungo,* la obra más conocida de Jorge Icaza.

2. fábrica: lugar donde se hace o se construye algo

   La Oficina de Cultura acaba de anunciar que va a abrir una fábrica de artesanía de los chibchas, los colorados y los cayapas.

   fabric: tela

   Me fascinan las telas indígenas de Ecuador.

3. registrar: examinar con detención, señalar, certificar

   Es curioso que a ti nunca te registren el carro en las aduanas.

   to register (in a course): matricularse

   Acabo de matricularme en un curso con Enrique Tábara, el pintor.

4. introducir: hacer entrar, meter, hacer adoptar

   Supe que hoy en el mercado de Otavalo van a introducir nuevos textiles indígenas.

   to introduce (a person): presentar (a alguien)

   En la recepción de la embajada me presentaron al presidente Sixto Durán Ballén.

5. papel: hoja seca que sirve para escribir, imprimir o envolver; parte de la obra dramática que representa cada actor

   En mi opinión, el papel de Huáscar es mucho más exigente que él de Atahualpa.

   (to write) a paper: escribir un ensayo o informe

   Tengo que escribir un ensayo sobre los záparos y los jíbaros.

6. moverse: agitar, poner en movimiento

Cuando traté de recoger la hoja, se movió de repente porque era un camaleón.

to move (to a new house): mudarse, cambiar de domicilio

Zheyla, mi amiga ecuatoriana, se casó con un voluntario del Cuerpo de Paz y se mudó a EE.UU. hace más de quince años.

Vocabulario activo

L. Lógica.

1. pigmento
2. refinería
3. reducir
4. coincidir
5. enviar

M. Ecuador independiente.

1. RIVALIDAD
2. HACENDADO
3. AMAZONICO
4. RECLAMAR
5. COINCIDIR
6. COSMOPOLITA
7. OPONERSE
8. EMPRESA

E N   U N A   L Í N E A
I M A G I N A R I A

Unidad 7
Lección 3

¡A escuchar!

El Mundo 21

A. Líder boliviano.

1. C
2. N/R
3. C
4. C
5. F   La última vez que fue elegido presidente fue en 1985.
6. F   Su sobrino Jaime Paz Zamora fue elegido presidente en 1989.

B. El lago Titicaca.

1. c
2. a
3. b
4. b
5. a

C. Encargos.

Fig. A: –	**Fig. E:** 5
Fig. B: 4	**Fig. F:** 2
Fig. C: 1	**Fig. G:** –
Fig. D: –	**Fig. H:** 3

Pronunciación y ortografía

D. La letra *r*.

1. /řˇ/
2. /r̃/
3. /řˇ/
4. /řˇ/
5. /r̃/
6. /r̃/
7. /r̃/
8. /řˇ/
9. /r̃/, /řˇ/
10. /řˇ/

E. Práctica con los sonidos /řˇ/ y /r̃/.

1. te**rr**ito**r**io
2. En**r**iqueta
3. i**rr**eve**r**ente
4. p**r**ospe**r**ar
5. fe**rr**oca**rr**il
6. **r**evolución
7. inte**rr**umpir
8. fue**r**za
9. se**r**piente
10. en**r**ique**c**e**r**se

F. Deletreo de palabras parónimas.

1. pero / pe**rr**o
2. co**rr**al / co**r**al
3. aho**rr**a / aho**r**a
4. pa**r**a / pa**rr**a
5. ce**rr**o / ce**r**o
6. hie**r**o / hie**rr**o
7. ca**r**o / ca**rr**o
8. fo**rr**o / fo**r**o

Dictado

Las consecuencias de la independencia

La independencia trajo pocos beneficios para la mayoría de los habitantes de Bolivia. El control del país pasó de una minoría española a una minoría criolla muchas veces en conflicto entre sí por intereses personales. A finales del siglo XIX, las ciudades de Sucre y La Paz se disputaron la sede de la capital de la nación. Ante la amenaza de una guerra civil, se optó por la siguiente solución: la sede del gobierno y el poder legislativo se trasladaron a La Paz, mientras que la capitalidad oficial y el Tribunal Supremo permanecieron en Sucre.

¡A explorar!

Variantes coloquiales: Participios pasados

G Participios pasados.

Forma irregular

1. abierto
2. cubierto
3. dicho
4. escrito
5. hecho
6. muerto
7. puesto
8. resuelto
9. roto
10. visto
11. vuelto
12. satisfecho

H Tradiciones aymaras.

1. descubierto
2. desenvuelto
3. escrito
4. predicho
5. muerto
6. opuesto
7. resuelto; interrumpido

Gramática en contexto

I Obligaciones pendientes.

1. he hablado
2. ha ido
3. hemos escrito
4. han resuelto
5. hemos organizado
6. ha visto
7. han hecho

J Buenas y malas noticias. *Las respuestas van a variar.*

1. Es fantástico que hayas encontrado un trabajo de tiempo parcial.
2. Es una lástima que no te hayas sentido muy bien ayer.
3. Es importante que te haya ido bien en el examen de español.
4. Me alegra que hayas recibido un regalo de tu mejor amigo(a).
5. No es bueno que hayas tenido una discusión con tus padres.
6. Es terrible que anoche no hayas podido ir al concierto de tu grupo favorito.

K Visita a Bolivia.

1. han visitado
2. han estado
3. hayan podido
4. han sufrido
5. haya afectado
6. han conocido
7. han paseado

Ortografía

L En las orillas del lago Titicaca.

1. amarra
2. cerro
3. coro
4. mira
5. morral
6. jarra
7. peritos

Lengua en uso

M Palabras quechuas.

1. d
2. j
3. h
4. i
5. b
6. f
7. a
8. e
9. g
10. c

Vocabulario activo

N Opciones.

1. c
2. a
3. c
4. b
5. a
6. b

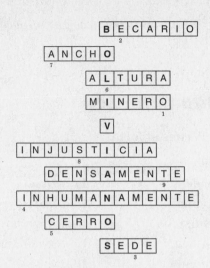

	B	E	C	A	R	I	O		
2

| A | N | C | H | O | | |
7

| | A | L | T | U | R | A |
6

| | M | I | N | E | R | O |
1

| | V |

| I | N | J | U | S | T | I | C | I | A |
8

| | D | E | N | S | A | M | E | N | T | E |
9

| I | N | H | U | M | A | N | A | M | E | N | T | E |
4

| | C | E | R | R | O |
5

| | S | E | D | E |
3

¿Qué tiene Bolivia que no tiene ningún otro país latinoamericano?

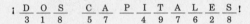

¡ D O S   C A P I T A L E S !
  3 1 8   5 7   4 9 7 6 2 8

Unidad 8
Lección 1

¡A escuchar!

El Mundo 21

A Escritor argentino.

1. C
2. F Borges estudió el bachillerato en Ginebra, Suiza.
3. C
4. F La fama mundial de Borges se debe principalmente a sus colecciones de cuentos.
5. F Cuando Borges se quedó ciego, en 1955, comenzó a dictar sus textos.
6. N/R

B El tango.

1. c   4. c
2. b   5. b
3. a

Pronunciación y ortografía

C Práctica con *ay, hay* y *hay que.*

1. hay   4. hay que
2. ay   5. hay
3. ay

D Deletreo.

1. Hay   4. ¡Ay!
2. ¡Ay!   5. hay
3. hay

Dictado

La era de Perón

Como ministro de trabajo, el coronel Juan Domingo Perón se hizo muy popular y cuando fue encarcelado en 1945, las masas obreras consiguieron que fuera liberado. En 1946, tras una campaña en la que participó muy activamente su segunda esposa María Eva Duarte de Perón, más conocida como Evita, Perón fue elegido presidente con el 55% de los votos. Durante los nueve años que estuvo en el poder, desarrolló un programa político denominado justicialismo, que incluía medidas en las que se mezclaba el populismo (política que busca apoyo en las masas con acciones muchas veces demagógicas) y el autoritarismo (imposición de decisiones antidemocráticas).

¡A explorar!

Los diferentes usos del verbo *haber*

E Los "desaparecidos".

1. hubo   4. habían
2. habían   5. habían
3. hayan   6. habría

Gramática en contexto

F Planes malogrados. *Las respuestas van a variar.*

1. Habría preparado el almuerzo al aire libre.
2. Habría leído un poco en la carpa.
3. Habría pescado en el río.

4. Habría nadado en el río.
5. Se habría sentado frente al fuego en la noche.
6. Habría escalado una montaña.
7. Habría caminado mucho durante el día.

G Escena familiar.

1. había cenado
2. había practicado
3. había visto
4. había leído
5. había salido

H Antes del verano.

1. habré organizado
2. habré planeado
3. habré obtenido
4. me habré graduado
5. me habré olvidado

I Deseos para el sábado.

1. Si no hubiera estado ocupado(a), habría ido a la playa.
2. Si no hubiera tenido tanto que estudiar, habría asistido a la fiesta de Aníbal.
3. Si hubiera hecho mi tarea, habría jugado al volibol.
4. Si hubiera terminado de lavar el coche, habría dado una caminata por el lago.
5. Si lo hubiera planeado con más cuidado, habría salido de paseo en bicicleta.

Ortografía

J Las Madres de la Plaza de Mayo.

1. Ay	9. Hay
2. ay	10. hay
3. hay	11. Ay
4. hay	12. hay
5. hay	13. hay
6. Hay	14. hay
7. Ay	15. hay
8. hay	

Correspondencia práctica

K Mi *currículum vitae*. Las respuestas van a variar.

Lengua en uso

L "Venas abiertas".

1. Latina	11. lastima
2. sendero	12. costado
3. camino	13. caro
4. olvidar	14. equivocado
5. heridas	15. fervientemente
6. pasiones	16. melodías
7. correr	17. celeste
8. caliente	18. vientos
9. postergados	19. nacerá
10. cuidarnos	20. deseamos

M Definiciones.

1. d	6. c
2. f	7. j
3. i	8. g
4. a	9. e
5. b	10. h

Vocabulario activo

N Lógica.

1. autoritarismo	4. congelado
2. cajero	5. enfrentarse
3. red	

Ñ Palabras.

1. b	4. b
2. c	5. a
3. a	6. a

¡A escuchar!

El Mundo 21

A Dictador paraguayo.

1. C
2. C
3. F Su padre fue un inmigrante alemán.
4. N/R
5. C
6. F Stroessner marchó al exilio cuando fue derrocado por un golpe de estado en 1989.

B Música paraguaya.

1. F La música paraguaya es de origen europeo.
2. C
3. F No hay mucha influencia africana en la música guaraní.
4. C
5. C
6. F La canción "Pájaro Campana" imita el sonido del quetzal.
7. F "Recuerdo de Ypacarai" es el nombre de una canción paraguaya muy conocida.

Pronunciación y ortografía

C Práctica con *a*, *ah* y *ha*.

1. ha
2. a
3. ah
4. a
5. ha
6. ah

D Deletreo.

1. ha
2. a
3. a
4. Ah
5. ha

Dictado

Paraguay: La nación guaraní

Paraguay se distingue de otras naciones latinoamericanas por la persistencia de la cultura guaraní mezclada con la hispánica. La mayoría de la población paraguaya habla ambas lenguas: el español y el guaraní. El guaraní se emplea como lenguaje familiar, mientras que el español se habla en la vida comercial. El nombre de Paraguay proviene de un término guaraní que quiere decir "aguas que corren hacia el mar" y que hace referencia al río Paraguay que, junto con el río Uruguay, desemboca en el Río de la Plata.

¡A explorar!

Secuencia de tiempos verbales

E La cultura guaraní. *Las respuestas pueden variar un poco.*

1. Los españoles querían que todos los guaraníes se convirtieran al cristianismo.
2. Los misioneros insistieron en que los guaraníes vivieran en las reducciones.
3. ¿Cómo es posible que el guaraní se hable en todos los hogares de Paraguay?
4. La lengua guaraní no sería tan popular en Paraguay actualmente si los jesuitas no se hubieran preocupado de estudiarla y en desarrollar una manera de escribirla.
5. Los guaraníes no tendrían una lengua escrita si no fuera por los misioneros jesuitas.
6. Se espera que la cultura guaraní no haya sido destruida para fines del siglo.
7. Habría muchos más guaraníes viviendo hoy día en las selvas paraguayas si el gobierno no les hubiera quitado su tierra.
8. Muchos creen que los guaraníes perderán muchas de sus tradiciones sólo porque se han mudado a las ciudades.
9. Sin embargo, las mujeres guaraníes serán liberadas tan pronto como los hombres guaraníes empiecen a trabajar jornadas completas de ocho horas.

Gramática en contexto

F Comparación.

1. Creo que antes veía más programas en la televisión.
2. Tengo la impresión de que antes estudiaba menos.
3. Me dicen que antes era más cortés.
4. Pienso que antes iba al gimnasio más a menudo.
5. Creo que antes aprendía más rápidamente.
6. Opino que antes sufría menos de alergia.

G Visita a Paraguay.

1. había aprendido
2. había asistido
3. había viajado
4. había probado
5. había descubierto

H El siglo XXI. *Las respuestas van a variar.*

1. Me imagino que el problema de drogas y pandillas ya estará bajo control.
2. Estoy seguro(a) de que yo estaré casado(a) y tendré una familia grande.
3. Pienso que el problema de la contaminación ambiental habrá empeorado y será difícil respirar aire puro en las ciudades grandes.
4. Creo que todas las naciones trabajarán juntas para mejorar el medio ambiente.
5. Sin duda todos los niños podrán contar con un futuro menos problemático.

Ortografía

I La presa de Itaipú.

1. Ah	9. ha
2. Ha	10. a
3. ha	11. Ah
4. a	12. ha
5. ha	13. a
6. a	14. ha
7. ha	15. a
8. ha	16. ha

Lengua en uso

J Refranes.

1. d	7. l
2. k	8. a
3. i	9. f
4. h	10. b
5. g	11. e
6. j	12. c

Vocabulario activo

K Lógica.

1. esplendor	4. enfrentar
2. abundar	5. alcanzar
3. cantidad	

L Definiciones.

1. a	4. b
2. a	5. b
3. c	

Unidad 8
Lección 3

¡A escuchar!

El Mundo 21

A Escritora chilena.

1. F La energía, la honestidad y el sentido de humor de Isabel Allende impresionaron mucho a una de las amigas.
2. C
3. F Isabel Allende es sobrina de Salvador Allende.
4. N/R
5. F Una película basada en la novela *La casa de los espíritus* se hizo en 1994.
6. C

B Isla de Pascua.

1. a
2. c
3. b

4. b
5. a

C Alegría.

Fig. A: –
Fig. B: 1
Fig. C: 4
Fig. D: 5

Fig. E: 2
Fig. F: –
Fig. G: 3
Fig. H: –

Pronunciación y ortografía

D Práctica con *esta*, *ésta* y *está*.

1. ésta
2. está
3. esta

4. esta
5. ésta
6. está

E Deletreo.

1. esta
2. está
3. esta

4. está
5. ésta
6. ésta

Dictado

El regreso de la democracia

A finales de la década de 1980 Chile gozó de una intensa recuperación económica. En 1988 el gobierno perdió un referéndum que habría mantenido a Pinochet en el poder hasta 1996. De 1990 a 1994, el presidente Patricio Aylwin, quien fue elegido democráticamente, mantuvo la exitosa estrategia económica del régimen anterior, pero buscó liberalizar la vida política. En diciembre de 1993 fue elegido presidente Eduardo Frei Ruiz-Tagle, hijo del presidente Eduardo Frei Montalva quien gobernó Chile de 1964 a 1970. Chile se ha constituido en un ejemplo latinoamericano donde florecen el progreso económico y la democratización del país.

¡A explorar!

Variantes coloquiales: Secuencia de tiempos verbales en frases condicionales con *si*

F Allende y Pinochet.

1. Si hubiera podido, Salvador Allende habría impuesto el socialismo en Chile.
2. Si EE.UU. no hubiera boicoteado al gobierno de Allende, probablemente no habría habido tanta oposición del pueblo chileno.
3. Tal vez Allende no habría muerto si las fuerzas armadas de Pinochet no hubieran tomado el poder.
4. Era obvio que si Pinochet llegara a tomar control, revocaría las decisiones socialistas de Allende.
5. Pero nadie sabía que miles de personas desaparecerían si se opusieran a Pinochet.
6. Sabemos que miles de intelectuales y artistas chilenos no habrían salido de su país si Pinochet no hubiera prohibido todos los partidos políticos.
7. Pinochet habría seguido en el poder si los chilenos no hubieran votado en contra de su reelección.

Gramática en contexto

G Lamentos.

1. lo invitaran, lo inviten
2. se enfade, se enfadara
3. lo comprendan, lo comprendieran
4. le dieran, le den
5. le preste, le prestara

H Recomendaciones médicas.

1. se haga
2. volviera
3. trabajara
4. reduzca

5. coma
6. disminuyera
7. dejara

I Opiniones de algunos políticos.

1. hubieran apoyado
2. eligen
3. llegara
4. desean
5. dieran
6. hubiera sido
7. respaldaran

Ortografía

J Violeta Parra.

1. esta
2. Esta
3. ésta
4. esta
5. Está
6. está
7. está
8. esta
9. está
10. esta
11. Está
12. está
13. ésta
14. está
15. esta
16. está

Lengua en uso

K Visita a Isla Negra.

1. a
2. haz
3. abría
4. reveló
5. reusó
6. a ser
7. tubo
8. a ver
9. cocer
10. vez

Vocabulario activo

L Desafío al futuro.

R	C	E	G	R	A	S	A	L	T	O
I	O	B	T	E	N	E	R	R	P	R
N	B	S	U	C	E	D	E	R	R	E
T	R	A	J	U	N	T	A	B	E	F
E	E	L	E	P	S	O	D	O	C	E
R	E	D	M	E	O	C	R	I	E	R
R	T	E	R	R	E	N	O	C	D	R
U	T	A	N	A	V	E	A	O	E	E
M	O	C	I	C	A	O	S	T	N	N
P	R	O	H	I	B	I	R	E	T	D
I	R	E	V	O	C	A	R	O	E	U
R	E	A	I	N	S	P	I	R	A	R

Lo que más impresiona de Chile ahora es... ¡el R E G R E S O a la D E M O C R A C I A!

APÉNDICE B

REGLAS DE ACENTUACIÓN EN ESPAÑOL

REGLAS DE ACENTUACIÓN EN ESPAÑOL

1. Las palabras que terminan en **vocal, n** o **s,** llevan "el golpe" o énfasis en la penúltima sílaba:

   libro: **li**-bro   corren: **co**-rren   armas: **ar**-mas

2. Las palabras que terminan en **consonante, excepto n** o **s,** llevan "el golpe" o énfasis en la última sílaba:

   papel: pa-**pel**   mirar: mi-**rar**   verdad: ver-**dad**

3. Todas las demás palabras que no siguen estas dos reglas llevan acento escrito:

   razon: ra-**zón**   arbol: **ár**-bol   jamas: ja-**más**

   Siguiendo las primeras dos reglas, todas las palabras esdrújulas (las palabras que llevan "el golpe" en la antepenúltima sílaba) siempre llevan acento escrito:

   timido: **tí**-mi-do   Mexico: **Mé**-xi-co   ultimo: **úl**-ti-mo

Excepciones a las reglas de acentuación

a. Para romper diptongos:

   Maria: Ma-**rí**-a   tenia: te-**ní**-a

b. Para distinguir las palabras homófonas:

el *(the)*	él *(he)*
tu *(your)*	tú *(you)*
mi *(my)*	mí *(me)*
de *(of)*	dé *(de "dar")*
se *(pron.)*	sé *(de "saber"; de "ser")*
mas *(but)*	más *(more)*
te *(you, pron.)*	té *(tea)*
si *(if)*	sí *(yes)*
solo *(alone)*	sólo *(only)*
aun *(even)*	aún *(still, yet)*

c. Para distinguir los pronombres demostrativos de los adjetivos demostrativos:

ese, esa *(that, adj.)*	ése, ésa *(that one, pron.)*
esos, esas *(those, adj.)*	ésos, ésas *(those, pron.)*
este, esta *(this, adj.)*	éste, ésta *(this one, pron.)*
estos, estas *(these, adj.)*	estos, éstas *(these, pron.)*
aquel, aquella *(that, adj.)*	aquél, aquélla *(that one, pron.)*
aquellos, aquellas *(those, adj.)*	aquéllos, aquéllas *(those, pron.)*

    Los pronombres neutros **esto, eso** y **aquello** nunca llevan acento escrito.

d. Para distinguir las palabras interrogativas y exclamativas:

como *(like, as)*	cómo *(how)*
porque *(because)*	por qué *(why)*
que *(that)*	qué *(what)*

cuál, cuáles, cuándo, cuánto, cuántos, cómo, dónde, adónde, quién, quiénes, qué, por qué

e. Los adverbios terminados en **-mente** conservan el acento escrito si lo llevan como adjetivos. (Éstas son las únicas palabras en español que llevan dos "golpes" en la misma palabra):

fácil + mente = **fá**-cil-**men**-te
rápida + mente = **rá**-pi-da-**men**-te

Sin embargo, si el adjetivo no lleva acento escrito tampoco lo lleva el adverbio.

lenta + mente = **len**-ta-**men**-te

APÉNDICE C

FORMULARIO DIAGNÓSTICO

ANOTACIONES PARA MEJORAR EL DELETREO

Usa esta tabla para anotar errores de deletreo que sigues repitiendo. En cada caso, escribe el deletreo formal, el error que tú tiendes a repetir, la razón por la cual crees que te confundes y algo que te ayude a recordar el deletreo formal en el futuro. Sigue el modelo. Este proceso debe ayudarte a superar los errores más comunes.

Nombre: _____ Fecha: _____

Tabla de anotaciones
para mejorar mi deletreo

Deletreo normativo	Mi deletreo	Razones por confusión	Lo que me ayuda a recordar el deletreo normativo
asistí	assistí	Escribí dos eses como la palabra en inglés	En español nunca se usan dos eses

ANOTACIONES PARA MEJORAR EL DELETREO

Usa esta tabla para anotar errores de deletreo que sigues repitiendo. En cada caso, escribe el deletreo formal, el error que tú tiendes a repetir, la razón por la cual crees que te confundes y algo que te ayude a recordar el deletreo formal en el futuro. Sigue el modelo. Este proceso debe ayudarte a superar los errores más comunes.

Nombre: _____ Fecha: _____

Tabla de anotaciones para mejorar mi deletreo

Deletreo normativo	Mi deletreo	Razones por confusión	Lo que me ayuda a recordar el deletreo normativo
asistí	assistí	Escribí dos eses como la palabra en inglés	En español nunca se usan dos eses

ANOTACIONES PARA MEJORAR EL DELETREO

Usa esta tabla para anotar errores de deletreo que sigues repitiendo. En cada caso, escribe el deletreo formal, el error que tú tiendes a repetir, la razón por la cual crees que te confundes y algo que te ayude a recordar el deletreo formal en el futuro. Sigue el modelo. Este proceso debe ayudarte a superar los errores más comunes.

Nombre: _____ Fecha: _____

Tabla de anotaciones
para mejorar mi deletreo

Deletreo normativo	Mi deletreo	Razones por confusión	Lo que me ayuda a recordar el deletreo normativo
asistí	assistí	Escribí dos eses como la palabra en inglés	En español nunca se usan dos eses

ANOTACIONES PARA MEJORAR EL DELETREO

Usa esta tabla para anotar errores de deletreo que sigues repitiendo. En cada caso, escribe el deletreo formal, el error que tú tiendes a repetir, la razón por la cual crees que te confundes y algo que te ayude a recordar el deletreo formal en el futuro. Sigue el modelo. Este proceso debe ayudarte a superar los errores más comunes.

Nombre: _____ Fecha: _____

Tabla de anotaciones
para mejorar mi deletreo

Deletreo normativo	Mi deletreo	Razones por confusión	Lo que me ayuda a recordar el deletreo normativo
asistí	assistí	Escribí dos eses como la palabra en inglés	En español nunca se usan dos eses

ANOTACIONES PARA MEJORAR EL DELETREO

Usa esta tabla para anotar errores de deletreo que sigues repitiendo. En cada caso, escribe el deletreo formal, el error que tú tiendes a repetir, la razón por la cual crees que te confundes y algo que te ayude a recordar el deletreo formal en el futuro. Sigue el modelo. Este proceso debe ayudarte a superar los errores más comunes.

Nombre: _____ Fecha: _____

Tabla de anotaciones
para mejorar mi deletreo

Deletreo normativo	Mi deletreo	Razones por confusión	Lo que me ayuda a recordar el deletreo normativo
asistí	assistí	Escribí dos eses como la palabra en inglés	En español nunca se usan dos eses

ANOTACIONES PARA MEJORAR EL DELETREO

Usa esta tabla para anotar errores de deletreo que sigues repitiendo. En cada caso, escribe el deletreo formal, el error que tú tiendes a repetir, la razón por la cual crees que te confundes y algo que te ayude a recordar el deletreo formal en el futuro. Sigue el modelo. Este proceso debe ayudarte a superar los errores más comunes.

Nombre: _____ Fecha: _____

Tabla de anotaciones
para mejorar mi deletreo

Deletreo normativo	Mi deletreo	Razones por confusión	Lo que me ayuda a recordar el deletreo normativo
asistí	assistí	Escribí dos eses como la palabra en inglés	En español nunca se usan dos eses

ANOTACIONES PARA MEJORAR EL DELETREO

Usa esta tabla para anotar errores de deletreo que sigues repitiendo. En cada caso, escribe el deletreo formal, el error que tú tiendes a repetir, la razón por la cual crees que te confundes y algo que te ayude a recordar el deletreo formal en el futuro. Sigue el modelo. Este proceso debe ayudarte a superar los errores más comunes.

Nombre: _____   Fecha: _____

Tabla de anotaciones
para mejorar mi deletreo

Deletreo normativo	Mi deletreo	Razones por confusión	Lo que me ayuda a recordar el deletreo normativo
asistí	assistí	Escribí dos eses como la palabra en inglés	En español nunca se usan dos eses

CRÉDITOS

Efforts have been made to locate the copyright holders; D.C. Heath will provide appropriate acknowledgments in all future reprints.

Unidad 3

"Quéjase de la suerte: insinúa su aversión a los vicios, y justifica su divertimiento a las Musas", by Sor Juana Inés de la Cruz, from *Sor Juana Inés de la Cruz Poems*, translated by Margaret Sayers Peden, and is reprinted by permission of Bilingual Press/Editorial Bilingüe, Binghamton, NY.

Unidad 4

"Búcate plata" from *Summa poética* by Nicolás Guillén (Luis Íñigo Madrigal, editor) is reprinted by permission of Ediciones Cátedra, S.A., Madrid, Spain.

"La Carta", by José Luis González, is excerpted from *El arte del cuento en Puerto Rico* by Concha Meléndez copyright © 1961 by Las Americas Publishing Co., and is reprinted by permission.

"Los mangos bajitos" from *Fogaraté* by Juan Luis Guerra and 4–40, is reprinted by permission of Karen Publishing Company.

Unidad 6

"Canto a la muerte" from *Amor y control* by Rubén Blades with Son del Solar, is reprinted by permission of Rubén Blades Productions, Inc.

Unidad 7

"Basta y sobra" from *Trovadicción* by Tania Libertad (written by Marcial Alejandro), is reprinted by permission of CBS/Columbia International.

Unidad 8

"Venas abiertas" from *Mercedes Sosa: Live in Europe* by Mercedes Sosa is reprinted by permission.